A irmã de
Becky Bloom

Outras obras da autora publicadas pela Editora Record

Lembra de mim?
Samantha Sweet, executiva do lar
O segredo de Emma Corrigan
Menina de vinte

Da série Becky Bloom:

Os delírios de consumo de Becky Bloom
Becky Bloom – Delírios de consumo na 5ª Avenida
A irmã de Becky Bloom
As listas de casamento de Becky Bloom
Mini Becky Bloom

SOPHIE KINSELLA

A irmã de Becky Bloom

Tradução de
ALVES CALADO

5ª EDIÇÃO

EDITORA RECORD
RIO DE JANEIRO • SÃO PAULO
2011

CIP-Brasil. Catalogação-na-fonte
Sindicato Nacional dos Editores de Livros, RJ.

Kinsella, Sophie, 1969-

K64i A irmã de Becky Bloom / Sophie Kinsella; tradução Alves
5ª ed. Calado. – 5ª ed. – Rio de Janeiro: Record, 2011.

Tradução de: Shopaholic & sister
ISBN 978-85-01-07218-4

1. Mulheres casadas – Ficção. 2. Irmãs – Ficção. 3. Consumo
(Economia. 4. Romance inglês. I. Alves Calado, Ivanir, 1953-.
II Título.

CDD – 823
05-4118 CDU – 821.111-3

Título original norte-americano
SHOPAHOLIC & SISTER

Copyright © 2004 by Sophie Kinsella

A autora se resguarda o direito de ser identificada como tal.

Todas as personagens desta obra são fictícias. Qualquer semelhança
com pessoas reais, vivas ou mortas, é mera coincidência.

Todos os direitos reservados. Proibida a reprodução, no todo ou
em parte, através de quaisquer meios.

Direitos exclusivos de publicação em língua portuguesa para todo o mundo,
exceto Portugal, adquiridos pela
EDITORA RECORD LTDA.
Rua Argentina 171 – Rio de Janeiro, RJ – 20921-380 – Tel.: 2585-2000
que se reserva a propriedade literária desta tradução

Impresso no Brasil

ISBN 978-85-01-07218-4

Seja um leitor preferencial Record.
Cadastre-se e receba informações sobre nossos
lançamentos e nossas promoções.

EDITORA AFILIADA

Atendimento e venda direta ao leitor:
mdireto@record.com.br ou (21) 2585-2002

Para Gemma e Abigail,
celebrando o fato de serem irmãs.

AGRADECIMENTOS

Obrigada a Linda Evans, Patrick Plonkington-Smythe, Larry Finlay, Laura Sherlock e a todas as pessoas maravilhosas da Transworld, que me apoiaram tremendamente. Aos fabulosos Araminta Whitley e Nicky Kennedy, Celia Hayley, Lucinda Cook e Sam Edenborough. Um agradecimento especial a Joy Terekiev e Chiara Scaglioni, por uma recepção maravilhosamente calorosa em Milão.

Obrigada, como sempre, aos membros da Diretoria. A Henry, por tudo. A Freddy e Hugo, por sugerirem que eu escrevesse sobre piratas, em vez disto (talvez seja o próximo tema).

E um grande muito-obrigada a meus pais, por me tirarem da rua para eu poder terminar de escrever isto...

DICIONÁRIO
DE DIALETOS TRIBAIS INTERNACIONAIS

ADENDO

(Os termos a seguir foram omitidos do dicionário principal.)

TRIBO NAMI-NAMI DA NOVA GUINÉ, p. 67

fraa ("frar"): ancião da tribo; patriarca.

mopi ("mop-i"): pequena concha para servir arroz ou outra comida.

shup ("shop"): trocar mercadorias por dinheiro ou contas. Conceito desconhecido da tribo até uma visita, em 2002, da inglesa Rebecca Brandon (ex-Bloom).

INSTITUTO REAL DE ARQUEOLOGIA DO CAIRO
Rua El Cherifeen, 31, Cairo

Sra. Rebecca Brandon
a/c Nile Hilton Hotel
Praça Tahrir
Cairo

15 de janeiro de 2003

Cara Sra. Brandon,

Que bom que está gostando de sua lua-de-mel no Egito! Fiquei satisfeito em saber que sente uma ligação com o povo egípcio e concordo que é bastante possível que a senhora tenha sangue egípcio.

Também agradeço seu interesse pela exposição de jóias do museu. Entretanto, respondendo à sua indagação, o "anelzinho lindo" a que se refere não está à venda. Pertenceu à rainha Sobeknefru da 12ª dinastia e, posso garantir, a falta dele seria sentida.

Espero que aproveite o resto da estadia.

Sinceramente,

Khaled Samir
(Diretor)

COMPANHIA DE TRANSPORTES BREITLING

TOWER HOUSE
CANARY WHARF
LONDRES, E14 5HG

Fax para: Sra. Rebecca Brandon
a/c Four Seasons Hotel
Sydney
Austrália

De: Denise O'Connor
Coordenadora de Atendimento ao Cliente

6 de fevereiro de 2003

Cara Sra. Brandon,

Lamentamos informar que sua "sereia esculpida na areia" de Bondi Beach se desintegrou durante o transporte.

Lembramos que não demos garantias da segurança do transporte e a aconselhamos contra o processo de envio.

Sinceramente,

Denise O'Connor
Coordenadora de Atendimento ao Cliente

TRILHAS E AVENTURAS NO ALASCA, INC
CAIXA POSTAL 80034
CHUGIAK
ALASCA

Fax para: Sra. Rebecca Brandon
a/c White Bear Lodge
Chugiak

De: Dave Crockerdale
Trilhas e Aventuras no Alasca

16 de fevereiro de 2003

Cara Sra. Brandon,

Obrigado pela consulta.

Aconselhamos enfaticamente a não tentar enviar seis cães *husky* e um trenó para a Inglaterra.

Concordo que os cães *husky* são animais maravilhosos e estou interessado em sua idéia de que eles poderiam ser a resposta para a poluição nas cidades. Mas acho improvável que as autoridades permitam que eles circulem pelas ruas de Londres, mesmo que a senhora "modifique os trenós colocando rodas e placas de identificação".

Espero que ainda esteja aproveitando a sua lua-de-mel.

Desejando tudo de bom,

Dave Crockerdale
Gerente de Trilhas

Um

Tudo bem. Posso fazer isso. Sem problema.

É só uma questão de deixar meu eu superior assumir o controle, alcançar a iluminação e me tornar um ser radiante de luz branca.

Moleza.

Disfarçadamente me ajeito no colchonete de ioga de modo a ficar virada para o sol e puxo para baixo as alças da blusa. Não sei por que não se pode alcançar a definitiva consciência abençoada e, ao mesmo tempo, ficar com um bronzeado sem marcas.

Estou sentada numa colina no meio do Sri Lanka no Blue Hills Resort e Retiro Espiritual, e a vista é espetacular. Montanhas e plantações de chá se estendem e depois se fundem com um céu de um azul profundo. Posso ver as cores fortes dos colhedores de chá nos campos e, se virar a cabeça um pouquinho, vislumbrar um elefante ao longe, cambaleando devagar entre os arbustos.

E quando giro a cabeça ainda mais vejo Luke. Meu marido. É aquele no colchonete azul, com calça de linho de bainha cortada e uma camiseta velha, sentado com as pernas cruzadas e os olhos fechados.

Eu sei. É inacreditável. Depois de dez meses de lua-de-mel, Luke se transformou numa pessoa completamente diferente do homem com quem me casei. O velho Luke empresário sumiu. Os ternos desapareceram. Está bronzeado e magro, o cabelo comprido e descorado pelo sol, e ainda tem algumas trancinhas que mandou fazer em Bondi Beach. No pulso tem uma pulseira da amizade que comprou no Masai Mara, e na orelha há uma pequenina argola de prata.

Luke Brandon de brinco! Luke Brandon sentado com as pernas cruzadas!

Como se pudesse sentir meu olhar, ele abre os olhos e sorri, e sorrio de volta, feliz. Dez meses de casada. E nenhuma briga.

Bom. Você sabe. Umazinha ou outra.

— *Siddhasana* — diz nosso professor de ioga, e obedientemente coloco o pé direito na coxa esquerda. — Esvaziem a mente de qualquer pensamento sobre o mundo lá fora.

Tudo bem. Esvaziar a mente. Concentrar.

Não quero contar vantagem, mas acho bem fácil esvaziar a mente. Não faço idéia por que alguém acha difícil! Quer dizer, não pensar tem de ser muito mais fácil do que pensar, não é?

A verdade é que tenho um talento meio natural para a ioga. Nós só estamos neste retiro há cinco dias e já consigo fazer o lótus e coisa e tal! Estava até pensando que posso virar professora de ioga quando voltar para casa.

Talvez possa fazer uma sociedade com Trudie Styler. Minha nossa, isso mesmo! E a gente poderia lançar uma linha de roupas de ioga também, tudo em cinzas e brancos suaves, com um logotipozinho...

— Concentrem-se na respiração — está dizendo Chandra.

Ah, certo, é. Respiração.

Inspirar... expirar. Inspirar... expirar. Inspirar...

Meu Deus, minhas unhas estão um arraso. Mandei fazer no *spa* — borboletinhas cor-de-rosa com fundo branco. E as antenas são minúsculos diamantes que brilham. Um doce! Mas parece que um caiu. Tenho de mandar consertar...

— Becky. — A voz de Chandra me faz dar um pulo. Está parado à minha frente, olhando com aquele jeito dele. Gentil, tipo sabe-tudo, como se pudesse enxergar o pensamento da gente.

— Você está muito bem, Becky — diz ele. — Você tem um espírito lindo.

Sinto uma fagulha de deleite de cima a baixo. Eu, Rebecca Brandon, *née* Bloom, tenho um espírito lindo! Sabia!

— Você tem uma alma que não é deste mundo — acrescenta ele com sua voz suave, e eu olho de volta, totalmente hipnotizada.

— As posses materiais não são importantes para mim — digo sem fôlego. — Só importa a ioga.

— Você encontrou seu caminho — sorri Chandra.

Há uma espécie de fungadela vinda da direção de Luke. Olho em volta e o vejo olhando-nos com ar divertido.

Eu sabia que Luke não estava levando isso a sério.

— Esta é uma conversa particular entre mim e meu guru, muito obrigada — digo com uma certa irritação.

Mas não deveria me surpreender. Fomos alertados disso no primeiro dia do curso de ioga. Aparentemente, quando um parceiro encontra a iluminação espiritual mais elevada, o outro pode reagir com ceticismo e até ciúme.

— Logo você estará andando sobre carvões em brasa. — Chandra sinaliza com um sorriso para um poço de carvões acesos, e um riso nervoso percorre todo o grupo. Nesta noite, Chandra e alguns de seus melhores alunos de ioga vão demonstrar para o resto de nós a caminhada sobre os carvões. É isso que todos devemos ter como objetivo. Parece que a gente alcança um estado de beatitude tão grande que não sente os carvões queimando os pés. Fica totalmente livre da dor!

O que espero secretamente é que também funcione quando eu estiver usando salto agulha 15.

Chandra ajeita meu braço e vai em frente, e eu fecho os olhos, deixando o sol esquentar o rosto. Sentada aqui nesta colina no meio de lugar nenhum sinto-me tão pura e calma! Não foi só Luke que mudou nos últimos dez meses. De fato sou uma pessoa diferente. Puxa, olha para mim, fazendo ioga num retiro espiritual. Meus velhos amigos provavelmente nem iriam me reconhecer!

Seguindo instruções de Chandra todos passamos para a posição *Vajrasana*. De onde estou posso ver um velho morador do Sri Lanka carregando duas velhas bolsas de pano, aproximando-se de Chandra. Eles conversam brevemente e Chandra fica balançando a cabeça, então o velho se afasta pela colina coberta de mato. Quando ele está fora do alcance da audição, Chandra se volta para o grupo, revirando os olhos.

— Esse homem é um mercador. Perguntou se alguém está interessado em pedras. Colares, pulseiras baratas. Falei que a mente de vocês está voltada para coisas mais elevadas.

Algumas pessoas perto de mim balançam a cabeça, incrédulas. Uma mulher de cabelos ruivos compridos parece afrontada.

— Ele não viu que a gente estava no meio de uma meditação? — pergunta.

— Ele não entende a dedicação espiritual de vocês. — Chandra olha sério o grupo ao redor. — Acontecerá o mesmo com muitos outros, mundo afora. Não entenderão que a meditação é o alimento da alma. Vocês não têm necessidade de... pulseiras de safira!

Algumas pessoas confirmam com a cabeça.

— Um pendente de água-marinha com corrente de platina — continua Chandra, não dando importância. — Como isso se compara à radiância da iluminação interior?

Água-marinha?

Uau. Quanto será que...

Quer dizer, não que eu esteja interessada. Obviamente não. Só que, por acaso, estive olhando águas-marinhas numa vitrine um dia desses. Só por interesse acadêmico.

Meus olhos vão até a figura do velho que se afasta.

— Três quilates, cinco quilates, ele ficava dizendo. Tudo pela metade do preço. — Chandra balança a cabeça. — Eu disse: essas pessoas não estão interessadas.

Metade do preço? Águas-marinhas de cinco quilates pela metade do preço?

Pára com isso! Pára com isso! Chandra está certo. Claro que não estou interessada em estúpidas águas-marinhas. Estou absorvida na iluminação espiritual.

De qualquer modo, o velho quase já foi embora. Não passa de uma figura minúscula no topo do morro. Num minuto terá desaparecido.

— E agora — Chandra sorri — a posição *Halasana*. Becky, quer demonstrar?

— Sem dúvida — sorrio de volta para Chandra e me preparo para fazer a posição no colchonete.

Mas há alguma coisa errada. Não sinto contentamento. Não sinto tranqüilidade. Uma sensação estranhíssima cresce por dentro, expulsando todo o resto. Está ficando cada vez mais forte...

E de repente não consigo me conter. Antes de saber o que está acontecendo, corro descalça o mais rápido que posso, morro acima, em direção à figura minúscula. Meus pulmões queimam, os pés estão ardendo e o sol bate na cabeça descoberta, mas só paro quando chego à crista do morro. Paro e olho em volta, ofegando.

Não acredito. Ele sumiu. Para onde foi?

Fico parada alguns instantes, recuperando o fôlego, espiando em todas as direções. Mas não o vejo em lugar nenhum.

Por fim, sentindo-me um tanto frustrada, viro-me e volto até o grupo, lá embaixo. Quando chego perto percebo que todos estão gritando e acenando para mim. Meu Deus, será que estou numa encrenca?

— Você conseguiu! — está gritando a ruiva. — Você conseguiu!

— O quê?

— Você correu por cima dos carvões! Você conseguiu, Becky.

O quê?

Olho para os pés... e não acredito. Estão cobertos de cinza! Atordoada, olho o poço de carvões — e ali está, uma tira de pegadas atravessando-o.

Ah, meu Deus. Ah, meu *Deus*! Eu passei correndo sobre os carvões! Passei sobre os carvões pegando fogo, em brasa! Consegui!

— Mas... mas eu nem notei! — falo perplexa. — Meus pés nem se queimaram!

— Como conseguiu? — pergunta a ruiva. — O que estava na sua mente?

— Eu posso responder — Chandra se aproxima sorrindo. — Becky alcançou a forma mais elevada de bem-aventurança cármica. Estava concentrada num único objetivo, uma imagem pura, e isso levou seu corpo a alcançar um estado sobrenatural.

Todo mundo está me olhando espantado, como se de repente eu tivesse virado o Dalai Lama.

— Na verdade não foi nada — digo com um sorriso modesto. — Só... vocês sabem. Iluminação espiritual.

— Pode descrever a imagem? — pergunta empolgada a ruiva.

— Era branca? — pergunta outra pessoa.

— Não era realmente branca... — digo.

— Era uma espécie de azul-esverdeado brilhante? — É a voz de Luke, vinda de trás. Levanto a cabeça rapidamente. Ele está me olhando de volta, na maior cara-de-pau.

— Não lembro — respondo num tom digno. — A cor não era importante.

— A sensação era... — Luke parece pensar com intensidade. — Como se os elos de uma corrente estivessem puxando você?

— É uma imagem muito boa, Luke — entoa Chandra, satisfeito.

— Não — digo rapidamente. — Não era. Na verdade acho que talvez você precise ter uma apreciação mais elevada das questões espirituais para entender.

— Sei — Luke assente com seriedade.

— Luke, você deve ter muito orgulho. — Chandra sorri para Luke. — Não é a coisa mais extraordinária que já viu sua esposa fazer?

Há um instante de silêncio. Luke olha de mim para os carvões em brasa, depois para o grupo silencioso e em seguida de novo para o rosto luminoso de Chandra.

— Chandra — diz ele. — Pode acreditar em mim. Isso aí não é nada.

Quando a aula termina, todo mundo vai para o terraço, onde bebidas geladas estarão esperando numa bandeja. Mas fico meditando no colchonete, para mostrar como me dedico mais a coisas elevadas. Estou me concentrando na luz branca de meu ser e me imaginando correndo nos carvões em brasa diante de Trudie e Sting, enquanto eles aplaudem com admiração, quando uma sombra cai sobre meu rosto.

— Saudações, Ó Ser Espiritual — diz Luke. Abro os olhos e o vejo parado perto de mim, estendendo um copo de suco.

— Você só está com ciúme porque não tem um espírito lindo — retruco, e ajeito casualmente o cabelo para que o ponto vermelho pintado na testa apareça.

— Louca — concorda Luke. — Tome um suco.

Ele se senta ao meu lado no chão e me entrega o copo. Tomo um gole de um delicioso suco gelado de maracujá e nós dois olhamos para a névoa distante sobre as montanhas.

— Sabe, eu realmente poderia viver no Sri Lanka — falo suspirando. — É perfeito. O clima... a paisagem... todas as pessoas são tão amistosas...

— Você disse o mesmo na Índia. E na Austrália — acrescenta Luke, enquanto abro a boca. — E em Amsterdã.

Meu Deus, Amsterdã. Tinha me esquecido completamente que fomos lá. Depois de Paris. Ou terá sido antes?

Ah, sim, foi onde comi aqueles bolos estranhos e quase caí no canal.

Tomo outro gole de suco e deixo a mente recuar pelos últimos dez meses. Visitamos tantos países que é difícil lembrar de tudo ao mesmo tempo. É quase como um borrão de filme, com imagens nítidas e luminosas aqui e ali. Os mergulhos com todos aqueles peixes azuis na Grande Barreira de Corais... as pirâmides no Egito... o safári com elefantes na Tanzânia... comprar aquele monte de seda em

Hong Kong... o *souk* de ouro no Marrocos... encontrar aquela incrível loja do Ralph Lauren em Utah...

Meu Deus, tivemos experiências incríveis. Dou um suspiro feliz e tomo outro gole de suco.

— Esqueci de dizer. — Luke pega uma pilha de envelopes. — Chegou correspondência da Inglaterra.

Sento-me empolgada e começo a folhear os envelopes.

— *Vogue!* — exclamo quando pego minha edição especial de assinante na brilhante capa de plástico. — Aah, olha! Puseram uma bolsa Angel na capa!

Espero uma reação — mas Luke permanece impassível. Sinto uma minúscula fagulha de frustração. Como ele pode ficar impassível? Eu li para ele toda aquela matéria sobre as bolsas Angel no mês passado e mostrei as fotos e tudo.

Sei que é nossa lua-de-mel. Mas algumas vezes gostaria que Luke fosse mulher.

— Você sabe! — digo. — As bolsas Angel! As bolsas mais incríveis e chiques desde... desde...

Ah, nem vou me incomodar, explicando. Em vez disso olho cheia de luxúria para a foto da bolsa. É feita de uma pelica macia e castanha, com um lindo anjo alado pintado à mão e o nome "Gabriel" embaixo, em *strass*. Há seis anjos diferentes, e todas as celebridades andam brigando para conseguir. Na Harrods está esgotada permanentemente. "Fenômeno sagrado", diz a chamada junto da foto.

Estou num fascínio tão grande que mal ouço a voz de Luke entregando outro envelope.

A IRMÃ DE BECKY BLOOM 23

— Uuzi — ele parece estar dizendo.

— O quê? — Levanto os olhos atordoada.

— Eu disse que tem outra carta — diz ele com paciência. — De Suze.

— Suze? — Largo a *Vogue* e pego o envelope. Suze é minha melhor amiga no mundo. Sinto *tanta* saudade dela!

O envelope é todo grosso, de um branco aveludado e tem um brasão atrás, com dístico em latim. Sempre esqueço como Suze é fenomenal. Quando mandou um cartão de Natal para a gente, era uma foto do castelo do marido, Tarquin, na Escócia, com "Da Propriedade Cleath-Stuart" impresso dentro. (Só que mal dava para ler porque seu filhinho de um ano, Ernie, tinha coberto com impressões digitais vermelhas e azuis.)

Rasgo o envelope e um cartão duro cai.

— É um convite! — exclamo. — Para o batizado dos gêmeos.

Olho as letras formais e cheias de volutas, sentindo uma ligeira pontada. Wilfrid e Clementine Cleath-Stuart. Suze teve mais dois nenéns e eu nem vi. Devem estar com uns dois meses. Imagino como são. Imagino como Suze está se virando. Tanta coisa tem acontecido sem nós!

Viro o cartão e vejo a mensagem escrita por Suze.

"Sei que vocês não poderão vir, mas achei que gostariam mesmo assim... espero que ainda estejam desfrutando de momentos maravilhosos! Todo o nosso amor, Suze xxx. PS Ernie adorou a roupa chinesa, muitíssimo obrigada!!"

— É daqui a duas semanas — digo mostrando o cartão a Luke. — Uma pena. A gente não pode ir.

— Não. Não podem.

Há um silêncio curto. Então Luke me encara.

— Quer dizer... você ainda não está preparada para voltar, está? — pergunta em tom casual.

— Não! — digo imediatamente. — Claro que não!

Só estamos viajando há dez meses, e planejamos ficar fora por pelo menos um ano. Além disso, agora estamos com o espírito da estrada nos pés. Viramos nômades que não juntam limo. Talvez nunca mais possamos voltar à vida normal, como marinheiros que não conseguem viver em terra.

Guardo o convite no envelope e tomo um gole do suco. Como será que mamãe e papai estão? Também não tenho tido muitas notícias deles ultimamente. Como será que papai se saiu no torneio de golfe?

E o pequenino Ernie já deve estar andando. Sou madrinha dele e nunca o vi andar.

Deixa para lá. Não faz mal. Em vez disso estou tendo incríveis experiências no mundo.

— Temos de decidir para onde vamos — diz Luke recostando-se de novo nos cotovelos. — Depois de terminarmos o curso de ioga. Estávamos falando sobre a Malásia.

— É — digo depois de uma pausa. Deve ser o calor, ou sei lá o quê, mas não consigo ficar muito entusiasmada com a Malásia.

— Ou o que acha de voltar à Indonésia? Na região norte?

— Hmm — digo sem me comprometer. — Ah, olha só, um macaco.

Não acredito que estou tão *blasé* com a visão dos macacos. Na primeira vez que vi aqueles babuínos no Quênia fiquei tão empolgada que tirei uns seis rolos de filme. Agora é apenas: "olha só, um macaco".

— Ou o Nepal... ou de novo à Tailândia...

— Ou podemos voltar — ouço-me dizendo, do nada.

Há um silêncio.

Que estranho. Eu não pretendia dizer isso. Puxa, *obviamente* nós ainda não vamos voltar. Ainda não fez um ano!

Luke se senta ereto e me olha.

— Voltar, voltar?

— Não! — digo rindo um pouco. — Só estou brincando! — Hesito. — Se bem que...

Ainda há um silêncio entre nós.

— Talvez... a gente não *tenha* que viajar durante um ano — digo, experimentando. — Se a gente não quiser.

— Estamos prontos para voltar?

— Não sei. — Sinto um arrepio de trepidação. — Estamos?

Mal posso acreditar que ao menos estamos falando em voltar para casa. Quer dizer, olha só para nós! Meu cabelo está todo seco e desbotado, tenho hena nos pés e há meses não uso um sapato de verdade.

Uma imagem me vem à mente, eu andando por uma rua de Londres com casaco e botas. Brilhantes botas de salto alto da LK Bennett. E uma bolsa combinando.

De repente sinto uma onda de saudade tão grande que quase quero chorar.

— Acho que já estou cheia do mundo. — Olho para Luke. — Estou pronta para a vida real.

— Eu também. — Luke segura minha mão e trança os dedos nos meus. — Na verdade, já estou pronto há um tempo.

— Você nunca disse! — Encaro-o.

— Não queria estragar a festa. Mas sem dúvida estou pronto.

— Você ficaria viajando... só por minha causa? — pergunto comovida.

— Bem, não é exatamente um sofrimento. — Luke me olha, maroto. — A gente não está passando nenhuma dificuldade, não é?

Sinto um leve rubor no rosto. Quando partimos nesta viagem falei a Luke que estava decidida a que fôssemos viajantes de verdade, tipo no filme *A praia*, que só dormem em pequenas cabanas.

Isso foi antes de eu passar a noite numa pequena cabana.

— Então, quando falamos em "voltar"... — Luke faz uma pausa — estamos falando de Londres?

Ele me olha interrogativamente.

Ah, meu Deus. Finalmente é o momento da decisão.

Durante dez meses estivemos conversando sobre onde iríamos morar depois da lua-de-mel. Antes de nos casarmos Luke e eu morávamos em Nova York. E eu adorava. Mas sentia falta de casa, também. E agora a empresa de Luke na Inglaterra está se expandindo para o resto da Europa, e é lá que está toda a empolgação. Por isso ele gostaria de voltar para Londres, pelo menos por um tempo.

A IRMÃ DE BECKY BLOOM

O que é ótimo... só que não tenho emprego. Meu antigo emprego era como compradora pessoal na Barneys, em Nova York. E eu adorava.

Mas não faz mal. Vou arranjar um emprego novo. Ainda melhor!

— Londres — digo decidida e levanto os olhos. — Então... será que a gente volta a tempo para o batizado?

— Se você quiser. — Luke sorri e eu sinto uma empolgação súbita. Vamos ao batizado! Vou ver Suze outra vez! E mamãe e papai! Depois de quase um ano! Todos vão ficar empolgadíssimos em nos ver. Temos tantas histórias para contar!

Tenho uma visão súbita de mim mesma presidindo festas à luz de velas com todos os meus amigos reunidos, ouvindo avidamente as histórias de terras distantes e aventuras exóticas. Serei como Marco Polo ou alguém assim! Aí vou abrir meu baú para revelar alguns tesouros raros e preciosos... todo mundo vai ficar boquiaberto de admiração...

— É melhor avisar a eles — diz Luke, levantando-se.

— Não, espera — digo segurando a calça dele. — Tive uma idéia. Vamos surpreender todo mundo!

— *Surpreender* todo mundo? — Luke parece em dúvida. — Becky, tem certeza que é uma boa idéia?

— É uma idéia brilhante! Todo mundo adora surpresas!

— Mas...

— Todo mundo adora surpresas — repito cheia de segurança. — Confie em mim.

Voltamos pelo jardim até a sede do hotel — e realmente sinto uma pontada ao pensar que vou embora. É tão lindo aqui! Bangalôs de teca e pássaros incríveis em toda parte, e se você seguir o riacho atravessando o terreno, há uma cachoeira de verdade! Passamos pelo centro de esculturas em madeira, onde a gente pode ver os artesãos trabalhando, e paro um momento, inalando o delicioso perfume de madeira.

— Sra. Brandon! — O artesão chefe, Vijay, apareceu junto à entrada.

Droga, eu não sabia que ele estaria por aqui.

— Desculpe, Vijay! — digo rapidamente. — Estou com um pouco de pressa. Vejo você mais tarde... venha, Luke!

— Sem problema! — Vijay ri de orelha a orelha e enxuga as mãos no avental. — Só queria dizer que sua mesa está pronta.

Merda.

Lentamente Luke se vira para mim.

— Mesa? — pergunta ele.

— Sua mesa de jantar — diz Vijay todo feliz. — E dez cadeiras. Vou mostrar. Vamos apresentar o trabalho! — Ele estala os dedos e grita algumas ordens e, de repente, para minha perplexidade, oito homens saem carregando nos ombros uma gigantesca mesa esculpida em teca.

Uau. É um pouquinho maior do que eu lembrava.

Luke está absolutamente pasmo.

— Tragam as cadeiras! — ordena Vijay. — Arrumem direito!

— Não é linda? — digo num tom animado demais.

— Você encomendou uma mesa de jantar e dez cadeiras... sem me dizer? — pergunta Luke, arregalando os olhos enquanto as cadeiras começam a chegar.

Tudo bem. Não estou com muitas opções.

— É... meu presente de casamento para você! — digo numa inspiração súbita. — É surpresa! Feliz casamento, querido! — Dou um beijo em sua bochecha e um sorriso esperançoso.

— Becky, você já me deu um presente de casamento. — Luke cruza os braços. — E nosso casamento já foi há um bom tempo.

— Eu estava... guardando para o fim! — Baixo a voz para que Vijay não possa ouvir. — E, honestamente, não é tão cara...

— Becky, não é o dinheiro. É o espaço! Esse negócio é uma monstruosidade!

— Não é *tão* grande. E, de qualquer modo — acrescento rapidamente antes que ele possa responder — a gente precisa de uma mesa boa! Todo casamento precisa de uma mesa boa. — Abro os braços totalmente. — Afinal de contas, o que é o casamento senão sentar-se à mesa no fim do dia e compartilhar todos os nossos problemas? O que é o casamento senão sentar-se junto a uma sólida mesa de madeira e... e comer uma tigela de cozido suculento?

— Cozido suculento? — ecoa Luke. — Quem vai fazer o cozido suculento?

— Posso comprar na Waitrose — explico.

Rodeio a mesa e olho séria para ele.

— Luke, pense bem. Nunca mais vamos estar de novo no Sri Lanka com escultores autênticos diante de nós. É uma oportunidade única. E mandei que fosse personalizada!

Aponto para o painel de madeira na lateral da mesa. Ali, lindamente esculpidas entre as flores, estão as palavras "Luke e Rebecca, Sri Lanka, 2003".

Luke passa a mão na mesa. Sente o peso de uma das cadeiras. Posso ver que está cedendo. E de repente ele levanta a cabeça, com a testa ligeiramente franzida.

— Becky, há mais alguma coisa que você comprou e não me contou?

Sinto um minúsculo nó por dentro, que disfarço fingindo examinar uma das flores esculpidas.

— Claro que não! — digo finalmente. — Ou... você sabe, talvez só uma ou outra lembrancinha no caminho. Uma coisinha aqui e outra ali.

— Tipo o quê?

— Não lembro! — exclamo. — Foram dez meses, pelo amor de Deus! — Viro-me de novo para a mesa. — Anda, Luke, você *deve* estar amando. Podemos dar jantares fantásticos... e vai ser um objeto de herança. Podemos deixar para nossos filhos...

Paro meio sem jeito. Por um instante não consigo encarar Luke.

Há alguns meses tivemos uma discussão gigantesca e decidimos que gostaríamos de tentar um neném. Mas até agora... nada aconteceu.

Quer dizer, não que seja grande coisa, sei lá. Vai acontecer. Claro que vai.

— Certo — diz Luke com a voz um pouquinho mais gentil. — Você venceu. — Ele dá um tapinha na mesa e olha o relógio. — Vou mandar um e-mail para o escritório. Falar sobre a mudança de planos. — Ele me dá um olhar maroto. — Na certa você não estava esperando que eu irrompesse na sala da diretoria e gritasse: "Surpresa, voltei!"

— Claro que não! — respondo praticamente sem perder o pique.

Na verdade é mais ou menos o que eu tinha visualizado. Só que eu também estaria lá, com uma garrafa de champanha. E talvez alguns salgadinhos.

— Não sou tão estúpida assim — acrescento gelidamente.

— Bom. — Luke ri. — Por que não pede uma bebida enquanto eu me retiro por instante?

Quando me sento à mesa no terraço sombreado, estou só um pouquinho preocupada. Tentarei me lembrar de todas as coisas que comprei e mandei para casa sem dizer a Luke.

Puxa, não sinto nenhuma preocupação. Não pode ser *tanta* coisa assim. Pode?

Ah, meu Deus. Fecho os olhos tentando lembrar.

As girafas de madeira em Malawi. Que Luke disse que eram grandes demais. O que é simplesmente ridículo. Vão ficar incríveis! Todo mundo vai admirar!

E todos aqueles estupendos objetos de arte em batique, de Báli. Sobre os quais pretendia falar com ele... mas nunca surgiu ocasião.

E todos os vinte roupões de seda chinesa.

Que, tudo bem... sei que vinte parece muito. Mas foram uma pechincha! Luke não pareceu entender meu argumento de que, se comprássemos vinte agora, eles durariam a vida inteira e seriam um verdadeiro investimento. Para alguém que trabalha com relações públicas para instituições financeiras, às vezes ele pode ser meio lento.

Por isso me esgueirei de volta à loja, comprei os roupões e pedi que mandassem entregar.

O negócio é que a entrega em casa torna tudo fácil demais. Você não tem de ficar carregando nada, só aponta e manda entregar. "Gostaria que mandassem entregar isso, por favor. E aquilo. E aquilo." Em seguida entrega o cartão de crédito e vamos lá, e Luke não vê nada...

Talvez eu devesse ter feito uma lista.

De qualquer modo, está tudo bem. Tenho certeza.

E puxa, a gente quer umas lembrancinhas, não é? De que adianta dar a volta ao mundo e retornar de mãos vazias? Exatamente.

Vejo Chandra passando pelo terraço e lhe dou um aceno amistoso.

A IRMÃ DE BECKY BLOOM

— Você se saiu muito bem na aula hoje, Becky! — diz ele e vem até a mesa. — E agora eu gostaria de perguntar uma coisa. Daqui a duas semanas vou fazer um retiro avançado de meditação. Os outros são principalmente monges e pessoas que praticam ioga há muito tempo... mas acho que você tem o comprometimento para se juntar a nós. Estaria interessada?

— Adoraria! — faço uma cara de frustração. — Mas não posso. Luke e eu vamos para casa!

— Para casa? — Chandra parece chocado. — Mas... você está indo tão bem. Vai abandonar o caminho da ioga?

— Ah, não — digo em tom tranqüilizador. — Não se preocupe. Eu compro uma fita de vídeo.

Enquanto se afasta, Chandra parece meio atordoado. O que não é de surpreender. Ele provavelmente nem sabia que a gente pode *comprar* vídeos de ioga. Certamente não deve ter ouvido falar de Geri Halliwell.

Um garçom aparece e eu peço um coquetel de manga e mamão, que no menu é chamado de Suco Feliz. Bem, isso me serve. Aqui estou, ao sol, na minha lua-de-mel, e em breve terei um encontro-surpresa com todas as pessoas que amo. Tudo está perfeito!

Levanto os olhos e vejo Luke se aproximando da mesa, segurando seu Palm Pilot. Será minha imaginação ou ele está andando mais rápido e parecendo mais animado do que há meses?

— Certo — diz ele — falei com o escritório.

— Está tudo bem?

— Claro. — Ele parece cheio de energia contida. — Está indo muito bem. De fato quero marcar umas duas reuniões para este fim de semana.

— Isso foi rápido! — digo perplexa.

Nossa! Eu achava que demoraria cerca de uma semana só para a gente se organizar.

— Mas sei o quanto você está aproveitando esse retiro de ioga — acrescenta ele. — Portanto, proponho que você continue e se encontre comigo depois... e então a gente volta junto à Inglaterra.

— Onde são as suas reuniões? — pergunto confusa.

— Na Itália.

O garçom aparece com meu Suco Feliz e Luke pede uma cerveja.

— Mas eu não quero me separar de você! — digo enquanto o garçom recua. — É a nossa lua-de-mel!

— Nós tivemos dez meses juntos... — observa Luke gentilmente.

— Eu sei. Mas mesmo assim... — Tomo um desconsolado gole de Suco Feliz. — Aonde você vai, na Itália?

— A nenhum lugar empolgante — responde Luke depois de uma pausa. — Só a uma... cidade do norte da Itália. Muito chata. Recomendo que você fique aqui. Curta o sol.

— Bem... — Olho em volta, sentindo-me dividida. Aqui é realmente bem legal. — Que cidade?

Há um silêncio.

— Milão — diz Luke com relutância.

— Milão? — Quase caio da cadeira, de tão empolgada. — Você vai a Milão? Nunca estive em Milão! Eu adoraria ir a Milão!

— Não! Verdade?

— Claro! Com certeza! Quero ir!

Como é que ele pode pensar que não quero ir a Milão? Eu *sempre* quis ir a Milão.

— Certo — Luke balança a cabeça, pesaroso. — Devo estar louco, mas tudo bem.

Empolgada, recosto-me na cadeira e tomo um grande gole de Suco Feliz. Esta lua-de-mel está ficando cada vez melhor.

Dois

Certo, não posso acreditar que Luke estava planejando ir a Milão sem mim. Como poderia ir lá sem mim? Eu fui *feita* para Milão.

Não. Não é Milão. É *Milano*.

Na verdade ainda não vi grande coisa da cidade, a não ser um táxi e nosso quarto de hotel — mas para uma viajante do mundo como eu, isso não importa. Você pode captar a vibração de um lugar num instante, como os selvagens na floresta. E assim que olhei pelo saguão do hotel e vi todas aquelas mulheres chiques vestindo Prada e D&G, beijando-se ao mesmo tempo que engolem *espressos*, acendendo cigarros e balançando os cabelos brilhantes, eu meio que sabia, com uma espécie de instinto natural: este é o meu tipo de cidade.

Tomo um gole do *cappuccino* do serviço de quarto e olho meu reflexo no espelho do armário. Honestamente, pareço italiana! Só preciso de uma calça capri e delineador escuro. E talvez uma vespa.

— *Ciao* — digo casualmente e sacudo o cabelo. — *Si. Ciao.*

A IRMÃ DE BECKY BLOOM

Eu poderia mesmo ser italiana. Só que talvez precise aprender mais algumas palavras.

— *Si* — confirmo para mim mesma. — *Si. Milano.*

Acho que vou treinar lendo o jornal. Abro o exemplar grátis do *Corriere della Sera* que chegou com o café-da-manhã e começo a examinar as linhas de texto. E não estou me saindo tão mal! A primeira matéria é sobre o presidente lavando seu piano. Pelo menos... tenho quase certeza de que é isso que deve significar *presidente* e *lavoro pieno*.

— Sabe, Luke, eu realmente poderia morar na Itália — digo quando ele sai do banheiro. — Puxa, é o país perfeito. Tem de tudo! *Cappuccinos*... comida gostosa... todo mundo é elegantérrimo... dá para comprar Gucci mais barato do que na Inglaterra...

— E a arte — diz Luke, na bucha.

Meu Deus, algumas vezes ele é um chato.

— Bem, obviamente a *arte* — digo revirando os olhos. — Puxa, nem precisa falar da arte.

Viro uma folha do *Corriere della Sera* e examino rapidamente as manchetes. Então meu cérebro dá um estalo súbito.

Pouso o jornal e olho para Luke de novo.

O que está acontecendo com ele?

Estou vendo o Luke Brandon que conheci quando era jornalista financeira. Está completamente barbeado e veste um terno imaculado, com camisa verde-clara e gravata verde mais escuro. Usa sapatos de verdade e meias de verdade. O brinco sumiu. A pulseira sumiu. O único vestígio das nossas viagens é o cabelo, que ainda tem trancinhas minúsculas.

Sinto uma bolha de consternação crescendo por dentro. Gostava dele como estava antes, todo tranqüilão e desarrumado.

— Você... ficou meio chique! — digo. — Cadê a pulseira?

— Na mala.

— Mas a mulher no Masai Mara disse que a gente nunca deveria tirar! — digo chocada. — Ela fez aquela oração *masai* especial!

— Becky... — Luke suspira. — Não posso ir a uma reunião com um pedaço de corda velha no pulso.

Pedaço de corda velha? Aquilo era uma pulseira sagrada, e ele sabe disso.

— Você ainda está com as tranças! Se pode ter tranças, pode ter uma pulseira!

— Eu não vou manter as tranças! — Luke dá um risada incrédula. — Marquei um corte de cabelo daqui a... — ele consulta o relógio — . . dez minutos.

Corte de cabelo?

Isso tudo está indo rápido demais. Não suporto a idéia do cabelo de Luke, desbotado pelo sol, sendo cortado e caindo no chão. O cabelo da nossa lua-de-mel indo embora.

— Luke, não — digo antes que consiga me controlar. — Você não pode.

— O que há de errado? — Luke se vira e me olha mais atentamente. — Becky, você está bem?

Não. Não estou bem. Mas não sei por quê.

— Você não pode cortar o cabelo — digo desesperada. — Aí tudo vai acabar!

— Querida... *acabou.* — Luke se aproxima e se senta ao meu lado. Segura minhas mãos e olha nos meus olhos. — Você sabe, não sabe? Acabou. Nós vamos para casa. Vamos voltar à vida real.

— Eu sei! — digo depois de uma pausa. — É só que... realmente adoro seu cabelo comprido.

— Não posso ir a uma reunião de negócios assim. — Luke balança a cabeça de modo que as contas nos cabelos fazem barulho. — Você sabe tanto quanto eu.

— Mas não precisa cortar! — respondo numa súbita inspiração. — Um monte de italianos usa cabelo comprido. Só vamos tirar as tranças.

— Becky...

— Eu faço isso! Eu tiro! Sente-se.

Empurro Luke para a cama e cuidadosamente retiro as primeiras contas, depois começo gentilmente a desfazer as tranças. Quando me inclino para perto sinto o cheiro executivo da cara loção pós-barba Armani, que ele sempre usa para trabalhar. Não a usava desde antes de nos casarmos.

Giro na cama e cuidadosamente começo a desfazer as tranças do outro lado da cabeça. Nós dois estamos em silêncio; o único som na sala são os estalos fracos das contas. Quando tiro a última sinto um nó na garganta. O que é ridículo.

Puxa, a gente não poderia ficar para sempre na lua-de-mel, não é? E estou ansiosa para ver mamãe e papai de novo, e Suze, e voltar à vida real...

Mas mesmo assim. Passei os últimos dez meses com Luke. Não ficamos mais do que algumas horas longe um do outro. E agora tudo isso está acabando.

Tudo bem. Vou ficar numa boa. Vou me ocupar com o novo emprego... e todos os amigos...

— Pronto!

Pego meu hidratante, ponho um pouco no cabelo de Luke e o escovo cuidadosamente. Está meio ondulado, mas tudo bem. Ele só parece europeu.

— Viu? — digo por fim. — Você está ótimo!

Luke examina o reflexo, em dúvida, e por um momento medonho acho que ele dirá que vai cortar o cabelo. Depois sorri.

— Certo. Fica assim até segunda ordem. Mas vai ter de ser cortado mais cedo ou mais tarde.

— Eu sei — digo sentindo-me subitamente leve outra vez. — Mas hoje não.

Olho enquanto Luke junta alguns papéis e coloca na pasta.

— Então... exatamente o que você veio fazer em Milão?

Luke me contou, no vôo vindo de Colombo — mas na hora estavam servindo champanha grátis e não sei se captei tudo.

— Vamos tentar conseguir um cliente novo. O Grupo Arcodas.

— Isso mesmo. Agora lembro.

A empresa de Luke se chama Brandon Communications, e é uma agência de relações públicas para instituições financeiras, como bancos, empresas de crédito e de investimento. Na verdade foi assim que a gente se conheceu, quando eu era jornalista financeira.

— Queremos ampliar o mercado, sair do ramo de finanças. — Luke fecha a pasta. — Esse grupo é uma corporação muito grande, com um monte de atuações diferentes. Constrói imóveis... possui centros de lazer... *shopping centers...*

— *Shopping centers?* — Levanto os olhos. — Você consegue descontos?

— Se conseguirmos a conta. Talvez.

Meu Deus, isso é maneiro. Talvez a empresa de Luke passe a fazer divulgação de moda! Talvez comece a representar Dolce & Gabbana em vez daqueles bancos chatos!

— E eles têm algum *shopping* em Milão? — pergunto numa voz solícita. — Porque eu poderia visitar um. Para pesquisar.

— Eles não têm nenhum em Milão. Só estão aqui para uma conferência de varejo. — Luke pousa a pasta e me olha longamente.

— O que é? — pergunto.

— Becky... sei que aqui é Milão. Mas, por favor, não pire de vez hoje.

— Pirar de vez? — pergunto meio ofendida. — O que você quer dizer?

— Sei que você vai fazer compras...

Como é que ele sabe? Honestamente, que desplante de Luke! Como sabe que não vou ver alguma estátua famosa ou sei lá o quê?

— Não vou fazer compras! — reajo indignada. — Mencionei os *shoppings* para demonstrar interesse pelo seu trabalho.

— Sei. — Luke me dá um olhar interrogativo que me irrita.

— Na verdade vim aqui pela cultura. — Levanto o queixo. — E porque Milão é uma cidade onde nunca estive.

— Ahã. — Luke confirma com a cabeça. — Então você não estava planejando visitar nenhuma loja de grife hoje.

— Luke — digo com gentileza. — Sou uma profissional de compras pessoais. Você realmente acha que eu ia ficar toda empolgada por causa de algumas lojas de grife?

— Francamente, sim.

Sinto um jorro de indignação. Nós não fizemos votos um para o outro? Ele não prometeu me respeitar e jamais duvidar de minha palavra?

— Você acha que só vim aqui para fazer compras? Bom, fique com isso! — Seguro minha bolsa, tiro a carteira de dentro e jogo para ele.

— Becky, não seja boba...

— Pegue! Só vou dar um passeio pela cidade!

— Então está bem. — Luke dá de ombros e guarda minha carteira no bolso.

Droga. Não achei que ele fosse pegar de verdade.

A IRMÃ DE BECKY BLOOM

Mas não faz mal, porque tenho outro cartão de crédito escondido na bolsa, do qual Luke não sabe.

— Ótimo — digo cruzando os braços. — Fique com meu dinheiro. Não me importa!

— Tenho certeza de que você vai sobreviver. Pode usar o cartão de crédito que guarda escondido na bolsa.

O quê?

Como ele sabe? Será que anda me *espionando*?

Isso é motivo para divórcio, sem dúvida.

— Pegue! — digo furiosa, enfiando a mão na bolsa. — Fique com tudo! Fique com tudo que eu tenho! — Jogo meu cartão de crédito para ele. — Você pode achar que me conhece, Luke. Mas não conhece. Só quero absorver um pouco de cultura, e talvez investir em uma ou outra lembrancinha ou artefato local.

— Artefato local? Com "artefato local" você quer dizer "sapatos Versace"?

— Não! — digo depois de uma curta pausa.

O que é verdade.

Mais ou menos.

Eu estava pensando mais em Miu Miu. Parece que aqui é barato mesmo!

— Olha, Becky, só não exagere, certo? Nós já estamos com a bagagem acima do limite. — Ele olha para as malas abertas. — Com a máscara ritual sul-americana e a bengala de vodu... Ah, e não vamos esquecer as espadas de dança cerimonial...

Quantas vezes Luke vai pegar no meu pé por causa das espadas de dança cerimonial? Só porque rasgaram sua camisa idiota.

— Pela milionésima vez, elas são presente! — digo.
— Nós não poderíamos mandar entregar. Temos de estar
com elas *quando chegarmos*, caso contrário não vamos
parecer viajantes de verdade!

— Tudo bem. Só estou dizendo que não temos espaço para as máscaras sul-americanas *e* mais seis pares de
botas.

Ah, ele se acha tão engraçado!

— Luke, eu não sou mais assim, está bem? — digo
meio premente. — Cresci um pouco. Achei que você
poderia ter notado isso.

— Se você diz. — Luke pega meu cartão de crédito,
examina-o e me devolve. — De qualquer modo você só
tem umas duzentas libras neste.

O quê?

— Como sabe disso? — digo ultrajada. — É meu
cartão de crédito pessoal!

— Então não esconda a fatura debaixo do colchão. A
arrumadeira no Sri Lanka achou quando estava fazendo
a cama e me deu. — Ele me beija e pega sua pasta. —
Curta a cidade!

Quando a porta se fecha sinto-me um tanto desapontada.
Mal sabe Luke. Mal sabe Luke que eu estava planejando
comprar um *presente* para ele hoje. Há anos, quando o conheci, Luke tinha um cinto que realmente amava, feito de um
estupendo couro italiano. Mas um dia deixou no banheiro e
um monte de cera quente de depilação caiu em cima.

O que não foi totalmente minha culpa. Como disse a ele, quando a gente está numa agonia total não pensa: "qual seria o instrumento mais adequado para raspar cera quente da minha canela?" A gente simplesmente pega a coisa que estiver mais perto.

Pois é. De modo que eu estava planejando comprar outro, hoje. Um presentinho de "fim de lua-de-mel". Mas talvez ele não mereça, se vai ficar me espionando e lendo minhas faturas de cartão de crédito pessoal. Puxa, que enxerido! Eu leio as cartas particulares *dele*?

Bom, na verdade leio. Algumas são bem interessantes! Mas o fato é...

Ah, meu Deus. Congelo, golpeada por um pensamento pavoroso. Será que isso significa que ele viu quanto gastei em Hong Kong no dia em que ele foi visitar a Bolsa de Valores?

Merda.

E ele não disse nada. Tudo bem, talvez Luke mereça um presente, afinal de contas.

Tomo um gole de *cappuccino*. De qualquer modo, quem está rindo sou eu, e não Luke. Ele se acha tão esperto, mas o que não sabe é que tenho um plano secreto genial.

Meia hora mais tarde chego à recepção usando calça preta justa (não exatamente capri, mas bem perto), uma camiseta listada e um cachecol amarrado no pescoço, estilo europeu. Vou direto ao balcão de câmbio e sorrio para a mulher que está atrás.

— *Ciao!* — começo animada. — Il...

E fico em silêncio.

Isso é meio incômodo. Quase achei que, se começasse com bastante confiança, com gestos, o italiano simplesmente jorraria da minha boca.

— Gostaria de trocar dinheiro em euros, por favor — digo mudando para o inglês.

— Claro. — Ela sorri. — Que moeda?

— Moedas. — Enfio a mão na bolsa e pego em triunfo um punhado de notas amarrotadas. — Rupias, dirrãs, *ringgits*... — Largo as notas no balcão e pego mais algumas. — Dólares quenianos... — Olho uma estranha nota cor-de-rosa que não reconheço. — O que será isso...

É incrível quanto dinheiro eu estava carregando sem nem mesmo notar! Tinha um monte de rupias na bolsa de material de banho e um punhado de *birrs* da Etiópia dentro de um livro de bolso. Além disso havia montes de notas variadas e moedas flutuando no fundo de minha bolsa de mão.

E o ponto é: isso é dinheiro grátis! É dinheiro que *a gente já tinha*.

Olho empolgada enquanto a mulher revira as pilhas.

— A senhora tem dezessete moedas diferentes aqui — diz ela finalmente, meio atordoada.

— Nós estivemos num monte de países — explico. — Então, quanto vale tudo isso?

Enquanto a mulher começa a digitar num pequeno computador, sinto-me bem empolgada. Talvez a taxa de câmbio de alguma delas tenha mudado a meu favor. Talvez tudo isso valha uma grana preta!

A IRMÃ DE BECKY BLOOM

Então me sinto meio culpada. Afinal de contas é dinheiro de Luke também. Abruptamente decido que, se houver mais de cem euros, vou dar metade a ele. É justo. Mas isso ainda me deixa com cinqüenta! Nada mau em troca de não ter feito absolutamente coisa nenhuma!

— Tirando a comissão... — A mulher levanta os olhos. — Sete ponto quarenta e cinco.

— Setecentos e quarenta e cinco euros? — Encaro-a numa alegria espantada. Não fazia *idéia* de que estava carregando tanto dinheiro. Meu Deus, que fantástico! Todas aquelas pessoas que dizem "cuide dos centavos e as libras cuidarão de si mesmas"... estão certas! Quem pensaria isso?

Vou poder comprar um presente para Luke *e* um sapato Miu Miu e...

— Não são 745. — A mulher mostra o que rabiscou. — Sete euros e 45 centavos.

— O quê? — Meu sorriso feliz some do rosto. Não pode estar certo.

— Sete euros e 45 centavos — repete a mulher com paciência. — Vai querer em trocado?

Sete miseráveis euros? Enquanto saio do hotel ainda estou totalmente afrontada. Como é que tanto dinheiro genuíno pode valer somente sete euros? Não faz sentido. Como expliquei à mulher, com aquelas rupias dava para comprar montes de coisas na Índia. Provavelmente daria para comprar um carro... ou até um palácio. Mas ela não se abalou. De fato disse que estava sendo generosa.

Droga. Mesmo assim acho que sete euros é melhor do que nada. Talvez a Miu Miu esteja com uma liquidação de 99,9% ou algo assim.

Começo a andar pela rua, seguindo cuidadosamente o mapa que o recepcionista do hotel me deu. Ele foi muito solícito! Falei que queria fazer um passeio cultural em Milão e ele começou a contar sobre umas pinturas e Leonardo da Vinci. Por isso expliquei pacientemente que estava mais interessada na cultura italiana *contemporânea* e ele começou a falar de um artista que faz curtas-metragens sobre a morte.

Então esclareci que com "cultura italiana contemporânea" estava realmente me referindo a ícones culturais como Prada e Gucci — e seus olhos se iluminaram, entendendo. Marcou para mim uma rua que fica numa área chamada Quadrilátero Dourado e aparentemente "cheia de cultura" que "ele tinha certeza que eu apreciaria".

É um dia ensolarado com uma brisa suave, e a luz do sol se reflete nas janelas e nos carros. Vespas passam zumbindo a toda. Meu Deus, Milão é um barato. Cada pessoa por quem passo está usando óculos escuros de grife e segurando uma bolsa de grife — até os homens!

Por um momento penso em comprar para Luke uma bolsa estilo continental em vez de um cinto. Tento imaginá-lo entrando no escritório com uma bolsa chique pendurada no pulso...

Hmmm. Acho que vou ficar com o cinto.

De repente noto uma garota na minha frente usando terninho creme, sandália alta e capacete de motoqueiro com estampa de onça.

Encaro-a, fascinada de desejo. Meu Deus, quero um capacete desses. Bom, sei que não tenho uma vespa — mas poderia usar o capacete mesmo assim, não é? Poderia ser meu *look* pessoal. As pessoas me chamariam de Garota com Capacete de Vespa. Além disso me protegeria de algum assaltante que fosse bater na minha cabeça, de modo que seria um item de *segurança*...

Acho que vou perguntar onde ela comprou.

— *Excuse-moi, mademoiselle!* — falo impressionada com a súbita fluência. — *J'adore votre chapeau!*

A garota me lança um olhar vazio e desaparece numa esquina. O que, francamente, é meio inamistoso. Quer dizer, aqui estou eu, fazendo esforço para falar sua líng...

Ah. Ah, certo.

Tudo bem, isso é meio embaraçoso.

Bom, não faz mal. De qualquer modo não estou aqui para comprar capacetes. Vim comprar um presente para Luke. Afinal de contas, casamento é isso. Colocar o parceiro em primeiro plano. Colocar as necessidades dele antes das suas.

Além disso, o que estou pensando é que a qualquer hora posso pegar um avião e passar o dia em Milão. Puxa, não demoraria nada vir de Londres, não é? E Suze viria também, penso numa súbita alegria. Meu Deus, isso seria divertido. Tenho uma imagem súbita de Suze e eu, caminhando pela rua de braços dados, balançando as bolsas e rindo. Uma viagem das meninas a Milão! A gente *tem* de fazer isso!

Chego a outra esquina e paro para consultar o mapa. Devo estar chegando perto. Ele disse que não era muito longe...

Nesse momento uma mulher passa por mim segurando uma sacola Versace, e fico rígida de empolgação. Tenho de estar perto da fonte! Foi exatamente como quando a gente visitou aquele vulcão no Peru, e o guia ficava apontando placas dizendo que estávamos perto da cratera. Se eu simplesmente mantiver os olhos atentos a sacolas Versace...

Ando um pouco mais — e ali está outra! Aquela mulher com óculos escuros enormes tomando *cappuccino* tem uma, além de uns seis zilhões de sacolas Armani. Ela gesticula para a amiga e enfia a mão numa delas — e tira um pote de geléia com etiqueta Armani.

Olho absolutamente incrédula. Geléia Armani? Armani faz *geléia*?

Talvez em Milão tudo tenha uma etiqueta de moda! Talvez Dolce & Gabbana façam pasta de dente. Talvez a Prada faça *ketchup*!

Eu *sabia* que gostaria desta cidade.

Começo a andar de novo, cada vez mais depressa, pinicando de empolgação. Posso sentir as lojas no ar. As sacolas de grife estão ficando cada vez mais freqüentes. O ar está ficando pesado com tanto perfume caro. Praticamente posso *ouvir* o som de cabides nas araras e zíperes sendo fechados...

E então, de repente, ali está.

Um bulevar comprido e elegante se estende diante de mim, cheio da gente mais chique e mais cheia de grife da terra. Garotas bronzeadas, com cara de modelo, camisetas Pucci e salto alto desfilam com homens de aparência poderosa em imaculados ternos de linho. Uma garota com jeans Versace brancos e batom vermelho está empurrando um carrinho de bebê estofado de couro com monograma Louis Vuitton. Uma loura com minissaia de couro com acabamento de pele de coelho está falando num celular combinando e arrastando um menininho vestido de Gucci da cabeça aos pés.

E... as lojas. Loja após loja após loja.

Ferragamo. Valentino. Dior. Versace. Prada.

Enquanto me aventuro pela rua, a cabeça girando de um lado para o outro, fico tonta. É um choque cultural completo. Quanto tempo faz que não vejo uma loja que não esteja vendendo artesanato étnico e contas de madeira? Sinto que estava numa espécie de cura através da fome, e agora me entupo de *tiramisu* com creme duplo.

Olha só aquele casaco incrível. Olha aqueles *sapatos*. Onde é que eu começo? Onde é que...

Não consigo me mexer. Estou paralisada no meio da rua como o jumento que não conseguia escolher entre os fardos de feno. Daqui a muitos anos vão me descobrir ainda congelada, segurando o cartão de crédito.

De repente meus olhos pousam num mostruário de cintos e carteiras de couro na vitrine de uma butique ali perto.

Couro. O cinto de Luke. É o que vim comprar. Concentração.

Caminho para a loja e empurro a porta, ainda atordoada. Imediatamente sou golpeada pelo cheiro avassalador de couro caro. De fato é tão caro que parece limpar minha cabeça.

A loja é incrível. É acarpetada num tom cinza-amarelado com vitrines iluminadas suavemente. Vejo carteiras, cintos, bolsas, jaquetas... Paro diante de um manequim usando o casaco marrom-chocolate mais incrível, todo de couro e cetim. Acaricio-o com gosto, depois levanto a etiqueta de preço — e quase desmaio.

Mas, claro, é em liras. Sorrio aliviada. Não é de espantar que pareça tão...

Ah, não. Agora são euros.

Inferno.

Engulo em seco e me afasto do manequim.

O que prova que papai estava certo o tempo todo, a moeda única *foi* um tremendo erro. Quando eu tinha 13 anos fui de férias a Roma com meus pais — e o interessante da lira era que os preços pareciam altíssimos, *mas na verdade não eram*. Era possível comprar uma coisa por um zilhão de liras — e na vida real custava umas três libras! Era fantástico!

Além disso, se por acaso você acabasse comprando um vidro de perfume realmente caro, ninguém (isto é, seus pais) poderia culpá-la porque, como mamãe dizia, quem seria capaz de dividir números como aqueles de cabeça?

Os governos são uns estraga-prazeres.

Enquanto começo a olhar os mostruários de cintos, um homem atarracado, de meia-idade, sai de uma cabi-

A IRMÃ DE BECKY BLOOM

ne de provas usando um incrível paletó preto com acabamento em couro, mastigando um charuto. Tem uns cinqüenta anos e é muito bronzeado, com cabelos grisalhos cortados curtos e olhos azuis penetrantes. A única coisa que não parece tão boa é o nariz, que, para ser honesta, é meio que uma mixórdia.

— Oy, Roberto — diz o sujeito numa voz áspera.

Ele é inglês! Mas o sotaque é estranho. Uma mistura de transatlântico e *cockney*.

Um vendedor, de terno e óculos pretos angulosos, sai correndo da cabine de provas segurando uma fita métrica.

— Sim, *Signore* Temple?

— Quanto *cashmere* tem nisso aqui? — O homem atarracado alisa o paletó com ar crítico e sopra uma nuvem de fumaça. Dá para ver o vendedor se encolher quando a nuvem chega ao seu rosto, mas ele não menciona isso.

— *Signore*, isso é cem por cento *cashmere*.

— O melhor *cashmere*? — O atarracado levanta um dedo em alerta. — Não quero ser enganado. Você conhece o meu lema. Só do melhor.

O sujeito de óculos pretos se encolhe ligeiramente, consternado.

— *Signore*, nós não iríamos enganá-lo.

O homem se olha em silêncio durante alguns segundos, depois assente.

— É justo. Vou levar três. Um para Londres. — Ele conta nos dedos. — Um para a Suíça. Um para Nova York. Entendeu? Agora... pastas.

O vendedor de óculos escuros me olha e eu percebo que é totalmente óbvio que estou xeretando.

— Ah, oi — digo rapidamente. — Gostaria de comprar isto, por favor, e embrulhe para presente. — Estendo o cinto que escolhi.

— Silvia vai ajudá-la. — Ele sinaliza para o balcão num gesto de pouca importância, depois se vira de novo para o cliente.

Entrego o cinto a Silvia e fico olhando preguiçosamente enquanto ela o embrulha num papel brilhante cor de bronze. Estou meio admirando seus dedos hábeis e meio ouvindo o homem atarracado, que agora está examinando uma pasta.

— Não gosto da textura — declara. — A sensação é diferente. Há algo errado.

— Nós mudamos de fornecedor recentemente... — O cara de óculos pretos está torcendo as mãos. — Mas é um couro muito fino, *signor*...

Ele pára enquanto o homem atarracado tira o charuto da boca e o olha de cima a baixo.

— Você está me enganando, Roberto. Eu pago com dinheiro suado, quero qualidade. Você vai fazer uma para mim usando couro do antigo fornecedor. Entendeu?

Ele olha para cá, me vê observando e pisca.

— Este é o melhor lugar do mundo para couro. Mas não aceite nenhuma embromação deles.

— Não vou aceitar! — sorrio de volta. — E, a propósito, adorei aquele paletó!

— Muita gentileza sua. — Ele assente com afabilidade. — É atriz? Modelo?

— Hmm... não. Nenhuma das duas coisas.

— Não faz mal. — Ele balança o charuto.

— Como vai pagar, *signorina*? — interrompe Silvia.

— Ah! É... aqui está.

Quando entrego meu Visa sinto uma luz de bondade no coração. Comprar presentes para outras pessoas é muito mais satisfatório do que comprar para a gente! E isso vai me levar ao limite do Visa, de modo que minhas compras estão terminadas por hoje.

O que farei em seguida? Talvez absorva um pouco de cultura. Poderia olhar aquela pintura famosa da qual o recepcionista falou.

Ouço um zumbido de interesse vindo dos fundos da loja e me viro para ver o que está acontecendo. A porta espelhada de uma sala de estoque está aberta e uma mulher em um conjunto preto sai rodeada por um bando de vendedoras ansiosas. Que diabos ela está segurando? Por que todo mundo está tão...

E de repente capto um vislumbre do que ela está segurando. Meu coração pára. A pele começa a comichar.

Não pode ser.

Mas é. Ela está segurando uma bolsa Angel.

TRÊS

É uma bolsa Angel. Em carne e osso.

Achei que estavam esgotadas em todo lugar. Achei que eram totalmente impossíveis de conseguir.

A mulher a coloca cerimoniosamente num pedestal de camurça creme e recua para admirar. Toda a loja ficou em silêncio. É como se um membro da família real tivesse chegado. Ou uma estrela de cinema.

Não consigo respirar. Estou hipnotizada.

É espantosa. Totalmente espantosa. A pelica parece macia como manteiga. O anjo pintado à mão é todo em tons delicados de água-marinha. E embaixo está o nome "Dante" escrito com *strass*.

Engulo em seco, tentando me controlar, mas as pernas estão bambas e as mãos suadas. Isso é melhor do que quando vimos os tigres brancos em Bengala. Puxa, vamos encarar. As bolsas Angel provavelmente são mais *raras* do que os tigres brancos.

E ali está uma, diante do meu nariz.

Eu poderia comprar, relampeja no meu cérebro. *Eu poderia comprar!*

— Moça? *Signorina*? Está ouvindo? — Uma voz atravessa meus pensamentos e percebo que Silvia ainda está tentando atrair minha atenção.

— Ah — digo ruborizada. — Sim. — Pego a caneta e rabisco qualquer assinatura antiga. — Então... aquilo é uma bolsa Angel de verdade?

— É sim — diz ela numa voz presunçosa, como um leão-de-chácara que conhece a banda pessoalmente e está acostumado a lidar com tietes desvairadas.

— Quanto... — Engulo em seco. — Quanto é?

— Dois mil euros.

— Certo — assinto.

Mas se eu tivesse uma bolsa Angel não precisaria comprar nenhuma roupa nova. Jamais. Quem precisa de uma saia nova quando tem a bolsa mais chique da cidade?

Não importa quanto custa. Preciso tê-la.

— Gostaria de comprá-la, por favor — digo rapidamente.

Há um silêncio atordoado na loja — e então todos os vendedores irrompem em gargalhadas.

— A senhora não pode comprar a bolsa — diz Sylvia em tom de pena. — Há uma lista de espera.

Ah. Uma lista de espera. Claro que deveria haver uma lista de espera. Sou uma idiota.

— Quer entrar na lista? — Ela devolve meu cartão.

Tudo bem, vamos ser sensatas. Não vou realmente entrar numa lista de espera em Milão. Quer dizer, para começar, como eu iria pegá-la? Teria de pedir que mandassem pela Fedex. Ou vir aqui especialmente, ou...

— Sim — ouço minha voz dizendo. — Sim, por favor.

Enquanto anoto meus dados, o coração está martelando. Vou entrar na lista. Vou entrar na lista da bolsa Angel!

— Aqui está — devolvo o formulário.

— Ótimo. — Silvia coloca o formulário numa gaveta. — Nós ligamos quando houver uma disponível.

— E... quando deve ser? — pergunto tentando não parecer ansiosa demais.

— Não sei dizer. — Ela dá de ombros.

— Quantas pessoas estão na minha frente, na lista?

— Não sei dizer.

— Certo.

Sinto um minúsculo dardo de frustração. Puxa, *ali está*. Ali está a bolsa, pertinho... e não posso tê-la.

Não faz mal. Estou na lista. Não posso fazer mais nada.

Pego a sacola com o cinto de Luke e me afasto lentamente, parando perto da bolsa Angel. Meu Deus, é de parar o coração. A bolsa mais chique e linda do mundo. Enquanto olho, sinto uma pontada de ressentimento. Quer dizer, não é *minha* culpa eu não ter posto o nome na lista antes. Estive viajando pelo mundo! O que deveria fazer, cancelar a lua-de-mel?

Deixa para lá. Calma. Não importa, porque o fato é que *terei uma*. Terei. Assim que...

Sou subitamente golpeada por uma idéia ofuscante.

A IRMÃ DE BECKY BLOOM

— Eu estava imaginando — digo voltando depressa ao balcão. — Você sabe se todo mundo na lista de espera *quer* mesmo uma bolsa Angel?

— Elas estão na lista — diz Silvia, como se eu fosse uma imbecil completa.

— É, mas podem ter mudado de idéia — explico, com as palavras brotando empolgadas. — Ou já ter comprado uma! E aí seria a minha vez! Não está *vendo*? Eu poderia ter esta bolsa!

Como é que ela pode parecer tão impassível? Não entende como é importante?

— Vamos contatar uma cliente de cada vez — diz Silvia. — Faremos contato se houver uma bolsa disponível para a senhora.

— Eu faço isso para você, se quiser — digo tentando parecer solícita. — Se me der o número das pessoas.

Silvia me olha em silêncio por um momento.

— Não, obrigada. Faremos contato.

— Certo — digo desinflando. — Bem, obrigada.

Não há mais o que fazer. Vou parar de pensar nisso e desfrutar do resto de Milão. Exato. Dou um último olhar de desejo para a bolsa Angel e saio da loja para a rua ensolarada.

Imagino se ela já estará ligando para o pessoal da lista.

Não. Pára com isso. Vai embora. Não vou ficar obcecada. Nem vou *pensar* nisso. Vou me concentrar em... cultura. É. Aquela pintura grande ou sei lá o quê...

De repente paro na rua. Dei a ela o número do apartamento de Luke em Londres. Mas ele não disse algo sobre ter mandado instalar linhas novas?

E se eu deixei *o número errado?*

Volto rapidamente e entro de novo na loja.

— Oi — digo ofegante. — Acabei de pensar em lhe dar outros dados, para o caso de você não conseguir contato. — Remexo na bolsa e pego um dos cartões de Luke. — Esse é do escritório do meu marido.

— Muito bem — diz Silvia, meio cansada.

— Só que... pensando bem, se você falar com ele, não deveria mencionar a *bolsa*. — Baixo a voz um pouquinho. — Diga: o anjo pousou.

— O anjo pousou — ecoa Silvia, anotando como se desse telefonemas em código o tempo todo.

O que, agora pensando bem, talvez ela faça.

— Pergunte por Luke Brandon — explico entregando o cartão. — Na Brandon Communications. Ele é meu marido.

Do outro lado da loja percebo o homem atarracado erguendo o olhar de uma seleção de luvas de couro.

— Luke Brandon — repete Silvia. — Muito bem. — Em seguida guarda o cartão e assente pela última vez.

— Então, você já telefonou para alguém da lista? — não consigo resistir a perguntar.

— Não — diz Silvia. — Ainda não.

— E vai telefonar *assim* que ficar sabendo? Mesmo que seja tarde da noite? Eu não me incomodaria...

— Sra. Brandon — responde Silvia numa irritação exasperada. — A senhora está na lista! Terá de esperar sua vez! Não posso fazer nada além disso!

— Tem tanta certeza assim? — intervém uma voz áspera e nós duas levantamos a cabeça e vemos o homem atarracado se aproximando.

Encaro-o boquiaberta. O que ele está fazendo?

— Perdão? — diz Silvia hesitante, e ele pisca para mim.

— Não deixe eles embromarem você, garota. — O homem se vira para Silvia. — Se você quisesse poderia vender essa bolsa a ela. — Ele aponta o polegar gorducho para a bolsa Angel no pedestal e solta baforadas do charuto.

— *Signore*...

— Estava escutando a conversa das duas. Se você ainda não ligou para ninguém da lista de espera, as pessoas não sabem que isso aí chegou. Nem sabem que existe. — Ele faz uma pausa significativa. — E você está com essa jovem aqui querendo comprar.

— Esse não é o ponto, *signore*. — Silvia dá um sorriso tenso. — Há um protocolo rígido...

— Vocês têm discrição. Não diga que não têm. Oy, Roberto! — grita ele subitamente. No canto, o homem de óculos pretos vem rapidamente.

— *Signor* Temple? — diz ele com voz melíflua, os olhos dardejando para mim. — Está tudo bem?

— Se eu quisesse esta bolsa para minha amiga, você venderia? — O sujeito sopra uma nuvem de fumaça e levanta as sobrancelhas para mim. Parece estar se divertindo com aquilo.

Roberto olha para Silvia, que vira a cabeça para mim e revira os olhos. Posso ver Roberto entendendo a situação, o cérebro trabalhando intensamente.

— *Signor* Temple. — Ele se volta para o homem com um sorriso encantador. — O senhor é um cliente muito valioso. É uma questão muito diferente...

— Venderia?

— Sim — disse Roberto depois de uma pausa.

— Bem, então. — O homem olha para Roberto, cheio de expectativa.

Há um silêncio. Não consigo respirar. Não consigo me mexer.

— Silvia — diz Roberto finalmente —, embrulhe a bolsa para a *signorina*.

Ah, meu Deus. Ah, meu DEUS!

— O prazer é todo meu — diz Silvia, lançando-me um olhar sujo.

Estou tonta. Não acredito que isso aconteceu.

— Não sei como agradecer! — gaguejo. — É a coisa mais maravilhosa que já fizeram por mim, em toda a vida!

— O prazer é meu. — O homem inclina a cabeça e estende a mão. — Nathan Temple.

Sua mão é forte e gorducha, e parece surpreendentemente bem hidratada.

— Becky Bloom — digo apertando-a. — Quer dizer, Brandon.

— Você realmente queria aquela bolsa. — Ele ergue as sobrancelhas, apreciando. — Nunca vi nada assim.

— Eu estava desesperada por ela! — admito rindo. — Sou tão grata ao senhor!

Nathan Temple balança a mão num gesto tipo "nem mencione isso", pega um isqueiro e acende o charuto, que tinha se apagado. Quando as baforadas estão fortes ele ergue a cabeça.

— Brandon... como Luke Brandon.

— O senhor conhece Luke? — Encaro-o pasma. — Que coincidência!

— De reputação. — Ele solta uma nuvem de fumaça de cigarro. — O seu marido tem um tremendo nome.

— *Signor* Temple. — Roberto vem rapidamente com várias sacolas que entrega a Nathan Temple. — O resto será enviado segundo suas ordens.

— Muito bem, Roberto. — Nathan Temple lhe dá um tapa nas costas. — Vejo você no ano que vem.

— Por favor, deixe-me pagar uma bebida para o senhor — digo rapidamente. — Ou um almoço! Ou... qualquer coisa!

— Infelizmente preciso ir. Mas agradeço a oferta.

— Mas quero agradecer pelo que o senhor fez. Estou tão incrivelmente grata!

Nathan Temple ergue as mãos com modéstia.

— Quem sabe? Talvez um dia você possa me fazer um favor.

— Qualquer coisa! — exclamo ansiosa, e ele sorri.

— Aproveite a bolsa. Certo, Harvey.

Saindo do nada, um sujeito magro e louro, com terno risca-de-giz, aparece. Pega as bolsas com Nathan Temple e os dois saem da loja.

Encosto-me no balcão, radiante de beatitude. Tenho uma bolsa Angel. Tenho uma bolsa Angel!

— São dois mil euros — diz uma voz carrancuda atrás de mim.

Certo. Eu meio havia esquecido a parte dos dois mil euros.

Estendo a mão automaticamente para a carteira — e congelo. Claro. Não estou com a carteira. E cheguei ao limite do cartão Visa com o cinto de Luke... só tenho sete euros em dinheiro vivo.

Os olhos de Silvia se estreitam diante de minha hesitação.

— Se você tiver problema para pagar... — começa ela.

— Não tenho problema para pagar! — retruco de imediato. — Só... preciso de um minuto.

Silvia cruza os braços ceticamente enquanto enfio a mão na bolsa de novo e pego um pó compacto "Sheer Finish" da Bobby Brown.

— Você tem um martelo? — pergunto. — Ou alguma coisa pesada?

Silvia está me olhando como se eu tivesse ficado completamente maluca.

— Qualquer coisa serve... — De repente vejo um grampeador de aparência pesada no balcão. Pego-o e começo a bater com o máximo de força possível no estojo de pó compacto.

— *Oddio!* — grita Silvia.

— Tudo bem! — digo ofegando um pouco. — Só preciso... pronto!

A coisa toda se despedaçou. Em triunfo tiro um Mastercard que estava grudado na parte de trás. Meu cartão Ultra-secreto, Código Vermelho de Emergência. Luke *realmente* não sabe deste. A não ser que tenha visão de raio X.

A IRMÃ DE BECKY BLOOM

Peguei a idéia de esconder um cartão de crédito num estojo de pó compacto numa matéria que li sobre administração financeira. Não que eu tenha problema com dinheiro, ou algo assim. Mas no passado passei por uma ou outra... crisezinha.

De modo que a idéia realmente me atraiu. O que você faz é manter o cartão de crédito em algum lugar realmente inacessível, tipo engastado em gelo ou costurado no forro da bolsa, para você ter tempo de reconsiderar antes de fazer cada compra. Aparentemente essa tática simples pode cortar em 90% as compras desnecessárias.

E, tenho de dizer, realmente funciona! O único problema é que eu vivo tendo de comprar pós compactos, o que está ficando meio caro.

— Aqui está! — digo e entrego a Silvia, que me olha como se eu fosse uma lunática perigosa. Ela o passa cautelosamente na máquina e um minuto depois estou rabiscando a assinatura no recibo. Devolvo-o e ela o guarda numa gaveta.

Há uma pausa minúscula. Estou quase explodindo de ansiedade.

— Então... posso pegar? — digo.

— Aí está — diz ela carrancuda, e me entrega a sacola creme.

Minhas mãos se fecham nas alças de corda e sinto um jorro de alegria pura e verdadeira.

É minha.

Enquanto volto para o hotel naquela tarde estou flutuando no ar. Este foi um dos melhores dias de toda a minha vida. Passei a tarde toda andando de um lado para o outro na Via Montenapoleone com minha nova bolsa Angel à mostra, pendurada no ombro... e todo mundo admirou. De fato as pessoas não admiravam simplesmente... ficavam boquiabertas. Era como se eu fosse uma súbita celebridade!

Umas vinte pessoas vieram me perguntar onde eu consegui, e uma mulher de óculos escuros que *tinha* de ser estrela de cinema italiano fez o motorista dela me oferecer três mil euros pela bolsa. E, melhor do que tudo, eu ficava ouvindo as pessoas dizendo: *"La ragazza com la borsa di Angel!"* Que eu deduzi que significa A Garota com a Bolsa Angel! Era disso que estavam me chamando!

Passo alegremente pelas portas giratórias, entro no saguão e vejo Luke parado perto do balcão de recepção.

— Aí está você! — diz ele parecendo aliviado. — Eu estava começando a me preocupar! Nosso táxi está aqui.

— Ele me leva até um táxi e bate a porta. — Aeroporto Linate — diz ao motorista, que imediatamente parte na contramão diante de um coro de buzinas.

— Então, como foi o seu dia? — pergunto tentando não me encolher quando somos quase abalroados por outro táxi.

— Muito bom! Se conseguirmos o Grupo Arcodas como cliente vai ser uma notícia tremendamente boa. Eles estão se expandindo demais neste momento. Vai ser um tempo empolgante.

— Então... você acha que vai conseguir?

— Vamos ter de cantá-los. Quando voltarmos vou começar a preparar uma proposta. Mas estou esperançoso. Estou muito esperançoso.

— Muito bem! — rio de orelha a orelha para ele. — E o cabelo, como foi?

— O cabelo foi ótimo. — Ele deu um sorriso maroto. — Pra falar a verdade... foi admirado por todos.

— Está vendo? — digo deliciada. — Eu sabia que ia ser!

— E como foi o seu dia? — pergunta Luke enquanto viramos uma esquina a cerca de cento e cinqüenta por hora.

— Fantástico! Absolutamente perfeito. Adoro Milão!

— Verdade? — Luke parece intrigado. — Mesmo sem isso? — Ele enfia a mão no bolso e pega minha carteira.

Meu Deus, eu tinha esquecido.

— Mesmo sem minha carteira! — digo com um risinho. — Se bem que consegui comprar uma coisinha para você.

Entrego o embrulho em papel cor de bronze e olho empolgada Luke pegar o cinto.

— Becky, é maravilhoso. Absolutamente... — Ele pára, virando-o nas mãos.

— É para substituir o que eu estraguei — explico. — Com a cera quente, lembra?

— Lembro. — Luke parece completamente emocionado. — E... isso é realmente tudo que você comprou em Milão? Um presente para mim?

— É...

Dou de ombros, sem me comprometer, e pigarreio, tentando ganhar tempo.

Tudo bem. O que faço?

Os casamentos se baseiam em honestidade e confiança. Se eu não contar sobre a bolsa Angel estarei traindo essa confiança.

Mas se contar... Terei de explicar sobre meu cartão de crédito Ultra-secreto, Código Vermelho de Emergência. O que não sei se é uma idéia tão fantástica.

Não quero estragar os últimos momentos preciosos de nossa lua-de-mel com alguma discussão estúpida.

Mas nós somos *casados*, penso num jorro de emoção. Somos marido e mulher! Não deveríamos ter segredos! Certo, vou contar. Agora.

— Luke...

— Espera — interrompe Luke, com a voz meio brusca. — Becky, quero pedir desculpa.

— O quê? — encaro-o boquiaberta.

— Você disse que mudou. Disse que cresceu. E... é verdade. — Ele abre as mãos. — Para ser honesto, estava esperando que você tivesse voltado ao hotel depois de fazer alguma compra gigantesca, extravagante.

Ah, meu Deus.

— É... Luke...

— Estou com vergonha de mim mesmo — diz ele franzindo a testa. — Aí está você. Sua primeira visita à capital da moda do mundo. E só comprou um presente para mim. Becky, estou realmente comovido. — Ele solta o ar com força. — Chandra estava certo. Você tem um espírito lindo.

Há um silêncio. Esta é a minha deixa para contar a verdade.

Mas como? Como?

Como posso dizer que não tenho um espírito lindo, que tenho um velho espírito de merda, normal?

— Bem... — engulo em seco várias vezes. — É... você sabe. É só um cinto!

— Para mim não é só um cinto — diz ele em voz baixa. — É um símbolo do nosso casamento. — Ele aperta minha mão por alguns instantes, depois sorri. — Desculpe... o que você queria dizer?

Eu ainda poderia sair dessa com a consciência limpa. Ainda poderia.

— É... bem... eu ia contar... que a fivela é ajustável. — Dou-lhe um sorriso ligeiramente doentio e me viro para o outro lado, fingindo estar fascinada pela vista da janela.

Certo. Então não falei a verdade.

Mas em minha defesa, se Luke ao menos tivesse prestado atenção quando li a *Vogue* para ele, teria visto sozinho. Quer dizer, não estou escondendo a bolsa nem nada. Aqui estou, segurando um dos mais desejados símbolos de *status* do mundo — e ele nem notou!

E, de qualquer modo, é com certeza a última vez que minto para ele. De agora em diante chega de mentirinhas, chega de mentironas, chega de cascatas. Teremos um perfeito casamento de honestidade e confiança. É. Todo mundo vai admirar nosso jeito harmonioso e amoroso, e as pessoas vão nos chamar de O Casal Que...

— Aeroporto Linate! — A voz do motorista interrompe meus pensamentos. Viro-me e olho para Luke com uma súbita emoção apreensiva.

— Aqui estamos — diz ele, e me encara. — Ainda quer ir para casa?

— Claro! — respondo com firmeza, ignorando o nervosismo minúsculo no estômago.

Saio do carro e estico as pernas. Passageiros andam de um lado para o outro com carrinhos de bagagem, e um avião está decolando com um rugido trovejante, quase acima de mim.

Meu Deus, estamos realmente fazendo isso. Dentro de algumas horas chegaremos a Londres. Depois de todos esses meses longe.

— Por sinal — diz Luke — havia um recado de sua mãe no meu celular esta tarde. Queria saber se nós ainda estávamos no Sri Lanka ou se tínhamos ido para a Malásia.

Ele ergue as sobrancelhas comicamente, e sinto um risinho por dentro. Todos vão ter um tremendo choque! Todos vão ficar empolgadíssimos ao nos ver!

E de repente fico toda animada. É isso! Estamos indo para casa!

QUATRO

Ah, meu Deus. Conseguimos. Voltamos! Estamos de novo em solo inglês.

Ou pelo menos em asfalto inglês. Passamos a noite de ontem num hotel e agora vamos pelas estradas de Surrey num carro alugado, prontos para surpreender mamãe e papai. Dentro de dois minutos chegaremos à casa deles!

Mal consigo ficar parada, de tanta empolgação. Na verdade fico batendo com o joelho na máscara tribal sul-americana. Já posso ver a cara de mamãe e papai quando nos virem! O rosto de mamãe vai se iluminar, e papai vai ficar perplexo, então seu rosto vai se abrir num sorriso... e vamos correr uns para os outros em meio às nuvens de fumaça...

Na verdade talvez não haja nuvens de fumaça. Estou pensando em *Os meninos e o trem de ferro*. Mas de qualquer modo vai ser fantástico. O encontro mais fantástico de todos os tempos!

Para ser honesta, mamãe e papai provavelmente devem ter achado muito difícil ficar sem mim. Sou sua filha única, e este foi o tempo mais longo que ficaram sem me ver. Dez meses, praticamente sem qualquer contato.

Minha volta fará valer o dia deles.

Agora estamos em Oxshott, minha cidade natal, e olho pela janela enquanto passamos pelas ruas familiares, por todas as casas e jardins que conheço desde criança. Passamos pela pequena fileira de lojas e tudo parece exatamente igual. O cara da banca de jornais levanta os olhos quando paramos num sinal de trânsito e ergue a cabeça, me reconhecendo, como se fosse apenas um dia normal. Não parece espantado em me ver nem nada.

Você não entende?, quero gritar. Estive fora durante quase um ano! Vi o mundo!

Entramos na avenida Mayfield e pela primeira vez sinto uma pequeníssima pontada de nervosismo.

— Luke, será que a gente devia ter ligado? — pergunto.

— Agora é tarde — responde Luke calmamente e sinaliza para a esquerda.

Estamos quase na nossa rua. Ah, meu Deus. Realmente começo a ficar meio trêmula.

— E se a gente causar um ataque cardíaco neles? — pergunto em pânico súbito. — E se ficarem tão chocados ao nos ver que tenham um derrame?

— Tenho certeza que vão ficar bem! — Luke ri. — Não se preocupe.

E agora estamos na Elton Road, a rua dos meus pais. Estamos chegando à casa deles. Chegamos.

Luke pega a entrada de veículos e desliga o motor. Por um momento nenhum de nós se mexe.

— Pronta? — pergunta ele no silêncio.

— Acho que sim! — digo com a voz parecendo estranhamente aguda.

Sem graça, saio do carro e bato a porta. É um dia ensolarado e a rua está silenciosa, a não ser por alguns pássaros cantando e o som distante de um cortador de grama.

Vou até a porta da frente, hesito e olho para Luke. Este é o grande momento. Com um súbito jorro de empolgação, levanto a mão e aperto a campainha.

Nada acontece.

Hesito. Depois toco de novo. Mas só há silêncio.

Eles não estão em casa.

Como podem não estar?

Enquanto olho a porta da frente, fico indignada. Onde é que meus pais estão? Não percebem que sua única filha amada retornou da volta ao mundo?

— Podemos ir tomar um café e voltamos depois — sugere Luke.

— Acho que sim — digo tentando esconder a frustração.

Isso arruinou todo o meu plano. Estava toda pronta para uma fantástica reunião emocional! E não para ir tomar uma porcaria de café.

Desconsolada, vou pelo caminho e me encosto no portão de ferro fundido. Mexo na tranca quebrada, que há vinte anos papai diz que vai consertar, e olho as rosas que mamãe e papai plantaram no ano passado para o nosso casamento. Meu Deus, estamos casados há quase um ano. É um pensamento estranho.

De repente ouço o som distante de vozes vindo pela rua. Levanto a cabeça e aperto os olhos. Duas figuras acabaram de virar a esquina. Olho com mais intensidade — e sinto uma pontada súbita.

São eles! Mamãe e papai! Andando pela rua. Mamãe com vestido estampado e papai com camisa de manga curta cor-de-rosa, e os dois estão bronzeados e saudáveis.

— Mamãe! — grito, com a voz ricocheteando no pavimento. — Papai! — Escancaro os braços. — *Nós voltamos!*

Mamãe e papai levantam a cabeça e se imobilizam. De repente noto que há mais uma pessoa com eles. Uma mulher. Ou uma garota. Não dá para ver direito por causa do sol forte.

— Mamãe! — grito de novo. — Papai!

A coisa ligeiramente estranha é que eles não estão se mexendo. Devem estar chocados demais com minha figura, ou sei lá o quê. Talvez achem que sou um fantasma.

— Voltei! — grito. — Sou eu, Becky! Surpresa!

Há uma pausa estranha.

Então, para minha perplexidade absoluta, mamãe e papai começam a recuar.

O que... o que eles estão fazendo?

Fico olhando atarantada.

É como sempre visualizei nosso encontro — mas ao contrário. Eles deveriam estar correndo *para* mim.

Desaparecem de novo na esquina. A rua fica silenciosa e vazia. Por alguns instantes estou pasma demais para falar.

— Luke, aqueles eram mamãe e papai? — pergunto finalmente.

— Acho que sim. — Luke está igualmente perplexo.

— E eles realmente... fugiram de mim?

Não consigo deixar de parecer meio abalada. Meus próprios pais, correndo para longe de mim como se eu estivesse com a peste.

— Não! — diz Luke rapidamente. — Claro que não. Eles provavelmente não viram você. Olhe! — E aponta de súbito. — Ali estão, de novo.

Sem dúvida, mamãe e papai apareceram de novo na esquina, desta vez sem nenhuma garota. Dão alguns passos, então papai segura mamãe dramaticamente e aponta para mim.

— É Becky! — diz ele. — Olha!

— Becky! — exclama mamãe numa voz meio bombástica. — Não pode ser verdade!

Ela fala exatamente como na peça amadora de Agatha Christie que fez no ano passado, quando representou a mulher que descobria o cadáver.

— Becky! Luke! — grita papai.

E agora estão realmente correndo para nós, e sinto um gigantesco jorro de emoção.

— Mamãe! — berro. — Papai! Nós voltamos!

Corro para eles, estendendo as mãos. Pouso nos braços de papai, e no instante seguinte mamãe também chega, e todos estamos num abraço enorme.

— Você voltou! — exclama papai. — Bem-vinda, querida!

— Está tudo bem? — Mamãe me espia ansiosa. — Vocês estão bem?

— Estamos ótimos! Só decidimos voltar! Queríamos ver vocês! — Aperto mamãe com força. — Sabíamos que vocês estariam sentindo nossa falta!

Os três voltamos para casa, onde papai aperta a mão de Luke e mamãe lhe dá um abraço enorme.

— Não acredito! — diz ela, olhando para Luke e para mim. — Simplesmente não acredito. Luke, o seu cabelo! Está tão *comprido*!

— Eu sei. — Ele ri para mim. — Vou cortar antes de voltar para o trabalho.

Estou me sentindo muito cheia de júbilo para começar a discutir com ele. É *assim* que eu tinha imaginado. Todo mundo junto e feliz.

— Entrem e vamos tomar um café! — diz mamãe pegando suas chaves.

— Não queremos café! — diz papai imediatamente. — Queremos champanha! Isso é digno de comemoração!

— Eles não querem champanha! — retruca mamãe. — Podem estar com *jet-lag*! Está com *jet-lag*, amor? Quer se deitar?

— Estou bem! — E impulsivamente aperto mamãe com o braço livre. — É uma maravilha ver vocês.

— É uma maravilha ver *você*, querida! — Ela me abraça de volta e eu inalo o cheiro familiar de seu perfume Tweed, que ela usa desde que me lembro.

— É um alívio escutar isso! — rio. — Porque quase pareceu que vocês estavam... — paro, sentindo-me meio sem jeito.

— O quê, amor?

— Bem, *pareceu* que vocês estavam... fugindo de mim! — Dou outro risinho para mostrar como essa idéia é ridícula.

Há uma pausa — e vejo mamãe e papai se entreolhando.

— Seu pai deixou cair os óculos! — diz mamãe toda animada. — Não foi, amor?

— Isso mesmo! — Entoa papai calorosamente. — Deixei os óculos caírem.

— A gente precisou voltar para pegar — explica mamãe.

Ela e papai estão me observando com expressão alerta.

O que está acontecendo? Eles estão *escondendo* alguma coisa?

— É a Becky? — Uma voz aguda despedaça a atmosfera. Eu me viro e vejo Janice, nossa vizinha, espiando por cima da cerca. Está usando um vestido florido, cor-de-rosa, sombra nos olhos combinando, e o cabelo foi tingido num tom castanho-avermelhado estranhíssimo. — Becky! — Ela cruza as mãos no peito, ofegante. — É você *mesmo*.

— Oi, Janice! — respondo sorrindo. — Nós voltamos!

— Vocês estão ótimos! — exclama ela. — Não estão ótimos? Tão *queimados!*

— Para você ver o que é viajar — digo em tom casual.

— E Luke! Você está igual ao Crocodilo Dundee! — Janice nos encara com admiração explícita, e não consigo deixar de me sentir gratificada.

— Vamos entrando — diz mamãe —, e vocês podem contar tudo!

Este é o momento que visualizei tantas vezes. Sentada com amigos e familiares contando tudo sobre nossas aventuras no estrangeiro. Abrindo um mapa amarrotado... descrevendo o nascer do sol sobre montanhas... olhando os rostos ávidos... ouvindo os sons ofegantes de admiração...

Só que, agora que está acontecendo, não é bem como imaginei.

— Então, onde vocês foram? — pergunta Janice assim que nos sentamos à mesa da cozinha.

— A todo lugar! — digo com orgulho. — Cite um país do mundo.

— Ahh! Vocês foram a Tenerife?

— É... não.

— Foram a Majorca?

— É... não — respondo sentindo uma pontada de irritação. — Fomos à África, à América do Sul, à Índia... — abro os braços. — A todo lugar!

— Minha nossa — diz Janice arregalada. — A África estava quente?

— Bem quente — sorrio.

— Eu não suporto calor. — Janice balança a cabeça. — Nunca suportei. Nem na Flórida. — De repente ela se anima. — Vocês foram à Disneylândia?

— É... não.

— Ah, bem. — Janice parece simpática. — Não faz mal. Quem sabe na próxima vez?

Na próxima vez? O quê, na próxima vez que passarmos dez meses viajando ao redor do mundo?

— Sem dúvida, parecem ter sido umas férias lindas — acrescenta ela em tom encorajador.

Não foram *férias*!, quero exclamar. Foi uma *experiência de viagem*! Honestamente. Aposto que quando Cristóvão Colombo voltou da América as pessoas não o receberam no barco dizendo: "Aaah, Cristóvão, você foi à Disneylândia?"

Olho para mamãe e papai — mas eles nem estão ouvindo. Estão parados perto da pia e mamãe murmura alguma coisa para papai.

Não gosto disso. Definitivamente há algo acontecendo. Olho para Luke e ele também está espiando mamãe e papai.

— Nós trouxemos presentes! — exclamo alto, pegando minha sacola. — Mamãe! Papai! Dêem uma olhada!

Com alguma dificuldade tiro a máscara sul-americana e dou a mamãe. Ela tem a forma de um rosto de cachorro, com dentes grandes e enormes olhos circulares, e devo dizer que parece bem impressionante.

— Trouxe lá do Paraguai! — acrescento iluminada de prazer.

Estou me sentindo uma tremenda exploradora! Aqui estou eu, trazendo raros artefatos da cultura indígena sul-americana para Oxshott. Puxa, quantas pessoas na Grã-

Bretanha ao menos já *viram* uma dessas? Talvez um museu peça emprestada para uma exposição, ou algo assim!

— Minha nossa! — diz mamãe virando-a um tanto nervosamente. — O que é?

— Uma máscara ritual feita por índios chiriguanos, não é? — pergunta Janice toda animada.

— Você já esteve no Paraguai, Janice? — indago pasma.

— Ah, não, amor. — Ela toma um gole de café. — Eu vi umas na John Lewis.

Por um momento não consigo falar.

— Você viu na... John Lewis? — reajo finalmente.

— Em Kingston. No departamento de presentes. — Ela ri de orelha a orelha. — Hoje em dia a gente consegue comprar de tudo na John Lewis.

— Ninguém vende mais barato — entoa mamãe.

Não acredito. Arrastei essa máscara por aproximadamente dez mil quilômetros ao redor do globo. E o tempo todo está à venda na porcaria da John Lewis.

Mamãe vê minha cara.

— Mas a sua é de verdade, amor! — diz ela rapidamente. — Vamos colocar em cima da lareira, junto do troféu de golfe do seu pai!

— Certo — digo meio triste. Olho para papai e ele ainda está espiando pela janela, sem ouvir uma palavra. Talvez eu lhe dê seu presente mais tarde.

— Então, o que anda acontecendo por aqui? — pergunto pegando uma xícara de café com mamãe. — Como vai o Martin? E o Tom?

— Os dois estão bem, obrigada! — diz Janice. — Tom está morando conosco por um tempo.

— Ah. — Balanço a cabeça, entendendo.

Tom é o filho de Janice e Martin, e seu casamento foi um certo desastre. A mulher, Lucy, o abandonou, basicamente porque ele não quis fazer uma tatuagem combinando com a dela.

— Eles venderam a casa — diz Janice, parecendo lastimosa. — Na verdade venderam muito bem.

— E ele está legal?

Mamãe e Janice trocam olhares.

— Está se dedicando aos *hobbies* — diz Janice finalmente. — Mantendo-se ocupado. O novo negócio dele é marcenaria. Fez todo tipo de coisa para a gente! — Ela parece ligeiramente encurralada. — Três bancos de jardim... duas mesas para pássaros... e agora está trabalhando num caramanchão de dois andares!

— Uau! — digo educadamente. — Fantástico!

O *timer* do forno começa subitamente a tocar, e eu ergo a cabeça, surpresa. Será que mamãe começou a assar coisas enquanto nós estávamos fora?

— Está preparando alguma coisa? — olho para o fogão, que parece apagado.

— Não! — Mamãe dá uma gargalhadazinha. — É para me lembrar de verificar o eBay.

— eBay? — Encaro-a. — O que quer dizer com eBay?

Como é que mamãe sabe do eBay? Ela não sabe nada de computadores. Há dois anos sugeri que desse um *mouse* novo a Luke no Natal e ela foi a uma loja de animais.

— Sabe, querida! Compras pela internet. Estou fazendo lances em uma *wok* Ken Hom, num par de candelabros... — ela pega um caderno florido no bolso e consulta. — Ah, sim, e uma tesoura de poda para seu pai. Só foi usada uma vez!

— O eBay é maravilhoso! — entoa Janice. — Uma tremenda diversão. Já usou, Becky?

— Bem... não.

— Ah, você ia adorar — diz mamãe imediatamente. — Se bem que não consegui entrar ontem à noite para verificar meus pratos Portmeirion. — Ela estala a língua. — Não sei *o que* estava errado.

— Os servidores provavelmente saíram do ar — diz Janice como quem sabe das coisas. — Eu tive problema com meu *modem* a semana inteira. Um biscoito, Becky?

Não consigo absorver isso. Mamãe? No eBay? Daqui a pouco ela vai dizer que chegou ao nível seis no Tomb Raider.

— Mas você nem tem computador — digo. — Você odeia tecnologia moderna.

— Não mais, amor! Janice e eu fizemos um curso. Entramos na banda larga! — Ela me olha séria. — Deixe-me dar um conselho, Becky. Se você passar para banda larga, deve instalar um *firewall* decente.

Tudo bem. É estranho. Os pais não devem saber mais do que os filhos sobre computadores. Assinto com cuidado e tomo um gole de café, tentando esconder que não faço a mínima idéia do que seja um *firewall*.

— Jane, são dez para o meio-dia — diz Janice cautelosamente a mamãe. — Vocês vão...

— Acho que não — diz ela. — Vá você.

— O que é? — Olho de um rosto para o outro. — Alguma coisa errada?

— Claro que não! — responde mamãe pousando sua xícara de café. — Só que nós combinamos de ir à festa dos Marshall hoje à tarde, com Janice e Martin. Mas não se preocupe. Vamos nos desculpar.

— Não seja boba! — digo imediatamente. — Vocês devem ir. Não queremos estragar o seu dia.

Há uma pausa.

— Tem certeza? — pergunta mamãe.

Sinto uma pontada de dor. Ela não deveria dizer isso. Deveria dizer: "Como é que minha preciosa filha estragaria o meu dia?"

— Claro! — digo num tom animado demais. — Vocês vão à festa e nós batemos um papo decente mais tarde.

— Tudo bem então — responde mamãe. — Se você tem certeza.

— Vou me preparar — diz Janice. — Adorei ver você de volta, Becky.

Enquanto ela desaparece pela porta da cozinha olho para papai, que ainda está espiando pela janela, pensativo.

— Você está bem, papai? Está tão quieto.

— Desculpe. — Ele se vira com um sorriso rápido. — Só estou meio distraído. Pensando... num jogo de golfe

que tenho na semana que vem. Muito importante. —
Ele finge dar uma tacada.

— Certo — respondo tentando parecer alegre.

Mas por dentro fico cada vez mais inquieta. Ele não
está pensando realmente em golfe. Por que parece tão
cauteloso?

O que está acontecendo?

De repente me lembro da mulher na calçada. A que
vi antes que papai e mamãe começassem a recuar para
longe.

— E... quem foi que eu vi com vocês na chegada?
— pergunto em tom tranqüilo. — Aquela mulher com
quem vocês estavam.

É como se eu tivesse dado um tiro, ou algo assim.
Mamãe e papai ficam paralisados. Dá para ver o olhar de
um indo para o outro, depois desviando de novo. Os dois
estão totalmente em pânico.

— Mulher? — pergunta mamãe finalmente. — Eu
não... — Ela olha para papai. — Você viu alguma mulher, Graham?

— Talvez Becky esteja falando... daquela moça que ia
passando — diz rigidamente.

— Isso mesmo! — exclama mamãe de novo em sua
voz de teatro amador. — Havia uma mulher passando na
rua. Uma estranha. Deve ter sido isso, amor.

— Certo. Claro.

Tento sorrir, mas por dentro me sinto meio enjoada.
Será que mamãe e papai estão *mentindo* para mim?

— Bem... vão para sua festa! — digo. — Divirtam-se!

Quando a porta da frente bate me sinto à beira das lágrimas. Eu estava *tão* ansiosa pelo dia de hoje! Mas agora quase desejo que não tivéssemos voltado. Ninguém parece particularmente empolgado em nos ver. Meu tesouro raro e exótico não é exótico *nem* raro. E o que está acontecendo com mamãe e papai? Por que estão agindo de modo tão estranho?

— Quer mais café? — pergunta Luke.

— Não, obrigada. — Arrasto os pés, acabada, no chão da cozinha.

— Você está bem, Becky?

— Não — admito numa voz minúscula. — Não mesmo. Vir para casa não é como eu achei que seria.

— Venha cá. — Luke estende os braços e eu me aninho em seu peito. — O que você estava esperando? Que eles largassem tudo e dessem uma festa?

— Não! Claro que não! — Há um silêncio. Levanto a cabeça e encontro o olhar de Luke. — Bem... talvez. Mais ou menos. Nós estivemos fora todo esse tempo e é como... se a gente tivesse dado um pulo no shopping!

— Surpreender todo mundo é sempre um jogo — diz ele em tom razoável. — Eles só nos esperavam daqui a dois meses. Não é de espantar que estejam meio abalados.

— Eu sei. Mas não é só isso. — Respiro fundo. — Luke, você acha que mamãe e papai parecem estar... escondendo alguma coisa?

— Acho.

86   SOPHIE KINSELLA

— *Acha?*

Estou aparvalhada. Esperava que ele dissesse: "Becky, você está imaginando coisas", como geralmente faz.

— Com certeza está acontecendo alguma coisa. — Luke faz uma pausa. — E acho que sei o que pode ser.

— O que é? — Encaro-o boquiaberta.

— Sabe aquela mulher que estava com eles? De quem eles não queriam falar com a gente? Acho que é uma corretora de imóveis. Acho que eles estão pensando em se mudar.

— Mudar? — ecôo consternada. — Por que fariam isso? Esta casa é ótima! É perfeita!

— É meio grande para eles, agora que você foi embora.

— Mas por que, diabos, eles não me contariam? — Minha voz sobe, perturbada. — Sou a filha deles! Sou a filha única! Eles deveriam confiar em mim!

— Talvez achem que você ficaria chateada.

— Eu não ficaria chateada! — exclamo cheia de indignação.

Abruptamente percebo que *estou* chateada.

— Bem, certo. Talvez ficasse. Mas mesmo assim não acredito que eles iriam manter segredo!

Afasto-me dos braços de Luke e vou até a janela. Não suporto a idéia de mamãe e papai venderem esta casa. Meu olhar varre o jardim numa súbita nostalgia. Eles *não podem* deixar este jardim. Simplesmente não podem. Não depois de todo o esforço que papai fez com as begônias.

De repente minha atenção é captada pela visão de Tom Webster no quintal vizinho. Está usando jeans e uma camiseta que diz "Minha mulher me deixou e eu só fiquei com essa porcaria de camiseta" e luta para carregar a tábua mais gigantesca que já vi.

Nossa! Ele parece bem feroz.

— Talvez não seja isso — diz Luke atrás de mim. — Posso estar errado.

— Não está. — Viro-me, arrasada. — Tem de ser isso. O que mais poderia ser?

— Bem... não pense. Venha. Amanhã é o batizado. Você verá Suze!

Luke está certo. Talvez o dia de hoje não tenha acontecido exatamente segundo os planos. Mas amanhã será fantástico. Verei Suze de novo, as amigas mais íntimas de todo o mundo. Mal posso *esperar*.

CINCO

O batizado dos gêmeos acontecerá na casa dos pais de Suze em Hampshire, porque eles estão morando lá enquanto a ala leste do castelo de Tarquin na Escócia é reformada. Eles teriam usado a casa em Pembrokeshire, mas no momento há alguns primos distantes morando lá. E a casa em Sussex está sendo usada como locação para um filme baseado em Jane Austen.

É assim a família de Suze. Ninguém tem simplesmente uma casa. Por outro lado, ninguém também tem um chuveiro decente.

À medida que seguimos pela familiar entrada de cascalho, estou pulando de empolgação.

— Depressa! — digo enquanto Luke manobra o carro para uma vaga. Ele nem desligou o motor e eu já salto e corro para a casa. Agora que estou aqui, mal posso esperar para ver Suze!

A pesada porta da frente está entreaberta e eu a empurro com cuidado. Dentro, o gigantesco saguão com piso de pedras está decorado com o arranjo de lírios mais incrível. Dois garçons caminham com copos de champanha numa bandeja. E na poltrona antiga perto da lareira há uma sela abandonada. Então nada mudou aqui.

Os garçons desaparecem por um corredor e eu sou deixada sozinha. Enquanto caminho cuidadosamente pelas pedras do assoalho, de repente fico meio nervosa. E se Suze recuar, como meus pais? E se ela também tiver ficado estranha?

E então, com um tremor, vejo-a através de uma porta aberta, parada na sala de estar. Seu cabelo louro está preso num coque e ela usa um lindo vestido rosa trespassado. E nos braços há um bebê minúsculo vestido com uma comprida camisola de batizado. Uau. Deve ser um dos gêmeos.

Tarquin está parado ali perto, segurando um segundo bebê, também com camisola de batizado. Apesar de usar o terno mais antigo do mundo, ele parece bastante bem! Não tão... desalinhado como antigamente. Talvez Tarquin fique melhor à medida que envelheça, ocorre-me. Quando tiver cinqüenta anos talvez vire um deus sexual!

Um menininho louro está agarrado à sua perna, e quando olho ele solta gentilmente os dedos do garoto.

— Ernie — diz Tarquin com paciência.

Ernie? Sinto um choque portentoso. Meu afilhado, Ernest? Mas na última vez que o vi ele era um bebezinho minúsculo.

— Wilfie está parecendo uma menina! — diz Suze a Tarquin, com a testa franzida daquele modo familiar. — E Clementine parece um menino!

— Minha querida, os dois parecem exatamente bebês com camisola de batizado — responde Tarquin.

— E se os dois forem *gays*? — Suze está olhando ansiosamente para Tarquin. — E se os hormônios deles se misturaram quando estavam no útero?

— Eles estão ótimos!

Sinto-me ridiculamente tímida, parada junto à porta. Não quero interromper. Eles parecem uma família. *São* uma família.

— Que horas são? — Suze tenta consultar o relógio, mas agora Ernie está agarrado ao seu braço, tentando subir no colo. — Ernie, meu amor, preciso passar batom! Deixe o braço da mamãe... Pode segurá-lo um segundo, Tarkie?

— Deixe-me colocar Clementine em algum lugar... — Tarquin começa a olhar em volta como se uma cama pudesse aparecer magicamente do nada.

— Eu fico com ela, se você quiser — digo com a voz meio abalada.

Há um silêncio. Suze gira rapidamente.

— Bex? — Quando me vê, seus olhos se arregalam até o tamanho de pratos de jantar. — *Bex*?

— Nós voltamos! — dou um sorriso trêmulo. — Surpresa!

— Ah, meu Deus! Ah, meu *Deus*!

Suze joga o bebê para Tarquin, que masculinamente faz uma espécie de malabarismo com os dois. Ela corre para mim e joga os braços em volta do meu pescoço.

— Bex! Sra. Brandon!

— Sra. Cleath-Stuart! — devolvo, sentindo lágrimas pinicando nos olhos. Sabia que Suze não teria mudado. *Sabia*.

— Não acredito que vocês voltaram! — O rosto de Suze está reluzindo. — Conte tudo da sua lua-de-mel! Conte absolutamente tudo que vocês... — Ela pára de repente, olhando minha bolsa. — Ah, meu Deus — ela ofega. — Isso é uma bolsa Angel *de verdade*?

Ah! Está vendo? Quem sabe, sabe.

— Claro que é. — Balanço-a casualmente no braço. — Só uma lembrancinha de Milão. Hã... mas eu não mencionaria diante do Luke — acrescento baixando a voz. — Ele não sabe.

— Bex! — diz Suze meio reprovando, meio rindo. — Ele é seu marido!

— Exatamente. — Encaro-a, e começamos a soltar risinhos.

Meu Deus, é igualzinho aos velhos tempos.

— Então, como é a vida de casada? — pergunta Suze.

— Perfeita. — Dou um suspiro feliz. — Felicidade completa. Bem, você sabe. Como os casais em lua-de-mel.

— Eu estava grávida na nossa lua-de-mel. — Suze parece meio desconcertada. Estende a mão e acaricia a bolsa Angel, pasma. — Nem sabia que vocês iam a Milão! Aonde mais vocês foram?

— A todo lugar! O mundo inteiro!

— Foram ao antigo templo de Mahakala? — diz uma voz estrondeante, na porta. Giro e vejo a mãe de Suze, Caroline, entrando na sala. Está com o vestido mais estranho que já vi, feito de algo que parece lona verde-ervilha.

— Sim! — digo deliciada. — Fomos!

Foi Caroline que me deu a idéia de viajar, quando contou que sua melhor amiga era uma camponesa boliviana.

— À antiga cidade inca de Ollantaytambo?

— Nós ficamos lá!

Os olhos de Caroline brilham, como se eu tivesse passado no teste, e sinto um jorro de prazer. Sou uma viajante genuína! Não vou acrescentar que ficamos no *spa* cinco estrelas.

— Acabei de falar com o vigário — diz Caroline a Suze. — Ele disse alguma bobagem sobre água quente para o batismo. Eu respondi que absolutamente não! Um pouco de água fria dará a esses bebês o poder do bem!

— Mamãe! — geme Suze. — Eu *pedi* especialmente a água quente! Eles ainda são pequenos demais!

— Bobagem! — estrondeia Caroline. — Na idade deles você nadava no lago! Com seis meses estava subindo comigo as colinas Tsodila em Botswana. Lá não tem água quente!

Suze me dá um olhar desanimado e eu rio de volta, com simpatia.

— É melhor eu ir — diz ela. — Bex, vejo você depois. Vocês vão ficar uns dois dias, não é?

— Adoraríamos! — respondo feliz.

— Ah, e você *precisa* conhecer Lulu! — acrescenta ela, passando pela porta.

— Quem é Lulu? — grito, mas ela não ouve.

Ah, bem. Logo vou descobrir. Provavelmente é a égua nova, ou algo assim.

Encontro Luke do lado de fora, onde foi montada uma passarela coberta entre a casa e a igreja, como no casamento de Suze. Quando começamos a andar sobre o tapete, não consigo evitar uma pontada de nostalgia. Foi aqui que falamos pela primeira vez em casamento, de um modo tortuoso. E então Luke fez o pedido.

E agora aqui estamos. Casados há quase um ano!

Ouço passos e olho para trás. Tarquin vem rapidamente pelo tapete, segurando um bebê.

— Oi, Tarkie! — digo quando ele se junta a nós. — E aí... quem é esse?

— Esta é Clementine — diz Tarquin rindo de orelha a orelha. — Nossa pequena Clemmie.

Olho com mais atenção e tento esconder a surpresa. Minha nossa. Suze está certa. Ela realmente parece um menininho.

— É linda! — digo rapidamente. — Absolutamente estupenda!

Estou tentando pensar em algo para dizer, que enfatize suas qualidades muito *femininas*, quando percebo um som fraco vindo de cima. Uma espécie de tchuc-tchuc-tchuc. Agora está ficando mais alto. Levanto a cabeça e, para minha perplexidade, um gigantesco helicóptero preto está se aproximando. De fato... está pousando no campo atrás da casa.

— Você tem algum amigo com helicóptero? — digo pasma.

— Hã... na verdade ele é meu — responde Tarquin, acanhado. — Emprestei a um amigo para dar uma volta.

Tarquin tem um *helicóptero*?

Tudo bem, mas é de pensar que um homem que tem um zilhão de casas e um helicóptero poderia comprar um terno novo.

Agora chegamos à igreja, que está cheia de convidados. Luke e eu ocupamos um banco perto dos fundos, e olho em volta para ver os conhecidos de Suze. Ali está o pai de Tarquin, usando um *smoking* cor de berinjela, e Fenella, a irmã de Tarquin. Está vestida de azul e grita empolgada para uma garota loura que não reconheço.

— Quem é aquela, Agnes? — pergunta uma voz penetrante atrás de mim. Giro e uma mulher de cabelos grisalhos com um gigantesco broche de rubi está olhando também para a loura, através de um monóculo.

— É a Fenella, querida! — diz a mulher ao lado dela.

— Não estou falando da Fenella! E sim da outra moça, com quem ela está conversando.

— Quer dizer, Lulu? É Lulu Hetherington.

Sinto um beliscão de surpresa. Lulu não é uma égua. É uma mulher.

Olho com um pouco mais de atenção. Na verdade ela parece bem um cavalo. É muito magra e esbelta, como Suze, e usa um conjunto de *tweed* cor-de-rosa. Enquanto olho, ela ri de algo que Fenella diz. E tem um daqueles sorrisos que expõem todos os dentes e as gengivas.

— É uma das madrinhas! — está dizendo Agnes. — *Super* garota. É a melhor amiga de Susan.

O quê?

Levanto os olhos, aparvalhada. Isso é ridículo. *Eu* sou a melhor amiga de Suze. Todo mundo sabe.

— Lulu se mudou para o povoado há seis meses e elas se tornaram inseparáveis! — continua Agnes. — Nós as vemos cavalgando juntas todo dia. Ela é parecida demais com a querida Susan. Basta olhar as duas juntas!

Na frente da igreja Suze apareceu segurando Wilfrid. E acho que há uma semelhança superficial entre ela e Lulu. As duas são altas e louras. As duas estão com o mesmo tipo de coque. Suze fala com Lulu, o rosto brilhante de animação e, quando olho, as duas irrompem numa gargalhada.

— E é claro que elas têm muita coisa em comum! — A voz de Agnes atravessa o ar atrás de mim. — Além dos cavalos e as crianças... cada uma é um apoio *maravilhoso* para a outra.

— Toda mulher precisa de uma melhor amiga — diz a outra mulher, com sabedoria.

Ela pára quando o órgão começa a tocar. A congregação se levanta e eu pego meu folheto do serviço religioso, junto com todo mundo. Mas não consigo ler uma palavra. Estou meio embaralhada por dentro.

Essas pessoas entenderam tudo errado. Aquela não é a melhor amiga de Suze. *Eu* é que sou.

Depois do batizado voltamos todos para a casa, onde um quarteto de cordas está tocando no salão e os garçons circulam com bebidas. Luke é imediatamente encurralado por algum amigo de Tarquin que o conhece dos negócios, e por um tempo fico parada sozinha, pensando no que ouvi na igreja.

— Bex! — Quando ouço a voz de Suze atrás de mim, giro aliviada.

— Suze! — Sorrio para ela. — Foi fantástico!

Só a visão do rosto amigo de Suze varre todas as minhas preocupações para longe. Claro que ainda somos melhores amigas. Claro que somos!

Tenho de lembrar que estive fora por muito tempo. De modo que, claro, Suze teve de fazer amizade com pessoas do local, ou sei lá de onde. Mas o fato é que agora estou de volta!

— Suze, vamos fazer compras amanhã! — digo impulsivamente. — Podemos ir a Londres... Eu ajudo com os bebês...

— Bex, não posso. — A testa dela se franze. — Prometi a Lulu que ia cavalgar amanhã de manhã.

Por um momento fico quieta. Será que ela não pode cancelar a cavalgada?

— Ah, certo. — Tento sorrir. — Bem... sem problemas. Faremos isso outra hora!

O bebê no colo de Suze começou a berrar com gosto e ela faz uma careta.

— Tenho de dar de mamar a eles. Mas *preciso* apresentar você a Lulu. Vocês vão se amar!

— Tenho certeza que sim! — digo tentando parecer entusiasmada. — Vejo você depois!

Fico olhando Suze desaparecer na biblioteca.

— Champanha, senhora? — diz um garçom atrás de mim.

— Ah, certo. Obrigada.

Pego uma taça de champanha na bandeja. Então, com um pensamento súbito, pego outra. Vou para a porta da biblioteca e já estou quase com a mão na maçaneta quando Lulu sai, fechando a porta.

— Ah, olá — diz ela numa voz metida, cortante. — Suze está amamentando aí dentro.

— Eu sei. — Sorrio. — Sou amiga dela, Becky. Trouxe um pouco de champanha para ela.

Lulu sorri de volta — mas sua mão não se afasta da maçaneta.

— Acho que ela gostaria de alguma privacidade — diz em tom afável.

Por um momento fico pasma demais para responder. Privacidade? Com relação a *mim*?

Eu estava com Suze quando ela deu à luz Ernie!, sinto vontade de retrucar. Vi mais dela do que você *jamais* verá!

Mas, não. Não vou começar uma disputa quando nós acabamos de nos conhecer. Ande. Faça um esforço.

— Então você deve ser Lulu — digo o mais calorosamente que posso, e estendo a mão. — Sou Becky.

— Você é Becky. É, já ouvi falar de você.

Por que ela parece achar isso engraçado? O que Suze contou?

— E você é a madrinha de Clementine! — digo afavelmente. — Isso é... um amor!

Estou me esforçando ao máximo para fazer uma conexão. Mas simplesmente há algo nela que me faz ser empurrada para longe. Seus olhos são um tanto frios demais.

— Cosmo! — rosna ela subitamente. Sigo seu olhar e vejo um menininho se chocando contra o quarteto de cordas. — Saia daí, querido!

— Cosmo! Nome fantástico — digo tentando ser amigável. — Tipo a revista?

— A *revista*? — Ela me encara como se eu fosse uma imbecil completa. — Na verdade vem da antiga palavra grega *kosmos*. Que significa "ordem perfeita".

De qualquer modo, *ela* é que é a estúpida, porque quantas pessoas já ouviram falar da revista *Cosmo*? Cerca de um milhão. E quantas ouviram alguma antiga palavra grega? Umas três. Exatamente.

— Você tem filhos? — pergunta ela com interesse educado.

— Hã... não.

— Tem cavalos?

— Hã... não.

Silêncio. Lulu parece ter ficado sem perguntas. Acho que é a minha vez.

— E então... quantos filhos você tem?

— Quatro. Cosmo, Ludo, Ivo e Clarissa. Com dois, três, cinco e oito anos.

— Uau. Devem manter você ocupada.

— Ah, o mundo é diferente quando a gente tem filhos — diz presunçosa. — Tudo muda. Você não pode imaginar.

— Provavelmente posso — respondo rindo. — Eu ajudei Suze quando Ernie nasceu. Por isso sei como...

— Não. — Ela me dá um sorriso condescendente. — Enquanto você não for mãe, não terá idéia. Nenhuma idéia.

— Certo — digo sentindo-me esmagada.

Como é que Suze pode ser amiga desta mulher? Como?

De repente há um barulho na porta da biblioteca e Suze aparece. Está segurando um bebê num dos braços, o celular na outra mão e é a própria imagem da consternação.

— Oi, Suze! — digo rapidamente. — Eu estava trazendo uma taça de champanha para você! — Estendo a taça, mas Suze parece não notar.

— Lulu, Wilfie está com uma erupção! — diz ela ansiosa. — Os seus já tiveram isso?

— Vamos dar uma olhada — responde Lulu, pegando habilmente o bebê. Examina-o por um momento. — Acho que é assadura.

— Verdade?

— Para mim parece irritação de urtiga — digo tentando participar. — Ele esteve perto de alguma urtiga recentemente?

Ninguém parece interessado no que eu acho.

— Você precisa de Sudocrem — diz Lulu. — Eu compro, se você quiser. Vou dar um pulo na farmácia mais tarde.

— Obrigada, Lulu, você é um anjo! — Suze pega Wilfie de volta, agradecida, no instante em que seu celular toca.

— Oi! — diz ela ao aparelho. — Até que enfim! Onde você está? — Enquanto ouve, todo o seu rosto desmorona, consternado. — Está brincando!

— O que foi? — perguntamos Lulu e eu simultaneamente.

— É o Sr. Feliz! — uiva Suze, virando-se para Lulu. — Ele está com o pneu furado! Perto de Tiddlington Marsh.

— Quem é o Sr. Feliz? — pergunto pasma.

— O animador! — diz Suze em desespero. — Há uma sala cheia de crianças aqui, só esperando por ele! — Ela sinaliza para duas portas duplas, atrás das quais vejo um monte de crianças com vestidos de festa e camisas elegantes, correndo de um lado para o outro e jogando almofadas umas nas outras.

— Vou dar um pulo lá, para pegá-lo — diz Lulu pousando sua taça. — Pelo menos sabemos onde ele está. Vão ser só dez minutos. Diga para ele ficar atento ao Range Rover.

— Lulu, você é uma estrela na minha vida — diz Suze, aliviada. — Não sei o que faria sem você.

Sinto uma pontada de ciúme. *Eu* quero ser quem ajuda Suze. *Eu* quero ser a estrela na vida de Suze.

— Eu poderia pegá-lo! — digo. — Eu vou!

— Você não sabe onde é — responde Lulu com gentileza. — Será melhor se eu for.

A IRMÃ DE BECKY BLOOM

— E as crianças? — Suze olha nervosa para a sala onde o som de crianças gritando está ficando mais alto.

— Elas terão de esperar. Se não há animador, não há animador.

— Eu posso distraí-las! — digo antes que possa me impedir.

— *Você?* — As duas se viram boquiabertas.

— É, eu — respondo confiante.

Ah. Vou mostrar a elas quem é a maior amiga de Suze.

— Bex... tem certeza? — pergunta Suze, ansiosa.

— Sem problema.

— Mas...

— Suze... — ponho a mão em seu braço. — Por favor. Acho que eu consigo divertir algumas crianças durante dez minutos.

Ah, meu Deus.

É um pega-pra-capar.

Não consigo ouvir meu próprio pensamento. Não consigo ouvir nada além dos gritos de vinte crianças agitadas correndo numa sala, chocando-se umas nas outras.

— Hã... com licença... — começo.

Os gritos aumentam de volume. Tenho certeza de que alguém está sendo assassinado aqui, só não consigo ver porque tudo virou um borrão.

— Sentem-se! — grito acima do ruído. — Todos vocês, sentem-se!

Eles não param nem mesmo um segundo. Subo numa cadeira e ponho as mãos em volta da boca.

— Quem sentar... — berro — vai ganhar um DOCE!

Abruptamente os gritos param e há um estrondo quando vinte crianças despencam no chão.

— Olá, todo mundo! — digo toda animada. — Eu sou... Eu sou a Becky Biruta! — Balanço a cabeça. — Todo mundo diga: "Olá, Becky Biruta!"

Silêncio.

— Cadê meu doce? — grita uma menininha.

— Hã...

Reviro a bolsa, mas não há nada além de uns comprimidos herbais para dormir, que comprei para superar o *jet lag*. Sabor laranja.

Será que eu podia...

Não. Não.

— Mais tarde! — digo. — Vocês precisam ficar paradinhos... e depois ganham um doce.

— Essa mágica é um *lixo* — reclama um menino com camisa Ralph Lauren.

— Eu não sou um lixo! — reajo indignada. — Olhem só! É...

Coloco rapidamente as mãos no rosto, depois tiro.

— Buuu!

— A gente não é neném — diz o garoto cheio de escárnio. — A gente quer mágicas!

— Por que a gente não canta uma música legal? — digo numa voz tranqüilizadora. — Aaaa... tirei o pau no ga-to-to...!

— Faz uma mágica! — guincha a garotinha.

— A gente quer mágica! — berra o garoto.

A IRMÃ DE BECKY BLOOM

— Faz. Uma. Mágica! Faz. Uma. Mágica!

Ah, meu Deus. Eles estão cantando. E os garotos batem no chão com os punhos. A qualquer minuto vão se levantar e começar a se chocar uns contra os outros de novo. Mágica. Mágica. Minha mente corre freneticamente de um lado para o outro. Eu *sei* algum truque de mágica?

— Tudo bem! — digo desesperada. — Eu faço um truque! Olhem isso!

Abro os braços com um floreio, depois levo as mãos às costas, com movimentos elaborados, em redemoinho, embromando o máximo que consigo.

Então abro o sutiã por baixo da blusa, tentando lembrar de que cor ele é.

Ah, sim. É meu sutiã rosa, com suporte. Perfeito.

Toda a sala está boquiaberta.

— O que você está fazendo? — pergunta uma menininha, os olhos arregalados.

— Espere e verá!

Tentando manter o ar de mistério, passo uma das alças do sutiã discretamente pelo braço, depois a outra. Todas as crianças estão me olhando avidamente.

Agora que recuperei a confiança acho que estou me saindo muito bem. Na verdade tenho um certo talento nato.

— Olhem com atenção — digo numa solene voz de mágico — porque agora vou fazer uma coisa... APARECER!

Algumas crianças abrem a boca.

— Um... dois... três... — Num clarão de rosa-shocking, tiro o sutiã pela manga da blusa e o levanto.

— Tchã-rááá!

Toda a sala irrompe em aplausos de êxtase.

— Ela fez mágica! — grita um menino louro.

— Quer ver eu fazer de novo? — digo rindo de orelha a orelha, deliciada.

— Queeero! — gritam todos.

— Acho que *não* — interrompe uma voz clara e tensa, vinda da porta. Viro-me. E Lulu está ali parada, me olhando com horror sem disfarces.

Ah, não.

Ah, meu Deus. O sutiã ainda está girando na minha mão.

— Eles queriam que eu fizesse um truque — explico tentando dar de ombros, como se fosse uma bobagem.

— Não acho que esse seja o tipo de "truque" que as crianças apreciem! — diz ela erguendo as sobrancelhas. Em seguida se vira para o grupo com um luminoso sorriso materno. — Quem quer ver o Sr. Feliz?

— Queremos Becky Biruta! — grita o menino. — Ela tirou o sutiã!

Merda.

— Becky Biruta precisa... hmm... ir agora! — digo toda alegre. — Mas vejo vocês outro dia, crianças!

Sem encarar Lulu enrolo o sutiã numa bola minúscula, enfio na bolsa e saio da sala. Vou para a mesa do bufê, onde Luke está se servindo de salmão.

— Você está bem? — pergunta ele, surpreso. — Está muito rosa.

— Estou... bem. — Pego a taça dele e tomo um grande gole de champanha. — Está tudo ótimo.

Mas não estou nada bem.

Fico esperando Lulu ir embora, para poder bater um bom papo com Suze — mas ela não vai. Fica por ali, ajudando a fazer o jantar das crianças e depois a limpar tudo. Cada vez que tento ajudar ela chega antes com um pano úmido, um copo ou algum conselho maternal. Ela e Suze ficam num diálogo constante sobre as crianças, e é impossível enfiar ao menos uma palavra.

Só quando são umas dez horas da noite ela parte, e finalmente me vejo a sós na cozinha com Suze. Ela está sentada perto do fogão, dando de mamar a um dos gêmeos e soltando bocejos enormes a cada três minutos.

— Então, teve uma lua-de-mel linda? — pergunta pensativa.

— Foi fantástica. Totalmente perfeita. Fomos a um lugar incrível na Austrália onde a gente pode mergulhar com equipamento e...

Paro quando Suze boceja de novo. Talvez eu conte amanhã.

— E você? Como é a vida com três crianças?

— Ah, você sabe. — Ela dá um sorriso cansado. — É boa. Cansativa. Tudo é diferente.

— Hã... você tem passado um monte de tempo com Lulu — digo casualmente.

— Ela não é ótima? — pergunta Suze, com o rosto se iluminando.

— É... ótima. — Paro cautelosamente. — Parece um *pouquinho* mandona...

— *Mandona?* — Suze levanta a cabeça, chocada. — Bex, como você pode dizer isso? Ela tem sido minha salvadora! Lulu me ajuda demais!

— Ah, certo. — Recuo depressa. — Eu não quis dizer...

— Ela sabe exatamente o que estou passando. — Suze suspira. — Quero dizer, ela teve quatro! Ela *entende* mesmo.

— Certo.

E eu não entendo. É isso que ela quer dizer.

Enquanto olho para meu copo de vinho, sinto um peso súbito na cabeça. Nenhum dos meus encontros está acontecendo como pensei.

Levanto-me e vou até o fogão, perto do qual há sempre um monte de fotos de família pregadas na parede de cortiça. Há uma foto minha e de Suze vestidas para uma festa com boás de plumas e maquiagem brilhante. E uma de Suze e eu no hospital com o minúsculo Ernie.

Então, com uma pontada, noto uma foto novinha, de Suze e Lulu montadas em seus cavalos, com paletós de montaria e redes de cabelo combinando. Estão rindo para a câmera e parecem gêmeas idênticas.

Enquanto olho, sinto uma súbita determinação crescendo. Não vou perder minha melhor amiga para uma rainha da equitação mandona com cara de cavalo. O que quer que Lulu faça, eu posso fazer.

— E se eu fosse montar com você e Lulu amanhã? — digo casualmente. — Se vocês tiverem um cavalo sobrando.

Vou até usar rede de cabelo, se for necessário.

— Você iria? — Suze levanta a cabeça, pasma. — Mas... Bex... Você não sabe montar.

— Sei sim — digo serelepe. — Luke e eu montamos um pouco na lua-de-mel.

O que é meio verdade. Nós íamos fazer um passeio de camelo em Dubai, só que no fim, em vez disso, resolvemos mergulhar.

Mas não importa. Vai dar tudo certo. Quer dizer, qual é! Montar não pode ser tão difícil. Você só senta no cavalo e guia. Moleza.

Seis

Às dez da manhã seguinte estou pronta. E não quero me gabar, mas enquanto me examino ao espelho estou absolutamente fabulosa! Luke me levou à loja de montaria no povoado ali perto de manhã cedinho, e eu fui com tudo. Estou usando culote branco-neve, um paletó de montaria preto, justo no corpo, botas brilhantes e um novo e lindo chapéu de montaria, de veludo.

Com orgulho pego minha *pièce de resistance* — uma grande roseta vermelha com fitas brilhantes. Havia um monte à venda, por isso comprei uma de cada cor! Cuidadosamente prendo uma na gola, como se fosse uma flor, aliso o paletó e olho o efeito.

Meu Deus, estou chiquerésima. Parece que vou ganhar o prêmio no Crufts.*

Não. Não quero dizer Crufts. O outro. O de cavalos.

Talvez comece a montar todo dia no Hyde Park, penso num súbito jorro de empolgação. Talvez eu fique realmente boa. Então posso vir aqui todo fim de semana e cavalgar com Suze. Podemos participar de gincanas e coisa

---

*O maior concurso de cães de raça da Inglaterra. (*N. do T.*)

e tal, e formar uma equipe! E ela vai esquecer de vez da idiota da Lulu.

— U-la-lá! — diz Luke entrando no quarto. — Você está deslumbrante.

— Estou chique, não é? — Sorrio para ele.

— Muito sensual. — Ele ergue as sobrancelhas. — Botas fantásticas. Quanto tempo vocês vão ficar fora?

— Não muito — digo como quem sabe das coisas. — Só vamos dar um rolê na floresta.

— Becky... — Luke me olha atentamente. — Você já montou um cavalo alguma vez na vida?

— Já! — respondo depois de uma pausa. — Claro que já!

Uma vez. Quando tinha dez anos. E caí. Mas provavelmente não estava concentrada, ou algo assim.

— Só tenha cuidado, certo? Não estou pronto para ficar viúvo.

Honestamente. Com que ele está preocupado?

— É melhor eu ir! — digo olhando para meu novo relógio "eqüestre" especial com bússola. — Não posso me atrasar!

Todos os cavalos são mantidos a uma certa distância da casa, num estábulo, e quando me aproximo ouço o som de relinchos e cascos batendo no pátio do estábulo.

— Oi! — diz Lulu, aparecendo detrás de uma esquina usando um culote antiqüíssimo e um suéter peludo. — Está tudo pronto... — Ela pára ao me ver. — Ah, meu Deus. — E solta um riso fungado. — Suze, venha olhar a Becky!

— O que é? — Suze vira a esquina correndo e pára.

— Nossa, Bex — diz ela. — Você está muito... elegante!

Vejo o culote imundo e velho de Suze, as botas enlameadas e o velho chapéu de montaria.

— Eu quis me esforçar! — digo tentando parecer leve e casual.

— O que é isso? — Lulu está olhando incrédula para minha roseta.

— É um arranjo. Estavam vendendo na loja de montaria — acrescento objetivamente.

— Para os cavalos — diz Suze com gentileza. — Bex, eles são para botar nos cavalos.

— Ah.

Por um momento fico meio desconcertada. Mas afinal... por que gente não pode usar isso também? Minha nossa, esse pessoal que curte cavalos tem a mente tão estreita!

— Cá estamos! — interrompe Albert, que cuida dos cavalos para os pais de Suze. Está puxando um enorme cavalo marrom pelas rédeas. — Hoje vamos colocar você no Ginger. Ele é bem tranqüilo, não é, garoto?

Congelo horrorizada. Isso? Ele está esperando que eu suba nesse monstro?

Albert me entrega as rédeas e eu as pego automaticamente, tentando não entrar em pânico. O cavalo dá um passo com um casco enorme e pesado, e eu pulo fora do caminho, amedrontada.

— Não vai montar? — pergunta Lulu, saltando na sela de um cavalo que, no mínimo, é maior do que o meu.

A IRMÃ DE BECKY BLOOM

— Claro! — digo com um riso casual.

Como? Como é que eu vou subir lá em cima?

— Quer uma mãozinha? — pergunta Tarquin, que estivera falando com Albert a alguns metros de distância. Ele vem por trás de mim e, antes que eu perceba, me levanta e coloca direto na sela.

Ah, meu Deus.

Estou tão *alta!* Quando olho para baixo fico tonta. De repente Ginger dá um passo de lado e eu tento não ofegar de pânico.

— Vamos? — grita Suze, que está em seu cavalo preto, Pepper, e com um clop-clop sai pelo portão, indo para o campo. Lulu estala a língua, gira o cavalo e vem atrás.

Tudo bem. Minha vez. Vamos.

Anda, cavalo. *Anda.*

Não tenho idéia do que fazer em seguida. Devo chutá-lo? Hesitando, puxo uma das rédeas, mas nada acontece.

— Upa, upa — murmuro baixinho. — Upa, upa, Ginger!

De repente, como se percebesse que seus amigos foram embora, ele começa a andar. E é... tudo bem. Legal. Só um pouco mais... *pulado* do que eu imaginava. Olho para Lulu, adiante, e ela parece totalmente confortável. De fato está com as rédeas numa das mãos, o que acho que não passa de exibicionismo.

— Feche o portão! — grita ela para mim.

Fechar o portão? Penso em pânico. Como é que vou fechar o portão?

— Eu fecho — grita Tarquin. — Divirtam-se!

— Tá legal! — grito de volta, alegre.

Certo. Enquanto a gente continuar nesse pique, estou bem. Na verdade pode até ser divertido. O sol está brilhando, a brisa agita o capim, os cavalos são lindos e brilhantes e nós todos parecemos realmente pitorescos.

E não estou tentando me exibir, mas acho que sou a melhor. Minhas roupas são *definitivamente* as melhores. Algumas pessoas caminham por uma trilha no campo, e quando passo dou-lhes um casual cumprimento tipo "Não estou fantástica no meu cavalo?" e giro o chicote de montaria. E eles parecem realmente impressionados! Provavelmente acham que sou uma profissional, ou sei lá o quê.

Talvez eu tenha descoberto meu talento natural. Talvez Luke e eu devêssemos comprar uns cavalos e alguns hectares de terra. Poderíamos realmente entrar nessa. Poderíamos participar de eventos e de concursos de saltos, como Suze...

Merda. O que está acontecendo? De repente Ginger começou a pular.

Isso é um trote?

Olho para Suze e Lulu, e as duas estão subindo e descendo no mesmo ritmo dos cavalos.

Como fazem isso?

Tento imitar — mas tudo que consigo é bater dolorosamente na sela. Ai. Meu Deus, sela é uma coisa dura. Por que não fazem selas almofadadas? Se eu fosse estilista de selas as faria realmente macias e confortáveis, com almofadas peludas e suportes para bebidas, talvez, e...

— Vamos dar um meio-galope? — grita Suze por sobre o ombro. Antes que eu possa responder ela bateu com os calcanhares no cavalo e ele está disparando como o campeão do grande prêmio, seguido de perto por Lulu.

— Não precisamos dar meio-galope, Ginger — digo rapidamente ao cavalo. — Podemos só...

Ah, meu Deeeeeeus. Ele partiu atrás dos outros.

Cacete. Ah, cacete. Vou cair. Sei que vou. Todo o meu corpo está rígido. Estou grudada à sela com tanta força que as mãos doem.

— Tudo bem, Bex? — grita Suze.

— Tudo ótimo! — grito de volta numa voz estrangulada.

Só quero que isso pare. O vento está soprando no meu rosto. Sinto-me enjoada de tanto terror.

Vou morrer. Minha vida acabou. A única vantagem em que posso pensar é que vai parecer bem maneiro quando puserem nos jornais.

Excelente amazona, Rebecca Brandon (née Bloom) morreu enquanto dava um meio-galope com as amigas.

Ah, meu Deus. Acho que ele está diminuindo a velocidade. Por fim. Estamos trotando... estamos meio correndo devagar... e finalmente paramos.

De algum modo consigo desgrudar as mãos.

— Não é ótimo? — diz Suze, girando em cima de Pepper. Seu cabelo louro voa por baixo do chapéu e as bochechas estão rosadas. — Vamos dar um galope de verdade?

Galope? De verdade?

Está brincando. Se Ginger der mais um passo eu vomito.

— Consegue saltar, Bex? — acrescenta ela. — São só uns dois obstáculos pequenos adiante. Você deve conseguir — encoraja. — Você é boa mesmo!

Por um momento não consigo falar.

— Só preciso... é... ajeitar meu estribo — consigo dizer finalmente. — Vão vocês.

Espero até as duas estarem longe antes de escorrer para o chão. Minhas pernas estão trêmulas e eu sinto náuseas. Nunca mais vou sair do chão sólido. Nunca. Como é que as pessoas fazem isso para se divertir?

Com o coração bombeando me deixo cair no capim. Tiro o chapéu de montaria novo — que, para ser honesta, está machucando as orelhas desde que coloquei — e jogo-o no chão, desconsolada.

Suze e Lulu estão provavelmente a quilômetros de distância agora. Galopando e falando de fraldas.

Fico ali sentada alguns minutos, recuperando a compostura e olhando Ginger mastigar capim. Então, finalmente, me levanto e olho o campo vazio ao redor. Certo. O que vou fazer agora?

— Venha — digo a Ginger. — Vamos andar de volta. — Levanto-me e puxo com cuidado as rédeas. E para minha perplexidade ele segue obedientemente.

Assim é mais legal. Esse é o modo certo.

Enquanto caminho pelo capim começo a relaxar um pouco. Um cavalo é na verdade um acessório bem maneiro. Quem diz que a gente precisa montar nele? Eu ainda poderia ir todos os dias ao Hyde Park. Poderia comprar um cavalo bem bonito e só puxá-lo, como um cachorro. E se algum passante perguntasse: "Por que não está montando?" Eu só daria um sorriso de quem sabe das coisas e diria: "Hoje estamos descansando."

Caminhamos por um tempo e finalmente chegamos a uma estrada vazia. Paro um momento, olhando para a esquerda e para a direita. Numa direção a estrada desaparece morro acima, virando uma curva. Na outra vejo o que parece um povoado bem bonitinho. Todas as casas com estrutura de madeira, um trecho de gramado e...

Aaahhh. Aquilo são... lojas?

Tudo bem. Esse dia está prometendo.

Meia hora depois me sinto bem melhor.

Comprei uns queijos fantásticos com nozes dentro, umas compotas de groselha e umas rúculas enormes, que Luke vai adorar. E, melhor de tudo: achei uma lojinha incrível que vende chapéus. Bem ali, naquele povoado! Parece que o chapeleiro é do local e é praticamente o novo Philip Treacy. Quer dizer, não que eu use chapéus com tanta freqüência... mas logo devo ser convidada para algum casamento, ou a Ascot ou sei lá o quê. E os preços eram fantásticos. Por isso comprei um branco enfeitado com plumas de avestruz e um preto de veludo, todo coberto de pedrarias. São meio incômodos nas caixas, mas valeram *demais*.

Ginger relincha quando me aproximo do poste onde o amarrei e bate os pés no chão.

— Não se preocupe! — digo. — Não esqueci de você.

— Comprei para ele um saco cheio de pãezinhos Chelsea

e um xampu "extra-brilho" para a crina. Enfio a mão no saco e lhe dou um dos pãezinhos, tentando não estremecer quando ele lambe minha mão.

O único probleminha agora é... onde é que vou colocar todas as minhas compras? Não posso carregar todas essas bolsas e puxar Ginger pela estrada. Olho-o, pensando. Será que devo tentar montá-lo, *carregando* minhas compras? Como as pessoas faziam antigamente?

E de repente noto uma espécie de fivela numa das tiras da sela de Ginger. Eu poderia facilmente pendurar uma bolsa ali. Pego uma das sacolas de papel e prendo na fivela — e ela fica pendurada, perfeitamente! E, agora que olho direito, há coisas tipo fivela em todos os arreios de Ginger. Gênio! Deve ser para isso que servem!

Toda feliz começo a pendurar sacolas em todo gancho, tira e fivela disponíveis nos arreios de Ginger. Por fim amarro as duas caixas de chapéu na lateral. São lindíssimas, todas de listas rosas e brancas.

Certo. Estamos prontos.

Desamarro Ginger e começo a puxá-lo pelo povoado, tentando impedir que as caixas de chapéu batam muito. Algumas pessoas ficam boquiabertas quando passamos, mas tudo bem. Provavelmente não estão acostumadas com estranhos nessa área.

Estamos nos aproximando da primeira curva quando ouço sons de cascos adiante. No momento seguinte Suze e Lulu aparecem em seus cavalos.

— Aí está ela! — diz Lulu, abrigando os olhos por causa do sol.

A IRMÃ DE BECKY BLOOM

— Bex! — grita Suze. — Ficamos preocupadas! Você está bem?

— Estou ótima — grito de volta. — Nós nos divertimos de montão!

Enquanto elas se aproximam vejo Suze e Lulu trocando olhares perplexos.

— Bex... o que você fez com o Ginger? — pergunta Suze, os olhos examinando todas as sacolas e caixas, incrédula.

— Nada. Ele está ótimo. Só o levei às compras. Comprei dois chapéus incríveis!

Espero Suze dizer "Vamos vê-los!", mas ela está totalmente aparvalhada.

— Ela levou um cavalo... às compras — diz Lulu devagar. Em seguida me olha, depois se inclina e sussurra algo no ouvido de Suze.

De repente Suze dá uma fungadela e cobre a boca com a mão.

Sinto o rosto em chamas.

Ela está rindo de mim.

De algum modo nunca pensei que Suze riria de mim.

— Eu não sou fantástica em montar — digo tentando manter a voz firme. — Pensei em deixar vocês duas galoparem. Pois é. Vamos. É melhor a gente voltar.

As outras duas giram os cavalos e voltamos lentamente para a casa de Suze, praticamente em silêncio.

Assim que voltamos para casa Lulu vai embora e Suze tem de correr para dar de mamar aos gêmeos. Sou deixada no estábulo com Albert, que é um doce e me ajuda a desamarrar todas as sacolas e pacotes dos arreios de Ginger.

Estou andando carregada de bolsas quando Luke se aproxima, ainda de capa e botinas de caminhada.

— Então, como foi? — pergunta ele, animado.

— Foi... legal — digo olhando para o chão. Estou esperando que Luke pergunte o que há de errado, mas ele parece distraído.

— Becky, acabo de receber um telefonema do Gary, do escritório. Precisamos trabalhar na apresentação para o Grupo Arcodas. Lamento de verdade, mas tenho de voltar à cidade. Mas por que você não fica aqui por uns dias? — Ele sorri. — Sei como você estava desesperada para ver Suze.

E de repente sinto um jorro de emoção. Ele tem razão. Eu estava desesperada para ver Suze e vou ver, cacete. Quem se importa com a estúpida Lulu? Terei um papo de verdade com minha melhor amiga, agora mesmo.

Entro correndo na casa e a encontro dando de mamar aos dois gêmeos ao mesmo tempo, enquanto Ernie luta por um lugar em seu colo.

— Suze, escute — digo ansiosa. — Seu aniversário está chegando. Eu queria lhe dar uma coisa realmente especial. Vamos a Milão! Só nós duas!

— *Milão*? — Ela levanta os olhos, com o rosto tenso. — Ernie, pára com isso, querido. Bex, não posso ir a Milão! E os bebês?

A IRMÃ DE BECKY BLOOM

— Eles podem ir com a gente!

— Não, não *podem* — diz Suze, parecendo quase agressiva. — Bex, você não entende!

Sinto uma irritação com suas palavras. Por que todo mundo fica dizendo que eu não entendo? Como é que sabem?

— Tudo bem — respondo, tentando continuar alegre. — Vamos ter um fabuloso almoço de aniversário aqui mesmo! Eu trago toda a comida, você não terá de fazer nada...

— Não posso — diz Suze, sem me olhar. — É que... Já fiz planos para o aniversário. Lulu e eu vamos passar o dia num *spa*. Um dia especial de mães e bebês. Ela vai me dar de presente.

Encaro-a, incapaz de esconder o choque. Suze e eu sempre passamos os aniversários juntas.

— Certo. — Engulo em seco várias vezes. — Bem... divirta-se. Curta!

Silêncio na cozinha. Não sei o que dizer.

Nunca fiquei sem saber o que dizer a Suze.

— Bex... você não estava aqui — diz Suze de repente, e posso ouvir a perturbação em sua voz. — Você não estava aqui. O que eu deveria fazer? Ficar sem amigos?

— Claro que não! — digo animada. — Não seja boba!

— Eu não poderia sobreviver sem Lulu. Ela tem sido um verdadeiro apoio.

— Claro que sim. — De repente lágrimas pinicam meus olhos e eu me viro, piscando ferozmente para contê-las. — Bem... divirtam-se juntas. Tenho certeza de que vão se divertir. Desculpe eu ter voltado e entrado no caminho.

— Bex, por favor. Olha... Eu falo com Lulu sobre o *spa*. Tenho certeza de que podemos encontrar outro lugar.

Sinto uma pontada de humilhação. Ela está com pena de mim. Não suporto isso.

— Não! — Com um esforço estupendo consigo rir. — Verdade, não é nada. Provavelmente eu não teria tempo mesmo. De fato... vim dizer que nós precisamos voltar a Londres. Luke tem compromissos de trabalho.

— Agora? — Suze parece perplexa. — Mas achei que você ia ficar uns dias.

— Nós temos um monte de coisas para fazer! — Levanto o queixo. — Tudo é diferente para mim também, você sabe. Agora sou uma mulher casada! Tenho de ajeitar o apartamento... cuidar do Luke... dar uns jantares...

— Certo. — Suze hesita. — Bem, foi ótimo ver você, de qualquer modo.

— Adorei ver você também! Foi divertido! A gente precisa... fazer isso de novo.

Parecemos totalmente falsas. As duas.

Silêncio. Minha garganta está apertada. Vou chorar. Não vou não.

— Então... vou fazer as malas — digo finalmente. — Obrigada por tudo.

Saio da cozinha, pego as compras e me afasto. E meu sorriso luminoso dura até chegar à escada.

GINCANA NETHER PLEATON
Estábulos Manor
Pleaton
Hampshire

Sra. Rebecca Brandon
37 Maida Vale Mansions
Maida Vale
Londres NW6 0YF

30 de abril de 2003

Cara Sra. Brandon,

Obrigada por sua carta sobre a Gincana Nether Pleaton no próximo mês. Confirmo que retirei seu nome das seguintes modalidades:

Equitação geral
Aberto de saltos
Adestramento sênior

Por favor, avise se ainda quiser participar do "Pônei Mais bem Tratado".

Atenciosamente,

Marjorie Davies

(Organizadora)

SETE

De qualquer forma, não importa. Não preciso de Suze.

As pessoas se casam, vão embora e seus amigos mudam. Só isso. É perfeitamente normal. Ela tem a vida dela... e eu tenho a minha. Tudo bem. Passou-se uma semana desde o batizado — e ela praticamente não me passou pela cabeça.

Tomo um gole de suco de laranja, pego o *Financial Times* que Luke deixou na bancada e começo a folheá-lo rapidamente.

Agora que estou casada acho que também vou fazer um monte de amigos novos. Não dependo de Suze para nada. Vou começar um curso noturno, um grupo de leitura ou algo assim. E *meus* novos amigos vão ser realmente legais, amigos que não cavalgam nem têm filhos com nomes estúpidos como Cosmo...

Estou folheando tão furiosamente que já cheguei ao fim do *Financial Times*. Olho para o jornal numa ligeira surpresa. Uau. Essa foi rápida. Talvez eu tenha me transformado em leitora dinâmica sem perceber.

Tomo um gole de café e passo um pouco mais de calda de chocolate na torrada. Estou sentada na cozinha do apartamento de Luke em Maida Vale, tomando café tarde.

Quer dizer... *nosso* apartamento em Maida Vale. Vivo esquecendo, agora ele é metade meu! Luke morou aqui durante séculos antes de nos casarmos, mas quando fomos morar em Nova York ele mandou reformar e alugou. E é o lugar mais maneiro do mundo. Todo minimalista, com uma incrível cozinha de aço inoxidável, tapetes begeclaro e só uma ou outra peça de arte moderna aqui e ali.

Gosto dele. Claro que gosto.

Se bem que acho que, se for *totalmente* honesta, é meio vazio para o meu gosto. Luke tem um estilo diferente do meu no quesito decoração. Sua abordagem é basicamente "nada em lugar nenhum", ao passo que a minha é mais "um monte de coisas em todo lugar".

Mas não importa, porque li uma matéria sobre casais numa revista de interiores, e dizia que fundir dois estilos diferentes não era problema. Aparentemente só precisamos misturar nossas idéias, combinar com nosso estado de espírito e criar um *look* exclusivo.

E hoje é o dia perfeito para começar. Porque a qualquer minuto todas as nossas compras de lua-de-mel vão ser entregues pela empresa de depósito! Luke não foi ao trabalho, especialmente para ajudar.

Estou me sentindo realmente empolgada. Ver todos os nossos suvenires de novo! Arrumar as lembrancinhas de nossa lua-de-mel pelo apartamento. Realmente vou fazer uma mudança neste lugar, tendo alguns *objetos* pessoais aqui e ali.

— Há uma carta para você — diz Luke entrando na cozinha. Ele ergue as sobrancelhas. — Parece importante.

— Ah, certo! — pego o envelope nervosa.

Desde que voltamos para Londres estive procurando em todas as grandes lojas de departamentos um emprego como compradora pessoal. Consegui uma fantástica carta de referência da Barneys, e todo mundo tem sido realmente gentil comigo — mas até agora só disseram que por enquanto não há vagas.

O que, para ser honesta, tem sido um certo golpe. Achei que teria de fugir das ofertas. Cheguei a ter uma pequena fantasia de que todas as compradoras pessoais da Harrods, da Harvey Nicks e da Selfridges me levariam para almoçar e dariam roupas grátis para que eu me juntasse a elas.

Com o coração pulando tiro a carta do envelope. É de uma loja nova chamada The Look, que ainda nem foi inaugurada. Fui procurar o pessoal de lá há uns dias, e *achei* que tinha me dado bem, mas...

— Ah, meu Deus! — digo incrédula. — Consegui! Eles me querem!

— Fantástico! — O rosto de Luke se abre num sorriso. — Parabéns! — Ele me abraça e me dá um beijo.

— Só que... só vão precisar de mim daqui a três meses — digo continuando a ler. — É quando a loja vai abrir. — Pouso a carta e olho para ele. — Três meses inteiros. É um tempo enorme sem emprego.

E sem dinheiro, estou pensando em silêncio.

— Tenho certeza de que você vai encontrar algo para fazer — diz Luke, animado. — Algum projeto. Você terá bastante coisa com que se ocupar.

De repente a campainha toca no corredor e nós nos entreolhamos.

— Deve ser o pessoal da entrega! — digo, sentindo o ânimo voltar. — Vamos descer!

A cobertura de Luke tem um elevador próprio até a portaria, o que é maneiríssimo! Quando nos mudamos passei o tempo todo apenas subindo e descendo. Até recebermos reclamações dos vizinhos.

— Então, onde vamos colocar tudo? — pergunta ele enquanto aperta o botão do térreo.

— Achei que poderíamos empilhar tudo no canto da sala de estar — sugiro. — Atrás da porta. E eu posso separar as coisas enquanto você estiver no trabalho.

— Boa idéia.

Fico quieta alguns instantes. De repente me lembrei dos vinte roupões de seda chinesa. Talvez consiga escondê-los sem que Luke veja.

— E se houver alguma coisa demais — acrescento casualmente — podemos colocar no quarto de hóspedes.

— Coisa demais? — Luke franze a testa. — Mas quanta coisa você está esperando?

— Não tanto assim! — digo rapidamente. — Praticamente nada! Só quis dizer se eles tiverem posto as coisas em caixas enormes ou sei lá o quê. Só isso.

Luke fica com uma cara de suspeita e eu me viro, fingindo que estou ajeitando a pulseira do relógio. Agora que o momento chegou, sinto uma apreensão minúscula.

Agora gostaria de ter falado das girafas de madeira. Será que devo confessar rapidamente?

Não. Não importa. Vou ficar bem. O apartamento de Luke é enorme. Quer dizer, é vasto! Ele não vai notar algumas coisinhas extras.

Empurramos a porta dupla do prédio, saímos e vemos um homem de jeans esperando perto de um pequeno furgão.

— Sr. Brandon? — pergunta ele, erguendo a cabeça.

Sinto um pequeno jorro de alívio. *Sabia* que não tínhamos comprado tanta coisa assim. Sabia. Quer dizer, olha só esse furgão. É minúsculo!

— É. Sou eu. — Luke estende a mão com um sorriso agradável.

— Tem alguma idéia de onde devemos estacionar os caminhões? — O homem coça a cabeça. — Estamos parados em fila dupla atrás da esquina.

— Caminhões? — ecoa Luke. — O que você quer dizer com caminhões?

O sorriso congelou no rosto dele.

— Temos dois caminhões para descarregar. Podemos colocar na área de estacionamento ali? — O sujeito sinaliza para o pátio na frente do prédio.

— Claro! — digo rapidamente, já que Luke parece incapaz de falar. — Podem colocar!

O homem desaparece, e há um silêncio.

— E então! — digo animada. — Isso é divertido!

— Dois caminhões? — pergunta Luke incrédulo.

— Deve ser uma carga compartilhada! — respondo rapidamente. — Com outra pessoa. Quer dizer, *obviamente* não compramos dois caminhões de coisas.

A IRMÃ DE BECKY BLOOM

O que é verdade.

Quer dizer, é ridículo! Em dez meses não poderíamos ter...

Tenho *certeza* de que não poderíamos...

Ah, meu Deus.

Há um ronco depois da esquina e um grande caminhão branco aparece seguido por outro. Eles dão marcha a ré no pátio da frente do prédio e há um ruído enorme quando as portas traseiras são abertas. Luke e eu vamos até lá e olhamos para as profundezas apinhadas.

Uau. É uma visão espantosa. Todo o caminhão está atulhado de objetos e móveis. Alguns embrulhados em plástico, alguns em papel, e alguns praticamente não embrulhados. Enquanto olho para aquilo tudo, começo a ficar bem emocionada. É como assistir a um vídeo de toda a lua-de-mel. Os *kilims* de Istambul! As cabaças do Peru. E esqueci totalmente que tinha comprado aquele bebê índio!

Alguns homens de macacão começam a tirar coisas. Ficamos de lado para deixá-los passar, mas ainda estou olhando o interior do caminhão, perdida em lembranças. De repente vislumbro uma minúscula estátua de bronze e me viro com um sorriso.

— O buda! Você se lembra de quando a gente comprou, Luke?

Luke não está ouvindo uma palavra. Sigo seu olhar — e sinto uma ligeira fagulha de apreensão. Ele está olhando incrédulo um homem tirar do outro caminhão um gigantesco pacote embrulhado em papel. Uma perna de girafa de madeira se projeta dele.

Merda.

E agora aí vem outro homem de macacão com o par da girafa.

— Becky... o que essas girafas estão fazendo aqui? — pergunta Luke em tom tranqüilo. — Achei que tínhamos concordado em *não* comprar.

— Eu sei — digo depressa. — Sei que concordamos. Mas iríamos nos arrepender. Por isso tomei uma decisão executiva. Honestamente, Luke, elas são fantásticas! Vão ser o ponto focal de todo o apartamento!

— E de onde veio *isso*? — Agora Luke está olhando para um par de gigantescas urnas de porcelana que comprei em Hong Kong.

— Ah, sim — respondo depressa. — Eu ia falar delas. Adivinha só. São cópias de vasos *ming* verdadeiros! O homem disse...

— Mas que porra elas estão fazendo aqui?

— Eu... comprei. Vão ficar perfeitas no *hall*. Vão ser um ponto focal! Todo mundo vai admirar!

— E aquele tapete? — Ele aponta para um gigantesco tapete multicolorido enrolado em forma de salsicha.

— Na verdade chama-se *"dhurrie"*... — Paro diante de sua expressão. — Comprei na Índia — acrescento debilmente.

— Sem me consultar.

— É...

Não sei se gosto da expressão de Luke.

— Aah, olha! — exclamo tentando distraí-lo. — É o suporte de temperos que você comprou naquele mercado no Quênia.

A IRMÃ DE BECKY BLOOM

Luke me ignora totalmente. Está olhando arregalado para uma coisa gigantesca que os homens estão com dificuldade para tirar do primeiro caminhão. Parece uma combinação de xilofone com um jogo de panelas de cobre penduradas, tudo junto.

— Que diabo é *aquilo*? Algum tipo de instrumento musical?

Os gongos começam a fazer barulho enquanto os homens descarregam, e dois passantes se cutucam e riem.

Até eu estou em dúvida com relação a esse.

— Hrmm... é. — Pigarreio. — Na verdade é um gamelão indonésio.

Há um curto silêncio.

— Um gamelão indonésio? — ecoa Luke, com a voz meio estrangulada.

— Eles são culturais! — digo na defensiva. — Achei que poderíamos aprender a tocar! E vai ser um fantástico ponto focal...

— Exatamente quantos pontos focais estamos planejando *ter*? — Luke parece fora de si. — Becky, *todo* esse trambolho é nosso?

— Mesa de jantar saindo! — grita um cara de macacão. — Cuidado aí.

Graças a Deus. Certo, depressa. Vamos consertar a situação.

— Olha, querido — digo rapidamente. — É nossa mesa de jantar do Sri Lanka. Lembra? Nossa mesa personalizada! Nosso símbolo de amor conjugal. — Dou um sorriso afetuoso, mas ele está balançando a cabeça.

— Becky...

— Não estrague o momento! — Passo um braço em volta dele. — É nossa mesa especial de lua-de-mel! Nossa herança para o futuro! Temos de ver enquanto ela é entregue!

— Certo — diz Luke finalmente. — Tudo bem.

Os homens estão carregando cuidadosamente a mesa pela rampa e tenho de dizer que estou impressionada. Tendo em mente como é pesada, eles parecem estar carregando com bastante facilidade.

— Não é empolgante? — seguro o braço de Luke quando ela aparece. — Pense só! Lá estávamos nós no Sri Lanka...

Paro, meio confusa.

Não é a mesa de madeira, afinal de contas. É uma mesa de vidro transparente, com pernas de aço curvadas. E outro cara atrás está carregando duas cadeiras chiques, estofadas com feltro vermelho.

Olho-a horrorizada. Uma sensação gélida se arrasta sobre mim.

Merda. Merda.

A mesa que comprei na Feira de Design de Copenhague. Tinha esquecido *totalmente*.

Como poderia esquecer que comprei uma mesa de jantar inteira? Como?

— Calma aí — está dizendo Luke, com a mão levantada. — Pessoal, essa é a mesa errada. A nossa é de madeira. Uma grande mesa esculpida, do Sri Lanka.

— Tem uma assim — diz o cara da entrega. — No outro caminhão.

— Mas nós não compramos isso! — reage Luke.

Ele me dá um olhar interrogativo e eu ajeito depressa a expressão, como se quisesse dizer "estou tão pasma quanto você!"

Por dentro a mente funciona num frenesi. Vou negar que ao menos vi aquilo, vamos devolver, vai ficar tudo bem...

— "Enviada pela Sra. Rebecca Brandon" — lê o sujeito, na etiqueta. — Mesa e dez cadeiras. Da Dinamarca. Aqui está a assinatura.

Porra.

Muito lentamente Luke se vira para mim.

— Becky, você comprou uma mesa e dez cadeiras na Dinamarca? — pergunta com expressão quase agradável.

— Hã... — lambo os lábios, nervosa. — Hã... eu... posso ter comprado.

— Sei. — Luke fecha os olhos por um momento, como se resolvesse problemas de matemática. — E depois comprou outra mesa, e *mais* dez cadeiras, no Sri Lanka?

— Eu esqueci da primeira! — respondo desesperada. — Esqueci totalmente! Olha, foi uma lua-de-mel muito longa, deixei escapar algumas coisas...

Com o canto do olho vejo um sujeito pegando o amarrado com os vinte roupões de seda chinesa. Merda.

Acho que tenho de levar Luke para longe desses caminhões o mais rápido possível.

— Vamos resolver tudo isso — digo depressa. — Prometo. Mas agora, por que você não sobe e toma uma bebida? Relaxe! Eu fico aqui embaixo supervisionando.

*

Uma hora depois tudo acabou. Os homens fecham os caminhões e eu lhes dou uma bela gorjeta. Enquanto eles se afastam com um rugido levanto a cabeça e vejo Luke saindo pela porta do prédio.

— Oi! — digo. — Bem, não foi tão mau, foi?

— Quer subir um minutinho? — pergunta ele numa voz estranha.

Sinto um ligeiro aperto por dentro. Será que ele está chateado? Talvez tenha encontrado os roupões chineses.

Enquanto subimos pelo elevador sorrio para Luke umas duas vezes, mas ele não sorri de volta.

— Então... você pôs tudo na sala de estar? — pergunto enquanto nos aproximamos da porta. — Ou na...

Minha voz morre quando a porta se abre.

Ah, meu Deus.

O apartamento de Luke está totalmente irreconhecível.

O carpete bege desapareceu completamente sob um mar de pacotes, baús e móveis. O *hall* está atulhado de caixas que reconheço do shopping de Utah, além dos *batiks* de Bali e das duas urnas chinesas. Passo por elas e entro na sala de estar, e engulo em seco olhando ao redor. Há pacotes em toda parte. *Kilims* enrolados e *dhurries* encostados num canto. Em outro, o gamelão indonésio está brigando por espaço com uma mesinha de centro de ardósia virada de lado e um totem nativo americano.

Estou sentindo que é minha vez de falar.

— Nossa! — dou um risinho. — Há um monte de... tapetes, não é?

A IRMÃ DE BECKY BLOOM

— Dezessete — diz Luke, ainda na mesma voz estranha. — Eu contei. — Ele passa por cima de uma mesinha de centro, de bambu, que comprei na Tailândia, e olha a etiqueta de um grande baú de madeira. — Aparentemente esta caixa contém quarenta canecas. — Ele ergue os olhos. — Quarenta canecas?

— Eu sei que parece muito! — respondo rapidamente. — Mas custaram só uns cinqüenta *pence* cada! Foi uma pechincha! Nunca mais vamos precisar comprar canecas!

Luke me olha por um momento.

— Becky, nunca mais vou querer comprar *nada*.

— Olha... — Tento ir até ele, mas bato o joelho numa estátua de madeira pintada de Ganesh, o deus da Sabedoria e do Sucesso. — Não... não é tão ruim! Sei que *parece* muita coisa. Mas é como... uma ilusão de ótica. Assim que tudo estiver desempacotado e nós guardarmos, vai ficar ótimo!

— Nós temos cinco mesas de centro — diz Luke me ignorando. — Você sabia?

— É... bem. — Pigarreio. — Não exatamente. Por isso talvez a gente possa ter de... racionalizar um pouquinho.

— Racionalizar? — Luke olha incrédulo ao redor. — Racionalizar isso tudo? É uma bagunça!

— Talvez pareça meio bagunçado agora — digo apressadamente. — Mas posso arrumar tudo! Posso fazer com que dê certo! Vai ser nosso *look* exclusivo. Se combinarmos com nosso estado de espírito...

— Becky, quer saber como está o meu estado de espírito agora?

— Hã...

Fico olhando nervosa enquanto Luke empurra para o lado dois pacotes da Guatemala e afunda no sofá.

— O que eu quero saber é... como você pagou tudo isso? — pergunta ele franzindo a testa. — Eu verifiquei rapidamente nossas contas, e não há qualquer registro de urnas chinesas. Nem de girafas. Nem de mesas de Copenhague... — Ele me dá um olhar duro. — O que está acontecendo, Becky?

Estou totalmente encurralada. Mesmo que quisesse me virar, provavelmente ia dar uma trombada nas presas de Ganesh.

— Bem... — Não consigo encará-lo. — Eu tenho um... um cartão de crédito.

— O que você mantém escondido na bolsa? — pergunta Luke sem perder o pique. — Verifiquei esse também.

Ah, meu Deus.

Não há como me livrar.

— Na verdade... não é aquele. — Engulo em seco. — Outro.

— Outro? — Luke está me encarando. — Você tem um segundo cartão de crédito secreto?

— É só para emergências! Todo mundo tem uma emergenciazinha ou outra...

— O quê? Mesas de jantar de emergência? Gamelões indonésios de emergência?

Silêncio. Não consigo responder. Meu rosto está vermelho-fogo e os dedos torcidos em nós às costas.

A IRMÃ DE BECKY BLOOM 135

— Então você vem pagando tudo isso secretamente, é? — Ele olha meu rosto agoniado e sua expressão muda. — Você *não tem* pagado as faturas?

— O negócio... — Meus dedos se retorcem ainda mais. — É que eles me deram um limite bem grande.

— Pelo amor de Deus, Becky!

— Não faz mal! Eu pago! Você não precisa se preocupar com nada. Eu cuido disso!

— Com o quê?

Há um silêncio cortante e eu o encaro de volta, magoada.

— Quando eu começar a trabalhar — digo com a voz tremendo um pouco. — Vou ganhar dinheiro, você sabe, Luke. Não sou nenhuma *aproveitadora*.

Luke me olha por alguns instantes e suspira.

— Eu sei — diz com mais gentileza. — Desculpe. — E estende o braço. — Venha cá.

Depois de um momento abro caminho pelo chão atulhado até o sofá. Acho um espaço minúsculo para sentar e ele me abraça. Por um momento os dois olhamos em silêncio para o oceano de bagulhos. É como se fôssemos sobreviventes numa ilha deserta.

— Becky, não podemos continuar assim — diz Luke finalmente. — Sabe quanto nossa lua-de-mel custou?

— Hã... não.

De repente percebo que não faço a mínima idéia de quanto alguma coisa custou. Fui eu que comprei as passagens da volta ao mundo. Mas fora isso, Luke é que vem pagando tudo o tempo todo.

Será que nossa lua-de-mel nos *arruinou*?

Olho para Luke — e pela primeira vez vejo como ele está estressado.

Ah, meu Deus. De repente sinto uma pontada de medo profundo. Perdemos todo o nosso dinheiro e Luke está tentando esconder isso de mim. Dá para ver. É minha intuição de esposa.

De repente me sinto como a mulher de *A felicidade não se compra* quando James Stewart chega em casa e briga com as crianças. Mesmo estando à beira da desgraça financeira, é meu papel ser corajosa e serena.

— Luke, nós estamos *muito* pobres? — pergunto o mais calmamente possível.

Luke vira a cabeça e me olha.

— Não, Becky — diz com paciência. — Não estamos muito pobres. Mas ficaremos se você continuar comprando montanhas de merda.

Montanhas de *merda*? Vou dar uma resposta indignada quando vejo sua expressão. Em vez disso fecho a boca e assinto com humildade.

— Portanto acho... — Luke faz uma pausa. — Acho que precisamos instituir um orçamento.

Oito

Um orçamento.

Legal. Posso administrar um orçamento. Facilmente. Na verdade, estou ansiosa por isso. É bastante libertador saber exatamente quanto posso gastar.

Além disso todo mundo sabe que o lado positivo dos orçamentos é que a gente faz com que eles trabalhem *para* a gente. Exato.

— Então... quanto é meu orçamento para hoje? — digo parando perto da porta do escritório. É cerca de uma hora depois e Luke está procurando alguma coisa em sua mesa. Parece meio estressado.

— O quê? — pergunta ele sem levantar a cabeça.

— Eu estava imaginando qual seria meu orçamento para hoje. Umas vinte libras?

— Acho que sim — diz Luke distraidamente.

— Então... posso pegar?

— O quê?

— Posso pegar minhas vinte libras?

Luke me encara por um momento como se eu estivesse completamente louca, depois tira a carteira do bolso, pega uma nota de vinte libras e me entrega.

— Certo?

— Ótimo. Obrigada.

Olho a nota. Vinte libras. É o meu desafio. Sinto-me uma esposa da época da guerra, recebendo seu talão de racionamento.

É uma sensação muito estranha, não ter meu próprio dinheiro. Ou um emprego. Durante três meses. Como é que vou sobreviver três meses inteiros? Será que devo arranjar algum outro trabalho durante esse meio tempo? Talvez seja uma grande oportunidade, ocorre-me. Eu poderia tentar algo totalmente diferente!

Tenho uma imagem súbita de mim como paisagista. Poderia comprar umas botas de borracha bem chiques e me especializar em arbustos.

Ou... sim! Eu poderia montar uma empresa oferecendo um serviço especial, que ninguém jamais tenha oferecido, e ganhar milhões! Todo mundo diria: "Becky é um gênio! Por que *nós* não pensamos nisso?" E o serviço especial seria...

Consistiria em...

Certo, depois volto a esse tópico.

Então, enquanto vejo Luke colocando uns papéis numa pasta da Brandon Communications, sou tomada por uma idéia brilhante. Claro. Eu posso ajudá-lo no trabalho!

Quer dizer, esse é o sentido do casamento. Deve ser uma parceria. Todo mundo sabe que os melhores casamentos são aqueles em que marido e mulher se apóiam em tudo.

A IRMÃ DE BECKY BLOOM

Além disso vi um filme na TV ontem à noite, no qual o casal se separou porque a mulher não se interessava pelo trabalho do marido, mas a secretária sim. Por isso o marido abandonou a esposa e ela o assassinou, fugiu e acabou se matando. O que mostra muito bem o que pode acontecer.

Estou cheia de inspiração. Este é meu novo projeto. Projeto: Esposa Apoiadora. Posso me envolver totalmente na administração da empresa dele, como Hillary Clinton, e todo mundo saberá que na verdade sou eu que tenho as boas idéias. Tenho uma visão de mim mesma parada ao lado de Luke, vestindo um conjunto em tons pastéis, sorrindo radiante enquanto as fitas de telégrafo chovem sobre nós.

— Luke, escute — digo. — Eu quero ajudar.

— Ajudar? — Ele me olha com expressão distraída.

— Quer ajudar você com a empresa. Com *nossa* empresa — acrescento um pouquinho casual.

Quer dizer, de certo modo é minha empresa também. O nome é Brandon Communications, não é? E agora meu nome é Rebecca Brandon, não é?

— Becky, não sei bem...

— Eu quero apoiar você, e estou livre por três meses! É perfeito! Eu poderia ser consultora. Você nem teria de me pagar muito.

Luke parece ligeiramente aparvalhado.

— Em quê, exatamente, você prestaria consultas?

— Bem... ainda não sei — admito. — Mas poderia injetar algumas idéias novas. Idéias fora do normal.

Luke suspira.

— Querida, nós estamos realmente ocupados com essa apresentação para o Arcodas. Não tenho tempo para gastar com você. Talvez depois do fim da apresentação...

— Não iria *gastar* tempo! — digo atônita. — Eu *economizaria* tempo para você! Seria uma ajuda! Você me ofereceu emprego uma vez, lembra?

— Sei que ofereci. Mas pegar um emprego de verdade, em tempo integral, é meio diferente de ficar três meses. Se você quiser mudar de carreira, é outra coisa.

Ele volta a remexer nos papéis e eu o olho irritada. Luke está cometendo um grande erro. Todo mundo sabe que as empresas precisam de polinização cruzada com outros ramos de atividade. Minha experiência como compradora pessoal provavelmente seria valiosíssima para ele. Para não mencionar meu passado como jornalista de finanças. Eu provavelmente revolucionaria toda a empresa numa semana. Provavelmente ganharia milhões para ele!

Enquanto estou olhando, Luke tenta puxar uma pasta e bate com a canela numa caixa de madeira cheia de sáris.

— Jesus Cristo! — diz ele irritado. — Becky, se você realmente quer me ajudar...

— Sim? — respondo ansiosa.

— Pode arrumar este apartamento.

Fantástico. Totalmente fantástico.

Aqui estou eu, preparada para me dedicar à empresa de Luke. Aqui estou eu, toda pronta para ser a mulher mais apoiadora do mundo. E Luke acha que eu devo *arrumar a casa*.

Levo uma caixa de madeira até a mesinha de ardósia, abro a tampa com uma faca e flocos de espuma branca saem numa cascata, como neve. Enfio a mão na espuma e tiro um pacote embrulhado em plástico-bolha. Por alguns segundos olho aquilo sem saber o que é — e subitamente lembro. São os ovos pintados à mão, do Japão. Cada um mostra uma cena da lenda do Deus Dragão. Acho que comprei cinco.

Olho a sala atulhada ao redor. Onde é que vou colocar um jogo de frágeis ovos pintados à mão? Não há uma única superfície disponível. Até o tampo da lareira está atulhado.

Uma frustração impotente cresce dentro de mim. Não há onde colocar *nada*. Já enchi todos os armários, meu guarda-roupa e o espaço embaixo da cama.

Por que comprei um monte desses ovos idiotas, afinal? O que estava pensando? Por um momento penso em largar a caixa no chão, acidentalmente de propósito. Mas não consigo me obrigar. Eles terão de ir para a pilha do "mais tarde".

Ponho os ovos de volta na caixa, passo por cima de uma pilha de tapetes e a empurro para trás da porta, em cima de seis peças de seda tailandesa. Depois me afundo no chão, em exaustão completa. Meu Deus, isso é cansativo. E agora tenho de limpar toda a porcaria dos flocos de espuma.

Enxugo a testa e olho o relógio. Já estou nisso há uma hora, e, para ser honesta, a sala não está nem um pouco melhor do que antes. De fato... está pior. Enquanto examino a bagunça, fico subitamente cheia de tristeza.

O que preciso é de um copo de café. Isso.

Vou para a cozinha, já me sentindo mais leve, e ponho a chaleira no fogo. E talvez coma um biscoito, também. Abro um dos armários de aço inoxidável, acho a lata, escolho um biscoito e guardo a lata de novo. Cada movimento faz um pequeno som que ecoa no silêncio.

Meu Deus, está quieto aqui, não é? Precisamos de um rádio.

Passo os dedos na bancada de granito e me pego dando um suspiro fundo.

Talvez eu ligue para mamãe, para bater um papo. Só que ela ainda está toda estranha. Tentei telefonar para casa um dia desses e ela pareceu muito esquisita, e disse que precisava desligar porque o limpador de chaminés estava lá. Como se a gente tivesse limpado a chaminé alguma vez na minha vida. Provavelmente estava com pessoas vendo a casa, ou algo assim.

Poderia ligar para Suze...

Não. Sinto uma pontada de mágoa. Suze não.

Ou Danny! Penso numa inspiração súbita. Danny era meu melhor amigo quando a gente morava em Nova York. Na época ele era um estilista lutando para se firmar — mas de repente está se saindo muito bem. Até vi o nome dele na *Vogue*! Mas não falo com ele desde que voltamos.

Não é uma hora fantástica para ligar para Nova York — mas tudo bem. Danny nunca vive em horários comuns. Digito o número dele e espero impacientemente enquanto o telefone toca.

— Saudações!

A IRMÃ DE BECKY BLOOM

— Oi! — digo. — Danny, é...

— Bem-vindo ao sempre crescente império Danny Kovitz!

Ah, certo, é uma secretária eletrônica.

— Para dicas de moda do Danny... disque um. Para receber um catálogo... disque dois. Se quiser mandar um presente ou convidar Danny para uma festa, disque três...

Espero até a lista chegar ao fim e um bipe soa.

— Oi! — digo. — Danny, é Becky! Voltei! Pois é... ligue para mim uma hora dessas! — Dou o número e depois desligo.

A chaleira ferve ruidosamente e eu começo a colocar pó de café no bule, pensando em quem mais posso procurar. Mas... não há ninguém. A verdade é que não moro em Londres há dois anos. E meio que perdi contato com todos os amigos antigos.

Estou solitária, salta na minha cabeça sem aviso.

Não estou não. Estou ótima.

Gostaria de não ter voltado para casa.

Não seja idiota. Está tudo fantástico. Fabuloso! Sou uma mulher casada, com minha casa e... um monte de coisas para resolver.

De repente a campainha toca e eu levanto a cabeça, surpresa. Não estou esperando ninguém.

Provavelmente é algum pacote. Ou talvez Luke tenha decidido voltar para casa cedo! Vou ao *hall* e pego o interfone.

— Alô?

— Becky, amor? — diz uma voz familiar. — É a mamãe.

Fico boquiaberta com o interfone. Mamãe? Aí embaixo?

— Seu pai e eu viemos visitar você — continua ela. — Podemos subir?

— Claro! — exclamo inebriada e aperto o botão do interfone. O que, diabos, mamãe e papai estão fazendo aqui?

Vou rapidamente à cozinha, sirvo o café e arrumo alguns biscoitos num prato, depois corro de volta para o elevador.

— Oi! — digo quando a porta se abre. — Venham! Fiz café para vocês!

Enquanto abraço mamãe e papai posso vê-los se entreolhando apreensivos.

O que está acontecendo?

— Espero que não estejamos atrapalhando você, amor — diz mamãe enquanto me segue entrando no apartamento.

— Não! Claro que não! Quer dizer, obviamente tenho minhas tarefas... coisas a resolver...

— Ah, sim. — Mamãe confirma com a cabeça. — Bem, não queremos tomar seu tempo. É só... — Ela pára. — Podemos sentar?

— Ah. É... — Olho pela porta da sala de estar. O sofá está rodeado de caixas com o conteúdo se derramando, e coberta com um tapete de flocos de espuma. — Ainda não estamos com a sala *bem* arrumada. Vamos para a cozinha.

Tudo bem. Quem quer que tenha desenhado nossos chiques bancos de bar para a cozinha obviamente não recebeu os pais para tomar um café. Mamãe e papai levam uns cinco minutos para subir neles, enquanto olho completamente petrificada com a hipótese de despencarem.

— As pernas são altas, não é? — ofega papai enquanto tenta pela quinta vez. Enquanto isso mamãe está deslizando lentamente no assento, segurando o tampo de granito da bancada para salvar a vida.

Por fim, de algum modo, ambos estão empoleirados com segurança nos assentos de aço, parecendo sem jeito, como se estivessem num programa de entrevistas na TV.

— Vocês estão bem? — pergunto ansiosa. — Porque eu posso ir pegar outras cadeiras...

— Bobagem! — diz papai imediatamente. — Isso é muito confortável.

Ele está mentindo *demais*. Dá para vê-lo apertando as mãos nas bordas do assento escorregadio e olhando o chão de ardósia como se estivesse equilibrado numa laje no 44º andar.

— Esses bancos são meio duros, não são, amor? — sugere mamãe. — Você deveria comprar umas boas almofadas de amarrar, na John Lewis.

— É... talvez.

Entrego as xícaras a mamãe e papai, pego um banco de bar para mim e me sento casualmente.

Droga. Isso dói.

Meu Deus, eles são *mesmo* meio complicados de se subir. Assentos estúpidos e minúsculos. E de algum modo o equilíbrio é todo errado.

Tudo bem. Estou em cima. Sou chique.

— E então... vocês estão bem? — pergunto pegando minha xícara.

Há um silêncio curto.

— Becky, nós viemos aqui por um motivo — diz papai. — Tenho algo a lhe dizer.

Ele parece tão sério que sinto uma pontada de pânico. Talvez não seja a casa, afinal de contas. Talvez seja algo pior.

— Tem a ver comigo — continua ele.

— Você está doente — digo antes que consiga me impedir. — Ah, meu Deus. Ah, meu Deus. Eu sabia que havia algo errado...

— Não estou doente. Não é isso. É... outra coisa. — Ele pára por alguns instantes, massageando as têmporas, depois levanta a cabeça. — Becky, há anos...

— Dê a notícia com cuidado, Graham! — interrompe mamãe.

— Eu *estou* dando com cuidado! — retruca papai girando, e seu banco se inclina perigosamente. — É exatamente isso que estou fazendo.

— Não está! — diz mamãe. — Está correndo demais!

Agora estou totalmente perplexa.

— Dar que notícia com cuidado? — pergunto olhando de um para o outro. — O que está acontecendo?

— Becky, antes de eu conhecer sua mãe... — Papai evita meu olhar. — Houve outra... pessoa na minha vida.

— Certo — digo com a garganta apertada.

Mamãe e papai vão se divorciar e é por isso que estão vendendo a casa. Serei o produto de um lar partido.

— Nós perdemos o contato — continua papai. — Mas recentemente... aconteceram coisas.

— Você está confundindo-a, Graham! — exclama mamãe.

— Não estou confundindo! Becky, você está confusa?

— Bem... um pouco — admito.

Mamãe se inclina e segura minha mão.

— Becky, amor, para resumir a história... você tem uma irmã.

Uma irmã?

Encaro-a sem expressão. O que ela está falando?

— Uma meia-irmã, devemos dizer — ecoa papai, assentindo sério. — Dois anos mais velha do que você.

Meu cérebro está em curto-circuito. Isso não faz o menor sentido. Como posso ter uma irmã e não saber?

— Seu pai tem uma filha, querida — diz mamãe gentilmente. — Uma filha da qual ele não sabia até muito pouco tempo atrás. Ela entrou em contato conosco enquanto você estava na lua-de-mel. Nós nos vimos algumas vezes, não foi, Graham? — Ela olha para papai, que confirma com a cabeça. — Ela é... muito legal!

A cozinha está em silêncio completo. Engulo em seco algumas vezes. Não consigo absorver isso.

E de repente percebo. Levanto a cabeça.

— Aquela mulher! No dia em que nós voltamos. — Meu coração está martelando. — Aquela que estava com vocês. Era...?

Mamãe olha para papai, que confirma.

— Era. Sua meia-irmã. Ela estava visitando a gente.

— Quando vimos você, amor... não soubemos o que fazer! — diz mamãe dando um riso ansioso. — Não queríamos lhe dar o maior choque da vida!

— Decidimos que íamos contar quando você se assentasse um pouco — entoa papai. — Quando tivesse resolvido as coisas.

Agora estou completamente atordoada. Era ela. Eu *vi* minha meia-irmã.

— Qual... qual é o nome dela? — consigo perguntar.

— Jessica — diz papai depois de uma pausa. — Jessica Bertram.

Jessica. Minha irmã Jessica.

Oi. Conhece minha irmã, Jessica?

Olho do rosto preocupado de papai para os olhos brilhantes e esperançosos de mamãe — e de repente me sinto estranha. É como se houvesse uma bolha subindo dentro de mim. Como se um monte de emoções realmente fortes estivessem abrindo caminho pelo meu corpo.

Não sou filha única.

Eu tenho minha própria irmã. *Tenho uma irmã.*

Tenho uma *IRMÃ*!

NOVE

Nesta última semana não consegui dormir. Nem me concentrar em nada. De fato estou meio num borrão. Não consigo pensar em nada além de que eu, Rebecca Brandon, *née* Bloom, tenho uma irmã. Tive uma irmã durante toda a vida!

E hoje, finalmente, vou conhecê-la!

Só o pensamento me deixa empolgada e nervosa ao mesmo tempo. Em quê seremos parecidas? Em quê seremos diferentes? Como será a voz dela? Como serão as *roupas* dela?

— Estou bem? — pergunto a Luke pela milionésima vez e examino minha aparência no espelho, ansiosa. Estou no meu antigo quarto na casa dos meus pais, dando os últimos toques na roupa de "conhecer a irmã há muito perdida".

Demorei vários dias para decidir, mas depois de muito pensar cheguei a um *look* que é casual mas mesmo assim especial. Estou usando meu jeans Seven mais lisonjeiro, botas de salto fino, uma camiseta feita para mim há séculos por Danny e um estupendo casaco Marc Jacobs rosa-claro.

— Você está ótima — diz Luke com paciência, erguendo a cabeça para longe do celular.

— É como... equilibrar formal e informal — explico. — Por isso o paletó diz: "esta é uma ocasião especial". Ao passo que os jeans dizem: "somos irmãs, podemos ficar relaxadas uma com a outra!" E a camiseta diz...

Paro. Na verdade não tenho certeza do que a camiseta diz, além de "sou amiga de Danny Kovitz".

— Becky, honestamente não acho que importe o que você usar.

— O quê? — giro incrédula. — Claro que importa! Este é um dos momentos mais importantes da minha vida! Sempre vou me lembrar do que estava usando no dia em que conheci minha irmã. Puxa... você se lembra do que estava usando quando me conheceu, não lembra?

Silêncio. Luke está com uma expressão vazia.

Ele *não* lembra? Como é que não lembra?

— Bom, *eu* lembro — digo irritada. — Você estava usando terno cinza, camisa branca e uma gravata Hermès verde-escura. E eu estava usando minha saia preta curta, minhas botas de camurça e aquela medonha blusa branca que fazia meus braços parecerem gordos.

— Se você diz... — Luke ergue as sobrancelhas.

— Todo mundo sabe que a primeira impressão é a que fica. — Aliso a camiseta. — Eu só queria ter a aparência certa. De irmã.

— Como é a aparência de irmãs? — Luke parece achar divertido.

A IRMÃ DE BECKY BLOOM

— Elas têm aparência... alegre! — penso um momento. — E amigável! E de quem apóia. E de alguém que dirá se a alça do seu sutiã estiver aparecendo!

— Então você parece exatamente uma irmã. — Luke me beija. — Becky, relaxe! Vai dar tudo certo!

— Tudo bem. Vou relaxar.

Sei que estou meio agitada. Mas não consigo evitar! Não consigo absorver a idéia de que sou uma irmã, depois de ser filha única por tanto tempo.

Quer dizer, não que eu tenha *me importado* em ser sozinha ou algo assim. Mamãe, papai e eu sempre nos divertimos tremendamente juntos. Mas você sabe. Algumas vezes eu ouvia as pessoas falando dos irmãos e irmãs e ficava imaginando como seria. Nunca pensei que acabaria descobrindo!

O que realmente assusta é que durante toda esta semana estive subitamente notando irmãs. Elas estão em toda parte! Por exemplo, o filme *Adoráveis mulheres* passou na televisão uma tarde dessas — e logo depois houve um programa sobre as Beverly Sisters! E cada vez que vejo duas mulheres juntas na rua, em vez de apenas notar o que elas estão usando, penso: será que são irmãs?

É tipo: há todo um mundo de irmãs por aí. E finalmente faço parte dele.

Sinto uma ardência nos olhos e pisco com força. É ridículo, mas desde que soube de Jessica minhas emoções estão brotando por toda parte. Ontem à noite estava lendo um livro fantástico chamado *Irmãs há muito perdidas — o amor que nunca souberam que tinham*, e lágrimas desciam pelas minhas bochechas! As histórias eram simplesmente incríveis. Uma era sobre três irmãs russas que estiveram no mesmo campo de concentração na guerra mas *não sabiam*.

E havia uma mulher a quem disseram que a irmã fora morta mas ela não queria acreditar, e então teve câncer e não havia ninguém para cuidar dos três filhos, mas eles encontraram a irmã viva, bem a tempo de as duas se despedirem...

Ah, meu Deus, vou chorar só de pensar.

Respiro fundo e vou até a mesa onde coloquei meu presente para Jessica. É um grande cesto cheio de produtos para banho Origins, além de uns chocolates e um pequeno álbum de fotos de quando eu era pequena.

Também comprei para ela um colar de contas de prata na Tiffany, exatamente igual ao meu, mas Luke disse que poderia ser um pouco demais presenteá-la com uma jóia no primeiro encontro! Eu não ficaria "assoberbada" com uma coisa dessas, ou sei lá o que ele disse.

Mas ele insistiu de verdade, por isso falei que guardaria para mais tarde.

Passo o olhar sobre o cesto, numa ligeira insatisfação. Será que eu não deveria...

— O presente é ótimo — diz Luke no instante em que abro a boca. — Não precisa colocar mais nada.

Como ele sabe o que eu ia dizer?

— Certo — concordo relutante. Olho o relógio e sinto um jorro de empolgação. — Agora não falta muito! Ela vai chegar logo!

A IRMÃ DE BECKY BLOOM

O plano é Jessica ligar quando seu trem chegar à estação de Oxshott, aí papai vai pegá-la. É pura coincidência ela estar em Londres esta semana. Ela mora na Cumbria, que fica a quilômetros de distância — mas parece que vinha de qualquer modo, para um seminário acadêmico. E veio um dia antes, especialmente para me conhecer!

— Vamos descer? — pergunto olhando o relógio de novo. — Ela pode chegar adiantado!

— Espera. — Luke fecha o celular. — Becky, antes que a empolgação comece... queria trocar uma palavrinha. Sobre o assunto das nossas compras de lua-de-mel.

— Ah, tudo bem.

Sinto uma pontada de ressentimento. Por que ele tem de falar disso *agora*? Este é um dia especial! Deveria haver um adiamento de todas as brigas, como na guerra, quando jogaram futebol no dia de Natal.

Não que estejamos em guerra nem nada. Mas tivemos uma certa rusga ontem quando Luke achou os vinte roupões chineses embaixo da cama. E fica perguntando quando vou arrumar o apartamento. Por isso digo que estou trabalhando nisso.

O que é verdade. Estive trabalhando nisso. Mais ou menos.

Mas é tão *exaustivo*! E não há onde pôr nada. Além disso tive a notícia da minha irmã há muito perdida! Não é de espantar que esteja meio distraída.

— Só queria dizer que falei com os vendedores de móveis — diz Luke. — Eles virão na segunda para levar a mesa dinamarquesa.

— Ah, certo — respondo sem graça. — Obrigada. Então eles vão nos devolver o dinheiro todo?

— Quase.

— Ah, bem! Então não acabamos nos saindo tão mal!

— Não — concorda Luke. — A não ser que você conte os custos de depósito, de transporte, o gasto de empacotar tudo de novo...

— Certo — interrompo depressa. — Claro. Bem, de qualquer modo... bem está o que bem acaba!

Tento um sorriso conciliador, mas Luke nem está olhando. Está abrindo sua pasta e pegando um maço de... Ah, meu Deus.

Faturas de cartão de crédito. Minhas faturas do Cartão Ultra-secreto Código Vermelho de Emergência, para ser exata. Luke pediu um dia desses e eu não tive opção além de pegá-las no esconderijo.

Mas esperava que ele não lesse.

— Certo! — digo com a voz subindo uns dois tons. — Então... você viu isso!

— Paguei todas — responde Luke, curto e grosso. — Você cortou o cartão?

— Hã... cortei.

Luke se vira e me dá um olhar duro.

— Cortou mesmo?

— Cortei! — reajo indignada. — Joguei os pedaços no lixo!

— Certo. — Luke se vira de novo para as contas. — E não há mais nada para chegar? Nenhuma compra que você tenha feito recentemente?

A IRMÃ DE BECKY BLOOM

Sinto um minúsculo aperto no estômago.

— Hã... não — digo. — É só isso.

Não posso falar da bolsa Angel. Simplesmente não posso. Ele ainda acha que só comprei em Milão um presente para ele. É praticamente minha única redenção neste momento.

E, de qualquer modo, posso pagar sozinha, sem problema. Quer dizer, dentro de três meses terei um emprego e rendimento próprio! Vai ser fácil!

Para meu ligeiro alívio meu celular começa a tocar. Pego-o na bolsa — e o número de Suze está piscando na tela.

Suze.

Imediatamente sinto um nervosismo gigantesco. Olho o nome dela, com uma mágoa familiar começando a crescer por dentro.

Não falo com Suze desde que saí de sua casa. Ela não ligou... nem eu. Se está toda ocupada e feliz com uma vida nova e maravilhosa, eu também estou. Ela nem sabe que ganhei uma irmã.

Ainda não.

Aperto o botão verde e respiro fundo.

— Oi, Suze! — exclamo em voz despreocupada. — Como vai? Como vai a família?

— Estou bem. Estamos todos bem. Você sabe... a mesma velha...

— E como vai Lulu? — pergunto afável. — Imagino que as duas tenham se ocupado fazendo um monte de coisas divertidas juntas, não é?

— Ela está... bem. — Suze parece sem jeito. — Escute, Bex... com relação a isso. Eu queria...

— Na verdade eu também tenho uma notícia empolgante — corto-a. — Adivinha só. Por acaso tenho uma irmã que estava há muito perdida!

Há um silêncio chocado.

— O quê? — pergunta Suze por fim.

— É verdade! Tenho uma meia-irmã de quem eu nunca soube. Vou conhecê-la hoje. O nome dela é Jessica.

— Eu... não posso acreditar. — Suze parece totalmente aparvalhada. — Você tem uma *irmã*?

— Não é fantástico? Sempre quis uma irmã!

— Quantos... quantos anos ela tem?

— É só dois anos mais velha do que eu. Praticamente nenhuma diferença! Acho que vamos ser boas amigas de verdade — acrescento descuidada. — De fato... vamos ser muito mais *íntimas* do que amigas. Quer dizer, temos o mesmo sangue e coisa e tal. Temos uma ligação de toda a vida.

— É — diz Suze depois de uma pausa. — Eu... acho que sim.

— De qualquer modo, preciso desligar! Ela vai chegar a qualquer momento! Mal posso esperar!

— Bem... boa sorte. Divirta-se.

— Certamente vamos nos divertir! — digo animada. — Ah, e dê minhas lembranças a Lulu. Tenha um aniversário magnífico com ela, certo?

— Terei — diz Suze parecendo derrotada. — Tchau, Bex. E... parabéns.

A IRMÃ DE BECKY BLOOM

Quando desligo o telefone estou com o rosto meio quente. Suze e eu nunca fomos assim uma com a outra. Mas não é minha culpa.

Foi ela que arranjou uma nova melhor amiga. Não eu.

Jogo o celular de volta na bolsa e vejo Luke me olhando com uma sobrancelha erguida.

— Suze está bem?

— Ótima — digo meio desafiadora. — Venha. Vamos descer.

Enquanto desço a escada começo a me arrepiar de empolgação. Estou num barato quase maior do que quando me casei. Este é um dos dias mais incríveis de toda a minha vida!

— Tudo pronto? — pergunta mamãe enquanto entramos na cozinha. Ela está com um elegante vestido azul e sua maquiagem de Ocasião Especial, quando usa um monte de corretivo embaixo das pálpebras para "abrir os olhos". Vi isso no livro de maquiagem que Janice lhe deu de Natal.

— Ouvi você dizer que está vendendo alguns móveis? — pergunta ela enquanto acende o fogo da chaleira.

— Estamos devolvendo uma mesa — diz Luke com tranqüilidade. — Parece que encomendamos duas, por engano. Mas já cuidamos disso.

— Só que eu ia dizer que vocês poderiam vender pelo eBay! — diz mamãe. — Iam conseguir um bom preço.

eBay.

É uma idéia.

— Então... a gente pode vender de tudo no eBay, não é? — pergunto casualmente.

— Ah, sim! Absolutamente tudo.

Tipo, digamos, ovos pintados à mão representando a lenda do Rei Dragão. Certo. Essa pode ser a resposta.

— Vamos tomar um belo café — diz mamãe, pegando algumas xícaras. — Enquanto estamos esperando.

Todos olhamos involuntariamente o relógio. O trem de Jessica deve chegar em Oxshott em cinco minutos. Cinco minutos!

— Iu-huuu! — Há uma batida na porta dos fundos e todos olhamos para onde Janice está espiando pelo vidro.

Ah, meu Deus. Onde foi que ela conseguiu aquela sombra azul brilhante?

Por favor, não deixe que ela dê isso a mamãe, pego-me rezando.

— Entre, Janice! — diz mamãe abrindo a porta. — E Tom! Que bela surpresa!

Minha nossa, como Tom está desleixado! O cabelo desgrenhado e sem lavar, as mãos cheias de bolhas e cortes, e há uma ruga funda na testa.

— Só viemos desejar sorte — diz Janice. — Não que vocês precisem. — Ela joga sua caixa de Canderel no balcão e se vira para mim. — E aí, Becky. Uma irmã!

— Parabéns — diz Tom. — Ou sei lá o que se diz.

— Eu sei! — respondo. — Não é incrível?

Janice balança a cabeça e olha para mamãe com uma certa reprovação.

— Não acredito que vocês estavam mantendo isso em segredo, Jane!

A IRMÃ DE BECKY BLOOM

— Queríamos que Becky fosse a primeira a saber — responde mamãe dando um tapinha no meu ombro. — Biscoitinho de nozes, Janice?

— 'brigadinha! — responde Janice, pegando um biscoito no prato e sentando-se. Mordisca-o durante alguns instantes pensativamente e depois levanta a cabeça. — O que não entendo é... por que essa moça fez contato? Depois de todo esse tempo?

Ah! Eu estava esperando que alguém perguntasse isso.

— Houve um motivo muito bom — digo com ar de drama solene. — É porque nós temos uma doença hereditária.

Janice dá um gritinho.

— Uma doença! Jane! Você nunca me contou isso!

— Não é uma *doença* — diz mamãe. — Becky, você sabe que não é doença! É um "fator".

— Um "fator"? — ecoa Janice, ainda mais horrorizada do que antes. — Que tipo de fator? — Posso vê-la olhando o biscoito de nozes como se tivesse medo de ser contaminada.

— Não é uma coisa que ameace a vida! — ri mamãe. — Só faz o sangue coagular. Algo meio assim.

— Não! — Janice se encolhe. — Não suporto conversa sobre sangue!

— Os médicos disseram a Jess que ela deveria alertar os outros membros da família para fazerem exame, e esse foi o gatilho. Ela sempre soube que tinha um pai em algum lugar, mas não sabia o nome dele.

— Por isso perguntou à mãe quem era o pai há muito perdido... — entoa Janice avidamente, como se estivesse seguindo uma minissérie de Ruth Rendell pela televisão.

— A mãe dela morreu — explica mamãe.

— Morreu! — ofega Janice.

— Mas a tia estava com o nome do pai de Jessica escrito num velho diário — explica mamãe. — Por isso pegou o diário. E o entregou a Jessica.

— E qual era o nome? — ofega Janice.

Há uma pausa.

— Mamãe, era Graham! — diz Tom, revirando os olhos. — Graham Bloom. Obviamente.

— Ah, sim — concorda Janice, parecendo quase frustrada. — Claro que era. E então... ela telefonou para vocês?

— Escreveu uma carta — responde mamãe. — Assim que nos descobriu. Nós não conseguimos acreditar! Ficamos em estado de choque durante dias. Você sabe, por isso não fomos à noite de perguntas sobre o Havaí na igreja. Graham não estava realmente com enxaqueca.

— Eu sabia! — diz Janice em triunfo. — Eu disse ao Martin na ocasião: "Tem alguma coisa errada com os Bloom." Mas não fazia idéia que era um membro da família há muito perdido!

— Bem — mamãe conforta-a —, como você poderia saber?

Janice fica quieta um momento, absorvendo tudo. E de repente se enrijece e põe a mão no braço de mamãe.

A IRMÃ DE BECKY BLOOM

161

— Jane, tenha cuidado. Ela fez alguma reivindicação quanto à fortuna de Graham? Ele alterou o testamento a favor dela?

Certo. Janice andou assistindo a muitos filmes de mistério pela TV.

— Janice! — gargalha mamãe. — Não! Não é nada disso. Por acaso a família de Jess é... — ela baixa a voz discretamente — bastante *bem de vida*.

— Ah! — ofega Janice.

Mamãe baixa a voz ainda mais.

— Eles são bem importantes no ramo de *comida congelada*.

— Ah, entendo — diz Janice. — Então ela não é totalmente sozinha no mundo.

— Ah, não. — Mamãe volta ao normal. — Tem um padrasto e dois irmãos. Ou serão três?

— Mas nenhuma irmã — cantarolo. — Nós duas tínhamos essa falha na vida. Esse... anseio não realizado.

Todo mundo se vira para me olhar.

— Você tinha um anseio não realizado, Becky? — pergunta Janice.

— Ah, sim. Com certeza. — Tomo um gole pensativo de café. — Olhando para trás, acho que, de certa forma, sempre *soube* que tinha uma irmã.

— Verdade, amor? — Mamãe está surpresa. — Você nunca falou disso.

— Nunca falei nada. — Dou um olhar corajoso para Janice. — Mas bem no fundo eu sabia.

— Minha nossa! — exclama Janice. — Como?

— Eu sentia aqui — digo pondo as mãos no peito.
— Era como se... parte de mim estivesse faltando.

Faço um gesto amplo com a mão — e cometo o erro de ver o olhar de Luke.

— Que parte específica sua estava faltando? — pergunta ele com aparente interesse. — Espero que não fosse um órgão vital.

Meu Deus, ele não tem coração. Nenhum. Ontem à noite ficou lendo em voz alta partes do livro das *Irmãs há muito perdidas*, erguendo os olhos e dizendo: "Você não pode estar falando sério."

— A parte da alma-gêmea, *na verdade* — contra-ataco.

— Obrigado. — Ele ergue a sobrancelha.

— Não *esse* tipo de alma-gêmea! Uma alma-irmã-gêmea!

— E Suze? — pergunta mamãe, erguendo os olhos, surpresa. — Ela tem sido uma irmã para você. É uma moça ótima.

— Os amigos vêm e vão — digo desviando o olhar.
— Ela não é exatamente da família. Não me entende como uma verdadeira irmã entenderia.

— Deve ter sido um tremendo choque! — Janice olha para mamãe com simpatia. — Especialmente para você, Jane.

— Foi — responde mamãe sentando-se à mesa. — Não posso fingir que não. Se bem que, claro, o caso aconteceu *muito* antes de Graham me conhecer.

— Claro — diz Janice rapidamente. — Claro que sim! Nem por um momento eu estava *sugerindo* que... que ele... você...

A IRMÃ DE BECKY BLOOM

Ela pára, sem jeito, e toma um gole de café.

— E de certa forma... — mamãe pára, mexendo sua bebida com um sorriso tristonho. — De certa forma era de esperar. Graham era um tremendo Don Juan na juventude. Não é de estranhar que as mulheres se jogassem em cima dele.

— Isso é... verdade — diz Janice em dúvida.

Olhamos pela janela e vemos papai vindo pelo gramado em direção à porta dos fundos. Seu cabelo grisalho está desgrenhado, o rosto vermelho, e mesmo eu tendo lhe dito um milhão de vezes para não fazer isso, ele está usando meias com sandálias.

— As mulheres nunca conseguiram resistir a ele. Essa é a verdade. — Mamãe se anima um pouco. — Mas estamos fazendo terapia para superar a crise.

— Terapia? — ecôo atarantada. — Sério?

— Sem dúvida! — diz papai entrando pela porta dos fundos. — Já tivemos três sessões.

— Nossa terapeuta é uma moça muito boa — completa mamãe. — Se bem que meio *nervosinha*. Como todos esses jovens.

Uau. Isso é novidade. Não tinha idéia de que mamãe e papai estavam fazendo terapia. Mas acho que faz sentido. Quer dizer, diabo. Como é que eu me sentiria se Luke anunciasse de repente que tinha uma filha há muito perdida?

— Terapia! — está dizendo Janice. — Mal posso acreditar!

— Precisamos ser realistas, Janice — diz mamãe. — Não se pode esperar que esse tipo de revelação não tenha repercussões.

— Uma descoberta dessa escala pode despedaçar uma família — concorda papai, colocando um biscoito de nozes na boca. — Pode abalar os próprios alicerces de um casamento.

— Minha nossa. — Janice põe a mão na boca, olhando de mamãe para papai, com olhos arregalados. — Que... que tipo de repercussões vocês esperam?

— Haverá raiva, acho — diz mamãe como quem sabe das coisas. — Recriminações. Café, Graham?

— Sim, obrigado, amor. — Ele sorri para ela.

— Terapia é uma besteira — diz Tom de repente. — Eu tentei com Lucy.

Viramos e olhamos para ele. Tom está segurando uma xícara de café com as duas mãos, e olhando furioso para nós, por cima dela.

— A terapeuta era mulher — acrescenta ele, como se isso explicasse tudo.

— Acho que freqüentemente são, querido — diz mamãe cautelosamente.

— Ela ficou do lado de Lucy. Disse que podia entender as frustrações dela. — As mãos de Tom apertam a xícara com mais força. — E as *minhas* frustrações? Lucy deveria ser minha mulher! Mas não se interessava por *nenhum* projeto meu. Nem a estufa, nem o banheiro da suíte.

Tudo bem, tenho a sensação de que isso pode continuar por um bom tempo.

— Eu adorei seu caramanchão, Tom! — interrompo depressa. — É muito... grande!

A IRMÃ DE BECKY BLOOM 165

O que é verdade.

De fato, é monstruoso. Quase morri quando vi hoje de manhã pela janela. Tem altura de três andares, com empenas e um deque.

— Só estamos um pouco preocupados com os regulamentos municipais, não é? — diz Janice olhando nervosa para Tom. — Estamos preocupados que possa ser classificado como uma residência.

— Bom, é um verdadeiro feito! — digo encorajando. — Construir uma coisa daquelas!

— Gosto de trabalhar com madeira — responde Tom em voz carrancuda. — A madeira não deixa a gente na mão. — Ele termina de beber o café. — De fato, é melhor eu voltar ao trabalho. Espero que tudo corra bem.

— Obrigada, Tom! — digo. — A gente se vê.

Quando a porta dos fundos se fecha há um silêncio incômodo.

— Ele é um garoto doce — observa mamãe finalmente. — Vai achar seu caminho.

— Ele quer fazer um barco depois — diz Janice, parecendo exausta. — Um barco no gramado!

— Janice, tome mais um café — sugere mamãe em tom tranqüilizador. — Posso botar um pouquinho de xerez?

Por um momento Janice parece dividida.

— Melhor não — diz finalmente. — Não antes do meio-dia.

Ela remexe na bolsa e pega um pequeno comprimido que põe na boca. Depois fecha a bolsa de novo e dá um sorriso luminoso.

— E então! Como é a Jessica? Vocês têm alguma foto?

— Tiramos algumas, mas ainda não revelamos! — responde mamãe, lamentando. — Mas ela... ela tem boa aparência, não é, Graham?

— Muito boa aparência! — diz papai. — Alta... magra...

— Cabelo escuro — acrescenta mamãe. — Uma garota bem *reservada*, se é que vocês me entendem.

Estou escutando avidamente enquanto eles a descrevem. Apesar de tê-la visto de relance na rua no dia em que voltamos, o sol estava tão forte e fiquei tão distraída com o comportamento estranho de mamãe e papai que não vi direito. Por isso estive tentando imaginá-la durante toda a semana.

Mamãe e papai ficam dizendo como ela é alta e magra, por isso meio que a visualizei como Courteney Cox. Toda esguia e elegante, com um terninho branco, talvez.

Fico tendo visões de nosso primeiro encontro. Vamos nos abraçar e apertar com o máximo de força. Depois ela vai sorrir para mim, enxugando as lágrimas, e eu vou sorrir de volta... e teremos uma conexão instantânea. Como se já nos conhecêssemos e nos entendêssemos melhor do que quaisquer pessoas no mundo.

Puxa, quem sabe? Talvez, no fim das contas, a gente tenha poderes psíquicos de irmãs. Ou talvez sejamos como aquelas gêmeas sobre quem li no *Irmãs há muito perdidas*, que foram separadas ao nascer mas tiveram o mesmo tipo de emprego e se casaram com homens que tinham o mesmo nome.

A IRMÃ DE BECKY BLOOM

Estou fascinada com essa idéia. Talvez Jessica também seja compradora pessoal e casada com um homem chamado Luke! Vai aparecer exatamente com o mesmo casaco Marc Jacobs que eu, e poderemos ir ao Café-da-Manhã na TV e todo mundo dirá...

Ah, só que ela não é compradora pessoal, lembro de repente. Está fazendo doutorado. Doutorado em geografia.

Não. Geologia.

Mas afinal... *eu* já não pensei em fazer doutorado? Quer dizer, isso *não pode* ser apenas coincidência.

— E onde ela mora? — pergunta Janice.

— No Norte — responde mamãe. — Uma cidadezinha chamada Scully, na Cumbria.

— No Norte! — exclama Janice, com tanta trepidação como se mamãe tivesse dito Pólo Norte. — É uma longa viagem! A que horas ela chega?

— Eu achava que seria mais ou menos agora... — A testa de papai se franze. — Talvez eu deva telefonar para a estação. Para ver se houve algum problema.

— Eu faço isso, se você quiser — sugere Luke, erguendo o olhar do jornal que estava lendo.

— Ela disse que telefonaria... — está dizendo mamãe, enquanto papai vai até o telefone do *hall*.

De repente a campainha toca.

Nós nos entreolhamos congelados. Alguns instantes depois a voz de papai vem do corredor.

— Acho que é ela!

Ah, meu Deus.

Meu coração começa a martelar como um pistão de motor.

Ela está aqui. Minha nova irmã. Minha nova alma-gêmea!

— Vou sair de fininho — diz Janice. — Deixar que vocês tenham seu precioso momento em família. — Ela aperta minha mão e desaparece pela porta dos fundos.

— Depressa! — digo. — Onde está o presente?

Não posso esperar mais. Tenho de conhecê-la! Agora!

— Aqui — responde Luke entregando o cesto embrulhado em celofane. — E, Becky... — Ele põe a mão no meu braço.

— O quê? — pergunto impaciente. — O que é?

— Sei que você está empolgada para conhecer Jessica. E eu também. Mas lembre-se, vocês são estranhas uma para a outra. Eu só... iria com calma.

— Nós não somos estranhas! — digo atônita. — Ela é minha *irmã*! Temos o mesmo sangue!

Honestamente. Luke não sabe nada?

Corro até o *hall*, segurando o cesto. Pelo vidro fosco da porta posso ver uma figura indistinta, turva. É ela!

— Por sinal — diz mamãe enquanto avançamos para a porta. — Ela gosta de ser chamada de Jess.

— Pronta? — pergunta papai, piscando.

Este é o momento! Chegou! Ajeito rapidamente o casaco, aliso o cabelo e dou meu sorriso mais largo e mais receptivo.

Papai pega a maçaneta e puxa a porta da frente com um floreio.

E ali, parada junto à porta, está minha irmã.

DEZ

Meu primeiro pensamento é que ela não é *exatamente* como Courteney Cox. Nem está usando um terninho de seda branca.

O cabelo escuro é curto, e ela usa uma camisa simples e marrom, estilo operário, sobre o jeans. Acho que uma espécie de... chique utilitário.

E é bonita! Meio bonita. Mesmo eu achando que a maquiagem talvez seja um pouco natural *demais*.

— Oi — diz ela numa voz chapada e casual.

— Oi! — digo trêmula. — Sou Becky! Sua irmã há muito perdida!

Estou para correr e lançar meus braços ao redor de seu pescoço quando percebo que estou segurando o cesto. Portanto, em vez disso, estendo-o para ela.

— Bem-vinda!

— É um presente, amor — acrescenta mamãe, ajudando.

— Obrigada — responde Jess, olhando para ele. — Que ótimo.

Há um curto silêncio. Estou esperando que Jess abra os embrulhos impaciente ou diga "Posso abrir agora?"

ou mesmo simplesmente exclame "Aaaah, Origins! Meu predileto!" Mas... ela não faz isso.

Mas afinal de contas, provavelmente só está sendo educada, ocorre-me. Quer dizer, ela nunca me viu antes. Talvez ache que sou toda formal e certinha, e que também tem de ser. O que devo fazer é colocá-la à vontade.

— Mal acredito que você está aqui! — digo empolgada. — A irmã que eu nunca soube que tinha. — Ponho a mão em seu braço e olho direto em seus olhos, que são castanhos com minúsculas pintinhas.

Ah, meu Deus. Estamos nos ligando. É exatamente como uma das cenas no meu livro *Irmãs há muito perdidas*!

— Você sabia, não sabia? — digo tentando esconder minha emoção crescente. — Não sabia de algum modo que tinha uma irmã o tempo todo?

— Não — diz Jess, com ar vazio. — Não fazia idéia.

— Ah, certo — respondo meio desconcertada.

Ela não deveria dizer isso. Deveria dizer: "Sempre senti você no meu coração!" e irromper em lágrimas.

Não sei bem o que falar em seguida.

— Bom! — diz mamãe animada. — Entre, Jess! Você deve estar precisando de um café, depois da viagem!

Enquanto mamãe faz Jess entrar, olho surpresa para a mochila marrom que ela está carregando. Não é muito grande. E vai ficar uma semana inteira no seminário!

— Essa é toda a sua bagagem? — pergunto.

— É tudo que eu preciso. — Ela dá de ombros. — Não carrego muita coisa.

"Não carrega muito"! Ah! Eu sabia!

A IRMÃ DE BECKY BLOOM

— Mandou o resto pela encomenda expressa? — pergunto baixo e lhe dou um olhar amigável do tipo "eu entendo".

— Não. — Ela olha para mamãe. — Só trouxe isso.

— Tudo bem. — Dou um sorriso conspiratório. — Não vou dizer nada.

Sabia que nós éramos espíritos iguais. *Sabia*.

— Que bom ver você de novo, Jess. — Papai se adianta. — Bem-vinda, minha menina querida!

Enquanto ele abraça Jess, de repente me sinto meio estranha. É como se a coisa estivesse me batendo pela primeira vez. Papai tem outra filha. Não sou só eu. Agora toda a nossa família é maior.

Mas afinal... é assim que são as famílias, não é? Ficam maiores. Ganham novos membros.

— Este é Luke, meu marido — digo rapidamente.

— Como vai? — cumprimenta ele em tom agradável, adiantando-se. Enquanto Luke aperta a mão dela sinto um leve brilho de orgulho por cada um deles. Olho para mamãe, que me dá um sorriso encorajador.

— Vamos! — Ela vai na frente até a sala de estar, onde há flores na mesa e pratos de biscoito arrumados convidativamente. Todos nos sentamos, e por alguns instantes há silêncio.

Isso é irreal.

Estou sentada diante de minha meia-irmã. Enquanto mamãe serve o café olho para ela, mapeando seu rosto em comparação ao meu, tentando ver as semelhanças. E há um monte! Ou pelo menos... algumas.

Então nós não somos exatamente gêmeas idênticas — mas sem dúvida há uma semelhança se você olhar com bastante atenção. Tipo... ela tem praticamente os mesmos olhos que eu, exceto por a cor ser outra e a forma ligeiramente diferente. Além disso o nariz dela seria exatamente igual ao meu se não tivesse aquela extremidade pontuda. E o cabelo seria *exatamente* o mesmo! Se ela o deixasse crescer um pouquinho e talvez fizesse um tratamento de condicionamento profundo.

Ela provavelmente está me examinando do mesmo modo, percebo subitamente.

— Praticamente não consegui dormir! — digo e dou um sorriso ligeiramente acanhado. — É tremendamente empolgante conhecer você, enfim!

Jess assente mas não diz nada. Meu Deus, ela é muito reservada mesmo. Terei de fazê-la sair um pouquinho da casca.

— Eu me pareço com o que você imaginava? — Dou um risinho sem graça e ajeito o cabelo.

Jess me examina por um momento, passando o olhar pelo meu rosto.

— Realmente não imaginei como você seria — revela por fim.

— Ah, certo.

— Eu não imagino muito as coisas. Só aceito como são.

— Pegue um biscoito, Jess — diz mamãe em tom agradável. — São de pecã e bordo.

— Obrigada — responde Jess pegando um. — Adoro pecã.

A IRMÃ DE BECKY BLOOM

— Eu também! — E levanto os olhos pasma. — Eu também adoro!

Meu Deus, é isso! Os genes dominam. Fomos criadas a quilômetros de distância uma da outra, em famílias diferentes... mas ainda temos o mesmo gosto!

— Jess, por que não ligou da estação? — pergunta papai, pegando uma xícara de café com mamãe. — Eu teria apanhado você. Não precisava pegar um táxi!

— Não peguei táxi — responde Jess. — Vim andando.

— Veio andando? — pergunta papai, surpreso. — Desde a estação de Oxshott?

— De Kingston. Peguei o ônibus para cá. — Ela engole o café. — É muito mais barato. Economizei vinte e cinco libras.

— Você andou desde Kingston? — Mamãe está perplexa.

— Não é longe — responde Jess.

— Jess gosta muito de andar, Becky — explica mamãe. Em seguida sorri para Jess. — É seu *hobby* preferido, não é, amor?

Isso é demais. Deveríamos estar num documentário ou algo do tipo!

— Eu também! — exclamo. — É o meu *hobby* também! Não é incrível?

Silêncio. Olho os rostos atarantados de minha família ao redor. Honestamente. O que há de errado com eles?

— Caminhar é o seu *hobby*, amor? — pergunta mamãe, insegura.

— Claro que é! Eu ando por Londres o tempo todo! Não ando, Luke?

Luke me dá um olhar interrogativo.

— Certas ruas de Londres foram pisadas por seus pés, sim — concorda ele.

— Então você faz caminhada atlética? — pergunta Jess, parecendo interessada.

— Bem... — penso alguns instantes. — É mais tipo... combino com outras atividades. Para variar.

— Como treinamento múltiplo?

— É... mais ou menos — assinto, e pego um biscoito.

Outro silenciozinho. É como se todo mundo estivesse esperando que todos os outros falassem. Meu Deus, por que estamos tão sem jeito? Deveríamos ser *naturais*. Afinal de contas somos uma família!

— Você gosta de cinema? — pergunto por fim.

— Um pouco — responde Jess, franzindo a testa, pensativa. — Gosto de filmes que digam alguma coisa. Que tenham algum tipo de mensagem.

— Eu também — concordo fervorosamente. — Todo filme deve ter uma mensagem.

O que é verdade. Quero dizer, veja *Grease, nos tempos da brilhantina*. Há um monte de mensagens. Tipo "Não se preocupe se você não é popular na escola, porque sempre pode fazer uma permanente no cabelo".

— Mais café, alguém? — pergunta mamãe olhando em volta. — Há outro bule pronto na cozinha.

— Eu vou buscar — cantarolo, saltando do sofá. — E Luke, por que não vem... é... me ajudar? Para o caso de... eu... não achar?

A IRMÃ DE BECKY BLOOM

Sei que não fui muito convincente, mas não me importo. Estou morrendo de vontade de falar com Luke.

Assim que estamos na cozinha fecho a porta e olho-o ansiosa.

— E então? O que achou da minha irmã?

— Parece muito legal.

— Não é fantástico? E há tantas semelhanças entre nós! Não acha?

— O quê? — Luke me encara.

— Jess e eu! Somos parecidíssimas!

— *Parecidíssimas*? — Luke está aparvalhado.

— É! — digo meio impaciente. — Você não estava prestando atenção? Ela gosta de pecã, eu gosto de pecã... ela gosta de caminhar, eu gosto de caminhar... nós duas gostamos de cinema... — giro as mãos. — É como se já houvesse uma compreensão incrível entre nós!

— Se é o que você diz... — Luke ergue as sobrancelhas e eu sinto uma pontada de mágoa.

— Você não gosta dela?

— Claro que gosto! Mas não falei nem duas palavras com ela. Nem você.

— Bem... eu sei — admito. — Mas isso foi porque nós ficamos todos *travados* ali. Não pudemos conversar direito. Por isso pensei em sugerir que nós duas saíssemos juntas. Para ter a chance de criar um laço de família.

— Tipo aonde?

— Não sei. Caminhar. Ou... fazer umas comprinhas!

— Aha! — Ele assente. — Fazer umas comprinhas. Boa idéia. Posso presumir que seria com seu orçamento diário de vinte libras.

O quê?

Não *acredito* que ele está falando de orçamento numa hora dessas. Quer dizer, quantas vezes a gente vai fazer compras pela primeira vez com a irmã há muito perdida?

— Este é um acontecimento extraordinário, único — explico. — Obviamente preciso de um orçamento extra.

— Achei que tínhamos concordado que não haveria nada extraordinário. Nada de "oportunidades únicas". Não lembra?

Sinto um jorro de ultraje.

— Ótimo! — respondo cruzando os braços. — Não vou me relacionar com minha irmã.

Silêncio na cozinha. Dou um suspiro gigantesco e olho sub-repticiamente para Luke, mas ele parece totalmente inabalável.

— Becky! — a voz de mamãe interrompe. — Cadê o café? Estamos todos esperando! — Ela entra na cozinha e olha de Luke para mim, alarmada. — Não há nenhum problema, há? Vocês não estão discutindo?

Viro-me para mamãe.

— Quero levar Jess para fazer compras, mas Luke diz que eu tenho de me manter no orçamento!

— Luke! — exclama mamãe, reprovando. — Acho uma idéia ótima, Becky! Vocês duas deveriam passar algum tempo juntas. Por que não dar um pulo até Kingston? E vocês poderiam almoçar.

— Exato! — lanço um olhar ressentido a Luke. — Mas não tenho dinheiro, só vinte pratas.

— E, como eu digo, estamos vivendo com orçamento rígido — diz Luke num tom implacável. — Tenho certeza de que você concorda que um orçamento bem-sucedido é a primeira regra de um casamento feliz, não é, Jane?

— Sim, sim, claro... — responde mamãe, perturbada. De repente seu rosto se ilumina. — Os Greenlow!

Os quem?

— Seus primos da Austrália! Eles mandaram um cheque de presente de casamento! Eu ia dar a você. É em dólares australianos, mas mesmo assim é um bocado... — Ela enfia a mão numa gaveta e pega. — Aqui está! Quinhentos dólares australianos!

— Uau! — pego o cheque e examino. — Fantástico!

— Então agora você e Jess podem conseguir alguma coisa boa! — mamãe aperta meu braço com um sorriso.

— Está vendo? — lanço um olhar de triunfo para Luke, e ele revira os olhos.

— Certo. Você venceu. Desta vez.

Sentindo-me subitamente empolgada, corro para a sala.

— Oi, Jess! — digo. — Quer dar uma saída? Tipo ir às compras?

— Ah. — Jess parece sem jeito. — Bem...

— Vá, amor! — diz mamãe vindo atrás de mim. — Façam uma pequena farra!

— Podemos almoçar em algum lugar... para nos conhecermos melhor... o que acha?

— Bem... está certo — diz ela finalmente.

— Ótimo!

Sinto um arrepio de emoção. Minhas primeiras compras com minha irmã! É empolgante demais!

— Vou me aprontar.

— Espere — diz Jess. — Antes de você ir. Comprei uma coisa também. Não é muito, mas...

Ela vai até sua mochila, abre e tira um embrulho de papel todo estampado com as palavras "Feliz ano novo de 1999".

Isso é maneiro demais!

— *Adoro* embrulhos *kitsch*! — digo admirando. — Onde você encontrou esse papel?

— Era grátis no balcão.

— Ah — digo surpresa. — É... excelente!

Rasgo o embrulho e acho uma caixa de plástico, dividida em três compartimentos.

— *Uau!* — exclamo imediatamente. — Isso é fantástico! Muito obrigada! Exatamente o que eu queria! — passo o braço pelo pescoço de Jess e lhe dou um beijo.

— O que é, amor? — pergunta mamãe, olhando interessada.

Para ser honesta, não sei direito.

— É para guardar comida — explica Jess. — Você pode guardar as sobras dentro, e tudo fica separado. Arroz... cozido... qualquer coisa. Eu não poderia viver sem o meu.

— É brilhante! Vai ser útil *demais*. — Olho para os três compartimentos, pensativa. — Acho que vou guardar meus hidratantes labiais nele.

— Hidratantes labiais? — pergunta Jess, meio abalada.

— Eu *vivo* perdendo! Você não? — Reponho a tampa e admiro a caixa por mais alguns instantes. Depois pego o papel de embrulho e amasso numa bola.

Jess se encolhe como se alguém tivesse acabado de pisar no seu pé.

— Você poderia ter dobrado — diz ela, e eu a olho, perplexa.

Por que, diabos, eu iria *dobrar* papel de embrulho?

Mas, afinal, talvez esse seja um dos hábitos dela, ao qual terei de me acostumar. Todos têm pequenas manias.

— Ah, certo! — digo. — Claro. Que boba que eu sou!

Desamasso o papel, aliso e dobro cuidadosamente.

— Pronto — rio para ela e jogo o papel na lixeira. — Vamos!

ONZE

De carro são apenas quinze minutos até Kingston, o local de compras mais perto da casa dos meus pais. Acho um parquímetro e, depois de umas vinte tentativas, consigo estacionar o carro vagamente em linha reta.

Meu Deus, estacionar é um estresse. Todo mundo fica zombando da gente o tempo todo. E é muito difícil dar ré numa vaga com um monte de gente olhando, deixando a gente sem graça. As pessoas deveriam perceber isso, em vez de cutucar os amigos e ficar apontando.

De qualquer modo, não faz mal. O importante é que estamos aqui! É um dia fantástico, ensolarado mas não quente demais, com nuvens minúsculas passando no céu azul. Quando saio, olho a rua ensolarada, zumbindo de ansiedade. As primeiras compras com minha irmã! O que faremos primeiro?

Quando começo a botar dinheiro no parquímetro, repasso todas as opções na cabeça. Sem dúvida temos que conseguir uma maquiagem grátis. E ver aquela nova loja de roupas íntimas de que mamãe falou...

A IRMÃ DE BECKY BLOOM

— Quanto tempo, exatamente, estamos planejando ficar aqui? — pergunta Jess quando coloco minha sexta moeda de uma libra.

— Hã... — franzo os olhos para o parquímetro. — Isso deve dar até as seis horas... e depois o estacionamento é grátis!

— Seis horas? — Ela fica meio pasma.

— Não se preocupe! — digo em tom tranqüilizador. — As lojas não fecham às seis. Vão ficar abertas pelo menos até as oito.

E *temos* de ir àquela loja de departamentos e experimentar um monte de vestidos de noite. Uma das melhores ocasiões da minha vida foi quando passei uma tarde inteira experimentando vestidos chiques na Harrods com Suze. Ficávamos colocando vestidos ultrajantes, de milhões de libras, e andando de um lado para o outro, com todas as vendedoras metidas a besta ficando realmente chateadas e perguntando se ainda não tínhamos escolhido.

Por fim Suze disse que *achava* que sim... mas queria ver como ficava com uma tiara de diamantes Cartier, só para se certificar, e perguntou se a joalheria não poderia mandar uma lá para cima?

Acho que foi então que pediram que fôssemos embora.

Um risinho me vem, ao lembrar, e sinto uma súbita pontada de tristeza no peito. Meu Deus, Suze e eu nos divertíamos um bocado juntas. Ela é simplesmente a melhor pessoa do mundo para dizer: "Vá em frente, compre!" Mesmo quando eu estava totalmente falida ela dizia: "Compre, eu pago! Você pode me pagar depois." E então comprava um também, e íamos tomar um *cappuccino*.

Mas tudo bem. Não há sentido em ficar toda nostálgica.

— Então! — viro-me para Jess. — O que você quer fazer primeiro? Há um monte de lojas aqui. Duas lojas de departamentos...

— Odeio lojas de departamentos. Me deixam enjoada.

— Ah, certo. — Faço uma pausa.

É bastante justo. Muita gente odeia lojas de departamentos.

— Bem, há um monte de butiques também — digo com um sorriso encorajador. — De fato, pensei no lugar perfeito!

Levo-a por uma rua lateral, de paralelepípedos, admirando meu reflexo numa vitrine enquanto andamos. Aquela bolsa Angel valeu cada centavo. Pareço uma estrela de cinema!

Estou ligeiramente surpresa porque Jess não falou nada sobre ela. Se minha irmã há muito perdida tivesse uma bolsa Angel, seria a *primeira* coisa que eu iria mencionar. Mas talvez ela esteja tentando bancar a *blasé*. Entendo isso.

— E então... onde você faz compras normalmente? — pergunto para começar a conversa.

— Onde for mais barato.

— Eu também! — digo ansiosa. — Consegui o *top* Ralph Lauren mais fabuloso num *outlet* de grife em Utah. Noventa por cento de desconto!

A IRMÃ DE BECKY BLOOM

— Eu costumo comprar em quantidade — diz Jess franzindo ligeiramente a testa. — Se você comprar em quantidade suficiente pode economizar um bocado.

Ah, meu Deus. Estamos totalmente no mesmo comprimento de onda. Eu *sabia* que estaríamos!

— Você está certíssima! — exclamo deliciada. — É o que vivo tentando explicar a Luke! Mas ele simplesmente não vê a lógica.

— E então, você pertence a algum clube de compras por atacado? Ou a uma cooperativa de comida?

Olho-a inexpressiva.

— Hã... não. Mas na lua-de-mel fiz um bocado de compras em quantidade! Comprei quarenta canecas e vinte roupões de seda!

— Roupões de seda? — ecoa Jess, parecendo atarantada.

— Foi um tremendo investimento! Eu *disse* a Luke que fazia sentido financeiro, mas ele não quis ouvir... Certo! Cá estamos! É aqui.

Chegamos às portas de vidro da Georgina's. É uma butique grande e clara que vende roupas, jóias e as bolsas mais estupendas. Venho aqui desde que tinha uns doze anos, e é uma das minhas lojas prediletas.

— Você vai *amar* esta loja — digo feliz a Jess, e empurro a porta. Sandra, uma das vendedoras, está arrumando uma coleção de bolsas de contas num pedestal, e levanta os olhos quando soa a sineta da porta. Imediatamente seu rosto se ilumina.

— Becky! Há quanto tempo! Aonde você esteve?

— Na lua-de-mel!

— Claro que sim. Então, como a vida de casada está tratando você? — Ela ri. — Já fez a primeira cirurgia para levantar os seios?

— Ha, ha — digo rindo de volta. Já vou apresentar Jess quando Sandra dá um grito súbito.

— Ah, meu Deus! Isso é uma bolsa Angel? É de *verdade*?

— É. — Estou reluzindo de felicidade. — Gostou?

— Não acredito. Ela tem uma bolsa Angel! — Sandra grita para as outras vendedoras e ouço ruídos de engasgo. — Onde você *conseguiu*? Posso tocar nela?

— Milão.

— Só Becky Bloom. — Ela está balançando a cabeça. — Só Becky Bloom entraria aqui com uma bolsa Angel. Quanto custou?

— É... um bocado!

— Uau! — Ela a acaricia cautelosamente. — É absolutamente *incrível*.

— O que há de tão especial? — pergunta Jess com ar vazio. — Quer dizer, é só uma bolsa.

Há uma pausa e todas explodimos numa gargalhada. Meu Deus, Jess é espirituosa demais!

— Sandra, quero lhe apresentar alguém — digo, e empurro Jess. — Esta é minha irmã!

— Sua *irmã*? — Sandra olha Jess, chocada. — Não sabia que você tinha uma irmã.

— Nem eu! Nós éramos irmãs há muito perdidas, não é, Jess? — passo o braço em volta dela.

A IRMÃ DE BECKY BLOOM

— Meias-irmãs — corrige Jess, um tanto rigidamente.

— Georgina! — Sandra está gritando para o fundo da loja. — Georgina, você precisa vir aqui! Não vai acreditar! Becky Bloom está aqui, e ela tem uma irmã! São *duas*!

Há uma pausa, e então uma cortina é puxada e Georgina, a dona da loja, sai. Tem cinqüenta e poucos anos, cabelo cinza-ardósia e os mais incríveis olhos turquesa. Está usando uma blusa-túnica turquesa e segurando uma caneta tinteiro, e ao me ver com Jess seus olhos brilham.

— Duas irmãs Bloom — diz em voz baixa. — Bem, que coisa maravilhosa!

Posso vê-la trocando olhares com as vendedoras.

— Vamos reservar duas salas de prova — diz Sandra imediatamente.

— Se não tiver duas disponíveis, podemos compartilhar uma sala de prova, não é, Jess? — digo.

— Perdão? — Jess parece espantada.

— Nós somos irmãs! — dou-lhe um aperto afetuoso. — Não devemos ser tímidas uma com a outra!

— Tudo bem — diz Sandra, olhando o rosto de Jess. — Há salas de prova suficientes. Demorem o quanto quiserem... e aproveitem!

— Eu avisei que esse lugar era legal! — digo animada a Jess. — Então... vamos começar por aqui!

Vou até uma arara cheia de blusas de aparência deliciosa e começo a examinar os cabides.

— Isso não é lindíssimo? — pego uma camiseta cor-de-rosa com uma pequena estampa de borboleta. — E esta com a margarida ficaria ótima em você.

— Quer experimentar? — pergunta Sandra. — Posso colocar nas salas de provas para vocês.

— Sim, por favor! — Entrego-as e sorrio para Jess. Mas ela não sorri de volta. De fato não se mexeu do lugar. Só está ali parada, com as mãos nos bolsos.

Acho que pode ser meio estranho fazer compras pela primeira vez com alguém novo. Algumas vezes a coisa se encaixa de primeira, como quando fui fazer compras pela primeira vez com Suze — e esticamos a mão para a mesma bolsa de maquiagem Lulu Guiness *simultaneamente*.

Mas algumas vezes pode ser meio desajeitado. A gente ainda não sabe qual é o gosto da outra... e fica tentando coisas diferentes e dizendo: "Você gosta disso? Ou disso?"

Acho que Jess pode precisar de um pouco de encorajamento.

— Essas saias são fabulosas! — digo indo a outra arara cheia de roupas de noite. — Esta preta com renda vai ficar incrível em você! — Pego-a e encosto em Jess. Ela segura a etiqueta de preço e fica pálida.

— Não acredito nesses preços — murmura.

— São bastante razoáveis, não são? — murmuro de volta.

— E a saia? — pergunta Sandra, surgindo atrás de nós.

A IRMÃ DE BECKY BLOOM

187

— Sim, por favor! E vou experimentar a cinza... aaah, e a cor-de-rosa! — acrescento, subitamente notando uma saia rosa escondida no fundo.

Vinte minutos depois rodamos a loja inteira e há duas pilhas de roupas nos esperando nas salas de prova ao fundo. Jess não disse muita coisa. De fato está praticamente silenciosa. Mas eu compensei, pegando todas as coisas que acho que vão ficar ótimas nela e colocando na pilha.

— Certo! — digo sentindo um salto de empolgação. — Vamos experimentar! Aposto que você vai ficar fantástica com aquela saia! Você deveria vestir com a blusa de ombro caído, e talvez...

— Não vou experimentar nada — diz Jess. Em seguida enfia as mãos nos bolsos e se encosta num trecho de parede vazia.

Olho-a, confusa.

— O que você disse?

— Não vou experimentar nada. — Ela assente na direção das salas de prova. — Mas vá em frente. Eu espero aqui.

Há um silêncio pasmo na loja.

— Mas... por que você não vai experimentar nada?

— Não preciso de roupas novas — responde Jess.

Encaro-a desconcertada. Do outro lado da loja percebo as vendedoras trocando olhares pasmos.

— Você deve precisar de *alguma coisa*! — digo. — Uma camiseta... uma calça...

— Não. Estou bem.

— Não quer nem tentar uma daquelas blusas lindésimas? — Estendo uma, num gesto encorajador. — Só para ver como fica?

— Não vou comprar. — Jess dá de ombros. — Então qual é o sentido?

— Eu vou pagar! — digo percebendo subitamente. — Você não sabe? O convite foi meu.

— Não quero gastar seu dinheiro. Mas não deixe que eu a atrapalhe. Vá você.

Não sei o que fazer. Nunca imaginei que Jess não experimentaria nada.

— As coisas estão aqui para você, Becky — intervém Sandra.

— Vá — confirma Jess.

— Bem... Certo — digo enfim. — Não vou demorar.

Vou para a sala de prova e luto para vestir a maioria das roupas. Mas a empolgação evaporou. Sozinha não é a mesma coisa. Queria que nós experimentássemos *juntas*. Queria que fosse *divertido*. Tinha visões de nós duas entrando e saindo dançando das salas de prova, girando, trocando coisas...

Simplesmente não entendo. Como é que Jess pode não experimentar nada?

Ela deve odiar totalmente o meu gosto, percebo com um mergulho de desespero. E não disse nada porque quer ser educada.

— Gostou de alguma coisa? — pergunta Georgina quando saio por fim.

A IRMÃ DE BECKY BLOOM

— Hã... sim! — digo tentando parecer animada. — Vou levar duas blusas e a saia cor-de-rosa. Fica lindíssima no corpo!

Viro para Jess, mas ela está olhando para o espaço. De repente volta a si, como se tivesse acabado de me notar.

— Pronta? — pergunta ela.

— Hã... sim. Só vou pagar.

Vamos até o balcão e Sandra começa a registrar minhas compras. Enquanto isso Georgina está examinando Jess atentamente.

— Você não está com clima para roupas — diz ela de súbito. — E jóias? — Em seguida pega uma bandeja embaixo do balcão do caixa. — Temos umas pulseiras lindas. Só dez libras. Esta deve servir para você. — Ela ergue uma pulseira maravilhosa, feita de simples ovais de prata ligados uns nos outros. Prendo o fôlego.

— É legal — diz Jess balançando a cabeça, e sinto uma gigantesca pancada de alívio.

— Para a irmã de Becky... — diz Georgina, e posso ver seus olhos se estreitando em cálculos — ...três libras.

— Uau! — sorrio para ela. — Fantástico! Muito obrigada, Georgina.

— Não, obrigada — diz Jess. — Não preciso de pulseira.

O quê?

— Mas... são só três libras — insisto. — Uma pechincha total!

— Não preciso. — Jess dá de ombros.

— Mas...

Estou sem palavras. Como alguém pode não comprar uma pulseira por três libras? Como?

Quer dizer, é contra as leis da física ou sei lá o quê.

— Aí está, Becky! — diz Sandra entregando minhas sacolas. São duas, rosa-claro, brilhantes e esplêndidas. Mas quando minhas mãos envolvem as alças não sinto o costumeiro jorro de prazer. Na verdade praticamente não sinto nada. Estou confusa demais.

— Bem... então tchau! — digo. — E obrigada! Vejo vocês depois!

— Tchau, Becky querida! — responde Georgina. — E Jess — acrescenta um pouco menos calorosamente. — Espero vê-la de novo.

— Becky! — exclama Sandra. — Antes de ir, deixe-me dar o panfleto da nossa liquidação.

Ela vem correndo, entrega-me um panfleto brilhante e se inclina para a frente.

— Não quero ser enxerida — diz em meu ouvido. — Mas... tem *certeza* de que ela é sua irmã?

Quando saímos à rua estou meio atarantada. Isso não está acontecendo exatamente como eu esperava.

— E então! — digo em dúvida. — Foi divertido! — Olho para Jess, mas ela está com aquela expressão composta e casual e não dá para saber no que está pensando. Gostaria que ela sorrisse *só uma vez*. Ou que dissesse: "É, foi fantástico!"

— Foi uma pena você não achar nada na Georgina's... Gostou das roupas?

A IRMÃ DE BECKY BLOOM

Jess dá de ombros mas não diz nada, e sinto um jorro de desespero. Eu sabia. Ela odeia meu gosto. Tudo aquilo de fingir que "não precisa de roupas" era só para ser educada.

Puxa, quem não precisa de uma camiseta? Exatamente. Ninguém.

Bem, não faz mal, só teremos de achar lojas diferentes. Lojas das quais Jess goste. Enquanto seguimos pela rua ensolarada estou pensando com força. Nada de saias... nem pulseiras... Jeans! Todo mundo gosta de jeans. Perfeito.

— Realmente preciso de um jeans novo — digo casualmente.

— Por quê? — Jess franze a testa. — O que há de errado com esse que você está usando?

— Bem... nada. Mas preciso de mais! — digo rindo. — Quero um que seja um pouco mais comprido do que este, não com a cintura *tão* baixa, talvez num tom de azul bem escuro...

Olho para Jess, cheia de expectativa, esperando que ela fale do tipo de jeans que *ela* quer. Mas ela fica quieta.

— E então... você precisa de jeans? — pergunto como se estivesse empurrando um peso enorme morro acima.

— Não. Mas vá em frente.

Sinto um tremor de frustração.

— Talvez outra hora. — Forço um sorriso. — Não importa.

Agora chegamos à esquina. E sim! A LK Bennett está em liquidação!

— Olha só! — exclamo empolgada, correndo até a grande vitrine cheia de coloridas sandálias de tiras. — Não são estupendas? De que tipo de sapatos você gosta?

Jess passa o olhar pelo mostruário.

— Na verdade não ligo muito para sapatos. Ninguém nunca nota sapatos.

Por um momento minhas pernas ficam fracas, de tanto choque.

Ninguém nunca nota sapatos?

Mas... claro. Ela está brincando! Terei de me acostumar com seu senso de humor ácido.

— Aaaah, você, hein! — digo e lhe dou um empurrão amigável. — Bem... talvez eu entre e experimente uns, se você não se importar.

Se eu experimentar pares suficientes, estou pensando, Jess pode me acompanhar.

Só que não acompanha. Nem na loja seguinte. Nem experimenta nenhum perfume nem maquiagem na Space NK. Estou cheia de bolsas — mas Jess ainda não tem nada. Não pode estar se divertindo. Deve achar que sou uma irmã de merda.

— Você precisa de algum... equipamento de cozinha? — sugiro desesperada.

Poderíamos comprar aventais, ou alguns trecos cromados... Mas Jess está balançando a cabeça.

— Compro todos os meus num armazém de descontos. É muito mais barato do que em lojas de rua.

— Bem, e que tal malas! — exclamo numa inspira-

A IRMÃ DE BECKY BLOOM 193

ção súbita. — Bagagem é uma coisa da qual a gente não pode esquecer!

— Não preciso de malas. Tenho minha mochila.

— Certo.

Estou ficando totalmente sem idéias. O que *mais* existe? Luminárias, talvez? Ou... tapetes?

De repente os olhos de Jess se iluminam.

— Espere aí — diz ela, parecendo mais animada do que esteve o dia inteiro. — Você se importa se eu entrar aqui?

Paro. Estamos do lado de fora de uma papelaria minúscula e comum, onde nunca entrei.

— Sem dúvida! — minhas palavras saem num jorro de alívio. — Vá em frente! Fantástico!

Papelaria! É *disso* que ela gosta. Claro! Por que, diabos, não pensei antes? Jess é estudante... escreve o tempo todo... esse deve ser o barato dela!

A loja é tão estreita que não sei se vou caber com todas as minhas sacolas, por isso espero na calçada, arrepiada de ansiedade. O que Jess está comprando? Cadernos lindos? Ou cartões feitos à mão? Talvez alguma caneta-tinteiro maravilhosa.

Quer dizer, parabéns a ela. Eu nunca sequer tinha notado essa loja!

— Então, o que você comprou? — pergunto empolgada assim que ela sai segurando duas bolsas cheias. — Mostra! Mostra!

Jess fica inexpressiva.

— Não comprei nada.

— Mas... suas bolsas! O que há nelas?

— Você não viu o cartaz? — Ela sinaliza para um cartão-postal escrito à mão, na vitrine. — Eles estão dando envelopes de plástico-bolha usados.

Ela abre as bolsas e revela vários sacos e um punhado de envelopes de plástico-bolha amarrotados e ficando cinza. Olho-os com a empolgação se evaporando.

— Devo ter economizado pelo menos dez libras — acrescenta ela, satisfeita. — E sempre são úteis.

Estou sem fala.

Como é que vou me entusiasmar com um punhado de papel e plástico velho?

— É... fabuloso! — consigo dizer finalmente. — São maravilhosos! Eu adoro... é... etiquetas. Então... nós duas nos demos realmente bem! Vamos tomar um *cappuccino*!

Há uma cafeteria na esquina, e quando nos aproximamos dela meu ânimo começa a crescer. Talvez as compras não tenham acontecido como imaginei. Mas não faz mal. O fato é que aqui estamos, duas irmãs, vindo tomar um *cappuccino* e fofocar! Vamos nos sentar em volta de uma linda mesa de mármore, tomar café e falar sobre nós...

— Eu trouxe uma garrafa térmica — diz a voz de Jess atrás de mim.

— O quê? — pergunto em voz débil.

— Não precisamos pagar caro pelo café. — Ela aponta um polegar para a cafeteria. — Esses lugares cobram uma fortuna.

— Mas...

A IRMÃ DE BECKY BLOOM 195

— Podemos sentar nesse banco. Eu limpo direitinho.

Olho-a numa perplexidade crescente. Não posso tomar meu primeiríssimo café com minha irmã há muito perdida saído de uma garrafa térmica, num banco velho e sujo.

— Mas quero entrar numa bela cafeteria! — As palavras saem num jorro antes que eu possa impedir. — E me sentar a uma mesa de mármore, e tomar um *cappuccino* decente!

Silêncio.

— Por favor? — digo implorando.

— Ah — responde Jess. — Bem, está certo. — Ela fecha a garrafa. — mas você deve adquirir o hábito de fazer o seu próprio café. Dá para economizar centenas de libras por ano. É só comprar uma garrafa térmica de segunda mão. E você pode usar o pó ao menos duas vezes. O sabor fica ótimo.

— Eu... vou me lembrar disso — digo mal escutando. — Venha!

A cafeteria está toda quente e aromática, com um cheiro fabuloso de café. Há refletores dançando sobre as mesas de mármore e música tocando, e um zumbido de conversas feliz, animado.

— Está vendo? — sorrio para Jess. — Não é legal? Uma mesa para mim e minha irmã — acrescento feliz para um garçom parado junto à porta.

Adoro dizer isso! *Minha irmã.*

Sentamo-nos e eu coloco todas as sacolas de compras no chão — e me sinto começando a relaxar. Isso é melhor.

Podemos bater um papo legal, íntimo, e realmente nos conhecer. De fato é o que deveríamos ter feito de início.

Uma garçonete que parece ter uns doze anos e usa um distintivo dizendo "É o meu primeiro dia!" se aproxima da mesa.

— Oi! — sorrio. — Eu gostaria de um *cappuccino*... mas não sei o que minha irmã vai querer.

Minha irmã. Toda vez sinto um calor por dentro.

— Na verdade deveríamos tomar champanha — não consigo resistir e acrescento. — Somos irmãs há muito perdidas!

— Uau! — diz a garçonete. — Maneiro!

— Só vou querer um pouco de água da torneira, obrigada — diz Jess, fechando seu menu.

— Não quer um belo café espumante? — pergunto, surpresa.

— Não quero pagar preços altamente inflacionados para uma corporação financeira internacional. — Ela dá um olhar severo para a garçonete. — *Você* acha que uma margem de lucro de quatrocentos por cento é ética?

— Bem... — A garçonete parece estupefata. — Quer gelo na água? — pergunta enfim.

— Tome um café também — digo rapidamente. — Ande. Ela vai querer um *cappuccino*.

Enquanto a garçonete se afasta, Jess balança a cabeça, desaprovando.

— Você sabe qual é o verdadeiro custo para se fazer um *cappuccino*? Alguns centavos. E estão cobrando quase duas libras.

A IRMÃ DE BECKY BLOOM

— Mas você ganha um chocolate grátis no pires! — explico.

Meu Deus, Jess tem uma coisa com café, não é? Mas tudo bem. Não faz mal. Mudando de assunto.

— E então! — Recosto-me e abro os braços. — Fale de você.

— O que você quer saber?

— Tudo! — digo entusiasmada. — Tipo... quais são seus passatempos, fora caminhar?

Jess pondera por alguns instantes.

— Gosto de explorar cavernas — diz finalmente, enquanto a garçonete coloca dois *cappuccinos* diante de nós.

— Explorar cavernas! — ecoo.

Jess me olha por cima de sua xícara.

— É.

— Uau! Isso é realmente...

Estou lutando para achar palavras. O que posso dizer sobre cavernas? Exceto que são escuras, frias e úmidas?

— É realmente interessante! — digo por fim. — Eu adoraria entrar numa caverna!

— E, claro, pedras — acrescenta Jess. — É o meu interesse principal.

— O meu também! Especialmente as pedras grandes e brilhantes da Tiffany's! — Rio para mostrar que estou de brincadeira, mas Jess não reage.

Não tenho muita certeza de que ela entendeu.

— Meu doutorado é na petrogênese e geoquímica dos depósitos de fluorita-hematita — diz, mostrando mais animação do que durante todo o dia.

Acho que não entendi nada.

— É... fantástico! E então... como foi que você decidiu estudar pedras?

— Meu pai fez com que eu me interessasse — diz Jess, e seu rosto relaxa num sorrisinho. — É a paixão dele também.

— Papai? — respondo pasma. — Nunca soube que ele gostava de pedras!

— Não o seu pai. — Ela me dá um olhar fulminante. — *Meu* pai. Meu padrasto. O homem que me criou.

Certo.

Claro que ela não estava falando de papai. Isso foi realmente estúpido.

Há um silêncio incômodo, rompido apenas pelo tilintar das xícaras. Estou ligeiramente sem saber o que dizer. O que é ridículo. Essa é minha irmã! Qual é!

— Então, você vai viajar de férias este ano? — pergunto finalmente. Meu Deus, devo estar desesperada. Estou parecendo uma cabeleireira.

— Ainda não sei. Depende.

De súbito sou tomada pela idéia mais maravilhosa.

— Nós poderíamos sair de férias juntas! — digo empolgada. — Não seria ótimo? Poderíamos ficar numa *villa* na Itália ou algo assim... para realmente nos conhecermos...

— Rebecca, escute — interrompe Jess peremptoriamente. — Eu não estou procurando outra família.

Há um silêncio cortante. Meu rosto está subitamente quente.

A IRMÃ DE BECKY BLOOM

— Eu... eu sei — digo em dúvida. — Não quis...
— Não *preciso* de outra família — continua ela. —
Eu disse isso a Jane e Graham no verão. Não foi por isso
que procurei vocês. Era minha responsabilidade contatá-
los para falar da situação médica. Só isso.
— O que quer dizer com "só isso"? — hesito.
— Quero dizer que foi bom conhecer você. E sua
mãe e seu pai são ótimos. Mas vocês têm sua vida. —
Ela faz uma pausa. — E eu tenho a minha.
Será que ela está dizendo que não quer me conhecer?
Não quer conhecer sua própria *irmã*?
— Mas acabamos de nos encontrar! — digo num jor-
ro. — Depois de todos esses anos! Não acha incrível? —
Inclino-me adiante e ponho a mão perto da dela. — Olha!
Nós temos o mesmo sangue!
— E daí? — Jess parece inabalável. — É só um fato
biológico.
— Mas... você não quis sempre ter uma irmã? Não
ficou sempre imaginando como seria?
— Não particularmente. — Ela vê meu rosto. —
Não me entenda mal. Foi interessante conhecer você.
Interessante? Foi *interessante*?
Olho meu *cappuccino*, empurrando a espuma com a
colher.
Ela não quer me conhecer. Minha própria irmã não
quer me conhecer. O que há de errado comigo?
Nada está acontecendo como planejei. Achei que hoje
seria um dos melhores dias da minha vida. Achei que fazer
compras com minha irmã seria *divertido*. Achei que agora já

200 SOPHIE KINSELLA

estaríamos ligadas. Achei que estaríamos tomando café, rodeadas por nossas coisas novas e incríveis, rindo e provocando uma à outra... planejando aonde ir em seguida...

— Então, vamos voltar para a casa da sua mãe? — pergunta Jess, terminando de tomar o café.

— O quê, já? — digo erguendo os olhos em choque. — Mas ainda temos horas. Você ainda nem comprou nada!

Jess me olha e suspira impaciente.

— Olha, Becky. Eu quis ser educada, por isso vim junto. Mas a verdade é que não suporto fazer compras.

Meu coração afunda. Sabia que ela não estava se divertindo. Tenho de salvar isso.

— Sei que ainda não achamos as lojas certas — inclino-me para a frente, ansiosa. — Mas há outras. Podemos ir numas diferentes...

— Não. Você não entendeu. Eu não gosto de fazer compras. E ponto final.

— Catálogos! — digo numa súbita inspiração. — Poderíamos ir para casa, pegar um monte de catálogos... seria divertido!

— Você não consegue colocar isso na cabeça? — exclama Jess exasperada. — Leia meus lábios atentamente. Eu. Odeio. Fazer. Compras.

Vou para casa num estado de choque total. Meu cérebro parece ter tido um curto-circuito. Cada vez que penso nisso, tudo explode em pequenas fagulhas de incredulidade.

A IRMÃ DE BECKY BLOOM

Quando chegamos, Luke está no quintal da frente, conversando com papai. Assim que nos vê parando na entrada de veículos, ele fica pasmo.

— O que estão fazendo de volta tão cedo? — pergunta correndo até o carro. — Alguma coisa errada?

— Está tudo ótimo! — digo num atordoamento. — Só fomos... mais rápidas do que eu pensei.

— Obrigada pela carona — diz Jess saindo.

— Foi um prazer.

Enquanto Jess vai até papai, Luke entra no carro ao meu lado. Fecha a porta e me dá um olhar sagaz.

— Becky, você está bem?

— Estou... ótima. Acho.

Não consigo entender esse dia. Minha mente fica repassando o modo como fantasiei. Nós duas passeando, balançando as sacolas, rindo felizes... experimentando as coisas da outra... comprando pulseiras de amizade para a outra... chamando a outra com pequenos apelidos...

— E então? Como foi?

— Foi... fabuloso! — forço um sorriso brilhante. — Foi realmente divertido. Nós duas curtimos de montão.

— O que você comprou?

— Umas duas blusas... uma saia bem legal... uns sapatos...

— Mm-hmm. — Luke assente. — E o que Jess comprou?

Por um momento não consigo falar.

— Nada — sussurro finalmente.

— Ah, Becky. — Luke suspira e passa o braço em volta de mim. — Você não se divertiu, não foi?

— Não — digo numa voz minúscula. — Não mesmo.

— Eu tinha minhas dúvidas. — Ele acaricia meu queixo. — Escute, Becky, sei que você queria encontrar uma alma-gêmea. Sei que você queria que Jess fosse sua nova melhor amiga. Mas talvez você tenha de aceitar que são simplesmente... diferentes demais.

— *Não* somos diferentes demais — digo teimosa. — Somos irmãs.

— Querida, está tudo bem. Pode admitir se as duas não se dão bem. Ninguém vai achar que você fracassou.

Fracassou?

A palavra me deixa em carne viva.

— Nós nos damos bem! Damos sim! Só precisamos achar um pouco mais de... terreno comum. Bom, ela não gosta de fazer compras. — Engulo em seco algumas vezes. — Mas isso não importa! Eu gosto de outras coisas, além de fazer compras!

Luke balança a cabeça.

— Aceite. Vocês são diferentes e não há motivo para se darem bem.

— Mas nós temos o mesmo sangue! Não podemos ser tão diferentes assim! *Não podemos* ser!

— Becky...

— Não vou desistir tão fácil! Estamos falando de minha irmã há muito perdida, Luke! Esta pode ser minha única chance de conhecê-la.

— Querida...

A IRMÃ DE BECKY BLOOM

— Sei que podemos ser amigas — interrompo-o. — *Sei* que podemos.

Com súbita determinação abro a porta do carro e saio.

— Ei, Jess! — grito correndo pelo gramado. — Depois do seu seminário, quer passar o fim de semana comigo? Prometo que vamos nos divertir.

— É uma ótima idéia, amor — diz papai, com o rosto se iluminando.

— Não sei bem — responde Jess. — Realmente preciso voltar para casa...

— Por favor. Só um fim de semana. Não precisamos fazer compras! — As palavras estão se derramando. — Não vai ser como hoje. Podemos fazer o que você quiser. Só passar um tempo tranqüilo, numa boa. O que acha?

Silêncio. Meus dedos estão dando nós. Jess olha o rosto esperançoso de papai.

— Certo — diz ela finalmente. — Vai ser legal. Obrigada.

PGNI First Bank Visa
7 Camel Square
Liverpool L1 5np

Sra. Rebecca Brandon
37 Maida Vale Mansions
Maida Vale
Londres NW6 0YF

12 de maio de 2003

Cara Sra. Brandon,

Obrigado por ter pedido o Cartão de Crédito Status Golden. Temos o prazer de informar que o seu cartão já foi emitido.

Em resposta às suas perguntas, o cartão será enviado ao seu endereço residencial e parecerá um cartão de crédito. Não pode ser "disfarçado de bolo" como a senhora sugere.

E não podemos providenciar uma distração do lado de fora quando ele chegar.

Se tiver mais alguma pergunta, por favor, não hesite em me contatar, e esperamos que desfrute dos benefícios de seu novo cartão.

Sinceramente,

Peter Johnson
Executivo de Contas

PGNI First Bank Visa
7 Camel Square
Liverpool L1 5np

Srta. Jessica Bertram
12 Hill Rise
Scully
Cumbria

12 de maio de 2003

Cara Srta. Bertram,

Obrigado por sua carta.

Peço desculpas por ter oferecido um Cartão de Crédito Status Golden. Não pretendi ofender.

Ao dizer que a senhorita foi pessoalmente escolhida para um limite de crédito de vinte mil libras não estava tentando sugerir que a senhorita é "cheia de dívidas e irresponsável" nem difamar seu caráter.

Como gesto de boa-vontade anexo como brinde um vale de 25 libras e estou ansioso para servi-la, caso mude de idéia com relação aos cartões de crédito.

Sinceramente,

Peter Johnson
Executivo de Contas

DOZE

Não vou desistir. De jeito nenhum.

Talvez meu primeiro encontro com Jess não tenha acontecido como planejei. Talvez não tenhamos exatamente combinado de cara, como achei que aconteceria. Mas este fim de semana será melhor, sei que será. Quer dizer, pensando bem, o primeiro encontro *tinha tudo* para ser meio esquisito. Mas desta vez teremos ultrapassado esse primeiro empecilho e vamos estar muito mais relaxadas e à vontade uma com a outra. Exato!

Além disso estou muito mais preparada do que da última vez. Depois de Jess ter partido no sábado passado, mamãe e papai puderam ver que eu estava meio pra baixo, por isso fizeram um bule de chá e nós batemos um ótimo papo. E todos concordamos que é impossível combinar com alguém de cara, se a gente não sabe nada sobre a pessoa. Por isso mamãe e papai reviraram o cérebro atrás de todos os detalhes que sabiam sobre Jess e anotaram tudo. E estive decorando durante toda a semana.

Tipo, por exemplo: ela fez cinco exames nacionais de conhecimento e tirou nota máxima em todos. Jamais come abacate. Além de explorar cavernas e caminhadas, ela faz uma coisa chamada espeleologia. Gosta de poesia. E seu cão predileto é um...

Porra.

Pego o papel e examino.

Ah, sim. Um *border collie*.

É sábado e estou no quarto de hóspedes fazendo meus preparativos finais para a chegada de Jess. Comprei um livro esta semana, chamado *A anfitriã cortês*, e nele diz que o quarto de hóspedes deve ser "bem pensado, com pequenos toques individuais para fazer com que o hóspede se sinta bem-vindo".

Por isso na penteadeira há flores e um livro de poesia, e perto da cama coloquei uma seleção criteriosa de revistas: *Andarilho, Entusiasta das cavernas* e *Espeleologia mensal*, uma revista que só pode ser encomendada pela internet. (Tive de fazer uma assinatura de dois anos só para conseguir um exemplar. Mas tudo bem. Posso simplesmente repassar os outros vinte e três exemplares para Jess.)

E na parede está minha *pièce de resistance*, da qual tenho muito orgulho. Um enorme pôster de uma caverna! Com estalac... trecos.

Afofo os travesseiros sentindo um arrepio de antecipação. Esta noite será totalmente diferente da última vez. Para começar nem vamos chegar *perto* de lojas. Só planejei uma noite simples e tranqüila em casa. Podemos assistir a um filme, comer pipoca, fazer as unhas uma da outra e realmente ficar numa boa. E mais tarde vou sentar na cama dela, podemos usar pijamas combinando, comer bombons de hortelã e conversar até tarde.

— Tudo isso parece bem legal — diz Luke chegando atrás de mim. — Você fez um bom trabalho.

— Obrigada — digo dando de ombros, com timidez.

— Na verdade todo o apartamento está incrível! — Ele sai andando e eu o acompanho até o saguão. Está mesmo bastante bom, mesmo que eu é que esteja dizendo. Apesar de ainda haver algumas caixas aqui e ali, todo o lugar parece muito mais claro!

— Ainda não terminei! — digo olhando nosso quarto, onde ainda há um monte de coisas embaixo da cama.

— Dá para ver. Mas, mesmo assim, é um feito tremendo! — Luke olha em volta, admirando.

— Só precisei de um pouco de visão criativa. — Dou um sorriso modesto. — Pensamento lateral.

Entramos na sala de estar, que está totalmente transformada. Todas as pilhas de tapetes, caixas e caixotes desapareceram. Há apenas dois sofás, duas mesinhas de centro e o gamelão indonésio.

— Tiro o chapéu para você, Becky — diz Luke balançando a cabeça. — Está fantástico.

— Não foi nada.

— Não. — Luke franze a testa. — Acho que lhe devo um pedido de desculpas. Você disse que poderia fazer com que tudo desse certo. E eu duvidei. Mas, de algum modo, você conseguiu. Nunca teria adivinhado que tanto entulho poderia ser tão bem organizado. — Ele olha a sala ao redor, incrédulo. — Havia tantas coisas aqui! Para onde foram? — Ele ri, e depois de um momento eu o acompanho.

A IRMÃ DE BECKY BLOOM

— Eu só... encontrei lares para elas! — digo animada.

— Bom, estou impressionado mesmo. — Ele passa a mão pelo tampo da lareira, que está nu a não ser pelos cinco ovos pintados à mão. — Você deveria ser consultora de armazenamento.

— Talvez eu faça isso!

Tudo bem, acho que agora quero mudar de assunto. A qualquer minuto Luke vai começar a olhar mais atentamente e dizer algo do tipo "onde estão as urnas chinesas?" ou "onde estão as girafas de madeira?"

— E então... o computador está ligado? — pergunto casualmente.

— Está. — Luke pega um dos ovos e olha para ele.

— Fantástico! — sorrio de orelha a orelha. — Bem, vou verificar meus e-mails e... por que você não faz um café para a gente?

Espero até Luke estar em segurança na cozinha, depois corro para o computador e digito www.eBay.co.uk.

O eBay salvou totalmente minha vida. Totalmente.

De fato, o que é que eu fazia antes do eBay? É a invenção mais brilhante e genial desde... bem, desde que inventaram as lojas.

No minuto em que voltei da casa de mamãe no sábado passado eu me inscrevi e coloquei à venda as urnas chinesas, as girafas de madeira e três tapetes. E em três dias tudo foi vendido! Assim! E desde então não parei.

Clico rapidamente no "Itens que estou vendendo", olhando de vez em quando para a porta. Não devo demorar muito, para Luke não vir me ver, mas estou desesperada para saber se alguém deu um lance no totem.

Um instante depois a página aparece... e sim! Resultado! Alguém deu um lance de cinqüenta libras! Sinto um choque de adrenalina e dou um soco no ar e um gritinho (baixo, para Luke não ouvir). É um tremendo barato vender coisas! Estou completamente viciada.

E o melhor de tudo é que estou matando dois coelhos com uma só cajadada. Estou resolvendo nossos problemas de atulhamento — e ganhando dinheiro. Na verdade, uma tremenda grana! Não quero contar vantagem, mas em todos os dias desta semana tive lucro. Estou parecendo uma corretora de ações da City!

Por exemplo, consegui 200 libras pela mesinha de centro, de ardósia — e certamente não pagamos mais de cem por ela. Consegui 100 libras pelas urnas chinesas e 150 por cada um dos cinco *kilims*, que só custaram no máximo umas 40 libras cada, na Turquia. E, melhor de tudo, ganhei 2.000 libras por dez relógios Tiffany que nem lembro de ter comprado! O cara até pagou em dinheiro e veio pegar! Honestamente, estou me dando tão bem que posso fazer carreira comerciando no eBay!

Posso ouvir Luke pegando as canecas na cozinha e saio do "Itens que estou vendendo".

E, muito rapidamente, clico no "Itens em que estou dando lance".

Obviamente entrei para o eBay muito mais como *vendedora* do que como compradora. Mas por acaso estava olhando um dia desses e encontrei um incrível casaco laranja dos anos 1950, com grandes botões pretos. É único, e ninguém tinha dado lance nele. Por isso fiz uma minúscula exceção, só por isso.

E também num par de sapatos Prada que tinha só um lance, de 50 pratas. Puxa, sapatos Prada por 50 pratas!

E aquele fantástico vestido de noite Yves Saint Laurent que alguma outra pessoa conseguiu no final. Meu Deus, isso foi irritante. Não vou cometer esse erro de novo.

Clico no casaco antigo — e não acredito. Ontem dei um lance de 80 libras, que é o preço de reserva — e fui suplantada com 100. Bom, não vou perder esse. De jeito nenhum. Rapidamente digito 120 e fecho a janela, no instante em que Luke vem com uma bandeja.

— Algum e-mail? — pergunta ele.

— Hã... alguns! — digo animada e tomo um gole de café. — Obrigada!

Não falei a Luke sobre o negócio do eBay porque não há necessidade de ele se envolver em cada detalhe mundano das finanças domésticas. De fato, meu trabalho é fazer com que ele não precise se incomodar com essas coisas.

— Achei isso na cozinha. — Luke assente para uma lata de biscoitos de chocolate de luxo, Fortnum and Mason, na bandeja. — Muito bons.

— São só uma coisinha para agradar. — Sorrio. — E não se preocupe. Está tudo dentro do orçamento.

O que é verdade! Agora meu orçamento é tão maior que posso me esbaldar!

Luke toma um gole de café. Então seu olhar pousa numa pasta cor-de-rosa sobre sua mesa.

— O que é isso?

Eu estava *imaginando* quando ele iria notar aquilo. É o outro projeto em que estive trabalhando durante a semana. Projeto Esposa Apoiadora.

— É para você — digo casualmente. — Só uma coisinha que preparei para ajudá-lo. Minhas idéias para o futuro da empresa.

A coisa me bateu um dia desses no banho. Se Luke ganhar esse cliente grande, terá de expandir a empresa. E eu sei tudo sobre expansão.

O motivo é que, quando era compradora pessoal na Barneys, tinha uma cliente, Sheri, que era dona da própria empresa. E ouvi toda a saga sobre como ela expandiu depressa demais e todos os erros que cometeu, tipo alugar 550 metros quadrados de escritório em TriBeCa, que nunca usou. Quer dizer, na época achei aquilo muito chato. Na verdade odiava as consultas dela. Mas agora percebo que tudo é relevante para Luke!

Por isso decidi anotar tudo que ela usou para se sair bem, como consolidar os mercados-chave e adquirir empresas concorrentes. E foi então que uma idéia ainda maior me veio. Luke deveria comprar outra empresa de relações públicas.

Até sei qual ele deveria comprar. David Neville, que trabalhava para a Farnham RP, montou a sua própria há três anos, quando eu ainda era jornalista financeira. Ele é realmente talentoso e todo mundo vive dizendo como

A IRMÃ DE BECKY BLOOM

está se saindo bem. Mas sei que secretamente está com dificuldades, porque encontrei sua mulher Judy no cabeleireiro semana passada e ela me contou.

— Becky... — Luke está franzindo a testa. — Não tenho tempo para isso.

— Mas vai ser útil para você! — digo rapidamente. — Quando estava na Barneys aprendi tudo sobre...

— *Barneys*? Becky, eu comando uma empresa de relações públicas. E não uma loja de moda.

— Mas eu tive umas idéias...

— Becky — interrompe Luke impaciente. — Neste momento minha prioridade é trazer novos clientes. Nada mais. Não tenho tempo para suas idéias, certo? — Ele enfia a pasta de papel em sua pasta, sem abri-la. — Qualquer hora dou uma olhada nisso.

Sento-me, sentindo-me um tanto pra baixo. A campainha toca e eu levanto os olhos, surpresa.

— Ah! Talvez seja Jess chegando cedo!

— Não, deve ser Gary. Vou abrir a porta para ele.

Gary é o segundo no comando da empresa de Luke. Ele administrou o escritório de Londres enquanto estávamos morando em Nova York e durante a lua-de-mel, e os dois se dão muito bem. Acabou sendo o padrinho de casamento de Luke.

Mais ou menos.

Na verdade o casamento foi uma longa história.

— O que Gary veio fazer aqui? — pergunto, surpresa.

— Eu pedi para ele vir — responde Luke indo para o interfone e apertando o botão da porta. — Temos de trabalhar um pouco para a apresentação. Depois nós dois vamos almoçar.

— Ah, certo — digo tentando esconder o desapontamento.

Estava realmente ansiosa para passar um pouco de tempo com Luke hoje, antes de Jess chegar. Ele anda ocupado demais ultimamente. Nesta semana não chegou em casa nenhuma vez antes das oito, e ontem só chegou às onze.

Puxa, sei que eles estão trabalhando duro. Sei que a apresentação para o Arcodas é importante. Mas mesmo assim. Durante meses e meses Luke e eu ficamos juntos vinte e quatro horas por dia... e agora mal o vejo.

— Talvez eu possa ajudar com a apresentação! — digo com uma súbita onda cerebral. — Eu poderia fazer parte da equipe!

— Acho que não — responde Luke sem nem mesmo levantar a cabeça.

— Deve haver algo que eu possa fazer — digo inclinando-me para a frente, ansiosa. — Luke, realmente quero ajudar a empresa. Faço qualquer coisa!

— Está tudo sob controle. Mas obrigado.

Sinto uma pontada de ressentimento. Por que ele não deixa eu me envolver? É de se pensar que ficaria *agradecido*.

— Quer ir almoçar com a gente? — pergunta ele com gentileza.

— Não. Tudo bem. — Encolho ligeiramente os ombros. — Divirta-se. Ei, Gary — acrescento quando ele aparece à porta.

A IRMÃ DE BECKY BLOOM

— Oi, Becky! — responde Gary, animado.

— Entre — diz Luke, e o leva para o escritório. A porta se fecha. E quase imediatamente se abre de novo e Luke olha para fora. — Becky, se o telefone tocar, poderia atender? Não quero ser perturbado durante alguns minutos.

— Tudo bem!

— Obrigado. — Ele sorri e toca minha mão. — Isso é uma verdadeira ajuda.

— Sem problema! — digo sorridente. A porta se fecha de novo e me sinto quase tentada a dar um chute nela.

Atender ao telefone *não* é o que eu quis dizer com ajudar a empresa.

Ando lentamente pelo corredor até a sala de estar e fecho a porta com uma pancada ressentida. Sou uma pessoa inteligente e criativa. Poderia ajudá-los, sei que poderia. Puxa, nós deveríamos formar uma parceria. Deveríamos fazer coisas *juntos*.

O telefone toca e eu dou um pulo. Talvez seja Jess. Talvez ela esteja aqui! Corro e atendo.

— Alô?

— Sra. Brandon? — pergunta uma voz de homem.

— Sim!

— Aqui é Nathan Temple.

Minha mente está totalmente vazia. Nathan? Não conheço nenhum Nathan.

— A senhora talvez se lembre, nós nos conhecemos em Milão há algumas semanas.

Ah, meu Deus. É o homem da loja! Eu deveria ter reconhecido sua voz imediatamente.

— Olá! — digo deliciada. — Claro que me lembro! Como vai?

— Bem, obrigado. E a senhora? Aproveitando a bolsa nova?

— Sou louca por ela! Ela transformou toda a minha vida! *Muitíssimo* obrigado pelo que fez.

— O prazer foi meu.

Há um curto silêncio. Não tenho certeza do que dizer em seguida.

— Talvez eu possa lhe pagar um almoço — exclamo impulsivamente. — Como agradecimento. Onde o senhor quiser!

— Não é necessário. — Ele parece achar divertido. — Além disso, meu médico me impôs uma dieta.

— Ah, certo. Que pena.

— Mas, já que a senhora mencionou... — Sua voz áspera me interrompe. — Como a senhora mesmo disse em Milão... uma boa ação merece outra.

— Sem dúvida! Realmente lhe devo uma! Se houver algo que eu possa fazer, *qualquer coisa*...

— Eu estava pensando no seu marido, Luke. Esperava que ele pudesse me fazer um favorzinho.

— Ele adoraria! — exclamo. — Sei que adoraria!

— Ele está aí? Será que poderíamos trocar uma palavrinha?

Minha mente trabalha com rapidez.

A IRMÃ DE BECKY BLOOM   217

Se eu pedir para Luke atender agora terei de perturbá-lo. E explicar quem é Nathan Temple... e como o conheci... e sobre a bolsa Angel...

— Sabe de uma coisa? — digo voltando ao telefone. — Neste momento ele não está. Mas posso pegar o recado?

— A situação é a seguinte. Vou abrir um hotel cinco estrelas na ilha de Chipre. Será um *resort* de altíssimo nível e estou planejando um grande lançamento. Festa para celebridades, cobertura da imprensa. Gostaria muito que seu marido se envolvesse.

Olho o telefone incrédula. Uma festa de celebridades em Chipre? Hotel cinco estrelas? Ah, meu Deus, não é maneiríssimo?

— Tenho certeza de que ele adoraria! — digo recuperando a voz. — Parece fantástico!

— Seu marido é muito talentoso. Tem uma reputação de muita classe. E é isso que nós queremos.

— Bem — fico reluzente de orgulho —, ele é muito bom no que faz.

— Mas pelo que sei ele é especializado em instituições financeiras. O lançamento de um hotel seria problema?

Meu coração começa a martelar. Não posso deixar escapar essa oportunidade. Tenho de vender a Brandon Communications.

— De jeito nenhum — digo tranqüilamente. — Nós, da Brandon Communications, somos hábeis em todas as áreas de relações públicas, desde finanças até grandes empresas e hotéis. Versatilidade é nosso lema.

É! Estou parecendo tão profissional!

— Então a senhora trabalha na empresa?

— Eu tenho um... pequeno papel de consultoria — digo cruzando os dedos. — Especializada em estratégia. E, por acaso, uma das nossas estratégias atuais é a expansão para a... hã... área de viagens cinco estrelas.

— Então parece que talvez possamos nos ajudar mutuamente — diz Nathan Temple, parecendo satisfeito. — Que tal se pudéssemos marcar uma reunião esta semana? Como falei, estamos muito ansiosos para ter seu marido Luke a bordo.

— Por favor, Sr. Temple — digo com meu maior charme. — O senhor me fez um favor. Agora é minha chance de pagar. Meu marido adoraria ajudá-lo. De fato, fará disso uma prioridade! — Sorrio para o telefone. — Deixe-me anotar seu número, e peço para Luke ligar ainda hoje.

— Estou ansioso pelo telefonema do seu marido. Foi bom falar de novo com a senhora, Sra. Brandon.

— Por favor! Me chame de Becky!

Enquanto desligo o telefone estou rindo de orelha a orelha.

Sou uma estrela.

Uma estrela total e completa.

Ali estão Luke e Gary, quebrando a cabeça com a apresentação — enquanto isso consegui para eles um fabuloso cliente novo sem nem mesmo tentar! E não é um banco velho e chato. Um hotel cinco estrelas em Chipre! Um trabalho gigantesco e prestigioso!

Nesse momento a porta do escritório se abre e Luke sai segurando uma pasta de papel. Enquanto pega sua pasta ele olha e me dá um sorriso distraído.

— Tudo certo, Becky? Nós vamos sair para almoçar. Quem era ao telefone?

— Ah, só um amigo — digo descuidadamente. — Por sinal, Luke... talvez eu vá almoçar com vocês, afinal de contas.

— Certo. Ótimo!

Ele me subestimou *tanto*! Não faz idéia, não é? Quando ouvir como estive negociando com altos magnatas em nome dele, ficará totalmente aparvalhado. E talvez *então* veja como posso ajudá-lo. Talvez *então* ele comece e me apreciar um pouquinho mais.

Espere só até ele saber da notícia. Espere só!

Em todo o caminho até o restaurante estou guardando meu segredo com júbilo. Honestamente, Luke deveria me contratar! Eu deveria me tornar uma espécie de embaixadora da companhia!

Puxa, obviamente sou bem-dotada para fazer contatos. Obviamente a coisa é natural para mim. Um encontro casual em Milão — e o resultado é esse. Um cliente novo em folha para a empresa. E o ponto fundamental é que aconteceu sem esforço!

Tudo tem a ver com o instinto. Ou você tem ou não tem.

— Tudo bem, Becky? — pergunta Luke quando entramos no restaurante.

— Tudo ótimo! — dou-lhe um sorriso misterioso.
Ele vai ficar tão impressionado quando eu contar a novidade! Provavelmente vai pedir uma garrafa de champanha no ato. Ou até dar uma festinha para mim. É o que fazem quando ganham uma grande conta.

E esta pode ser gigantesca. Pode ser uma incrível nova oportunidade de negócios para Luke! Ele pode começar toda uma nova divisão dedicada a hotéis e *spas* cinco estrelas. Brandon Communications Viagens de Luxo. E eu poderia ser diretora de divisão, talvez.

Ou a que experimenta os *spas*.

— Então... falando ainda do jantar que vamos dar — está dizendo Gary a Luke quando nos sentamos. — Você escolheu os presentes?

— Já. Estão em casa. E sobre o transporte? Organizamos carros para eles?

— Vou colocar alguém nisso. — Gary faz uma anotação e depois me olha. — Desculpe, Becky. Isso deve ser chato para você. Você sabe que essa apresentação é muito importante para nós.

— Tudo bem — digo com um sorriso recatado. — Luke estava me dizendo que agora conseguir novas empresas é a prioridade número um de vocês, não é?

— Sem dúvida — Gary assente.

Ah!

— Imagino que seja um trabalho enorme conseguir clientes novos — acrescento com inocência.

— É, pode ser. — Gary sorri.

Ha-ha-ha!

A IRMÃ DE BECKY BLOOM   221

Enquanto o garçom serve água mineral para Luke e Gary eu noto subitamente três garotas numa mesa ali perto, cutucando umas às outras e apontando para minha bolsa Angel. Tentando esconder meu deleite, ajeito casualmente a bolsa na cadeira, para que o anjo em relevo e o "Dante" sejam claramente visíveis.

É incrível. Em todo lugar aonde vou as pessoas notam a bolsa. Em todo lugar! É a melhor coisa que já comprei na vida, *na vida toda!* E agora trouxe uma nova empresa para Luke. É um talismã da sorte!

— Saúde! — digo levantando o copo enquanto o garçom recua. — Aos novos clientes!

— Aos novos clientes — ecoam Luke e Gary em uníssono. Gary toma um gole d'água e se vira para Luke. — E então, Luke, com relação à última proposta que estamos fazendo. Falei com o Sam Igreja um dia desses...

Não posso esperar mais. *Tenho* de contar a eles.

— Por falar em igrejas! — interrompo animada.

Há uma pausa cheia de espanto.

— Becky, nós não estávamos falando em igrejas — diz Luke.

— Estavam! Mais ou menos.

Luke parece achar divertido. Bem, eu poderia ter feito isso de um modo melhor. Mas não faz mal.

— Então, *falando* em igrejas... — continuo. — E... hã... em prédios religiosos em geral... acho que vocês já ouviram falar de um homem chamado Nathan Temple, não é?

Olho de Luke para Gary, incapaz de esconder a empolgação. Os dois me olham de volta, curiosamente.

— Claro que ouvi falar de Nathan Temple — diz Luke.

Ah! Eu sabia.

— Ele é um empresário de alto nível, não é? Bem importante. — Levanto as sobrancelhas de modo enigmático. — Provavelmente é alguém com quem vocês gostariam de fazer contato. Talvez até conseguir como novo cliente, não é?

— Imagina! — Luke dá uma gargalhada explosiva e toma um gole d'água.

Faço uma pausa, insegura. O que "imagina" significa?

— Claro que gostariam! — insisto. — Ele seria um cliente fantástico!

— Não, Becky. Não seria. — Luke pousa o copo. — Desculpe, Gary, o que você estava falando?

Encaro-o consternada.

Isso não está indo segundo o plano. Eu tinha toda a conversa mapeada na cabeça. Luke ia dizer "Eu adoraria ter Nathan Temple como cliente, claro, mas como é que a gente *consegue* ele?" E Gary ia suspirar e dizer: "Ninguém consegue atrair Nathan Temple." E aí eu ia me inclinar sobre a mesa com um sorrisinho confidencial...

— Então, eu falei com Sam Igreja — retoma Gary, pegando alguns papéis em sua pasta. — E ele me deu isso. Olhe só.

— Espera! — interrompo tentando trazer a conversa de volta aos trilhos. — Então, Luke, por que você não

A IRMÃ DE BECKY BLOOM

iria querer Nathan Temple como cliente? Quer dizer, ele é rico... é famoso...

— Famoso não, infame — diz Gary rindo.

— Becky, você sabe quem é Nathan Temple? — pergunta Luke.

— Claro que sei. É um grande empresário e... e... dono de hotéis...

Luke ergue as sobrancelhas.

— Becky, ele comanda a mais suja cadeia de motéis que existe.

Meu sorriso congela no rosto. Por alguns instantes não consigo falar.

— O quê? — digo finalmente.

— Não mais — diz Gary. — Seja justo.

— Então comandava — corrige Luke. — Foi assim que ganhou dinheiro. Motéis baratos. Camas d'água grátis. E qualquer outra coisa que acontecesse atrás de portas fechadas. — Em seguida faz um rosto desdenhoso e toma um gole d'água.

— Você ouviu o boato de que ele está pensando em comprar o *Daily World?* — diz Gary.

— É — responde Luke com uma careta. — Poupenos. Você sabe que ele já foi condenado por agressão? O cara é um criminoso.

Minha cabeça está girando. Nathan Temple? Criminoso? Mas... ele pareceu tão legal, foi tão doce! Conseguiu a bolsa Angel para mim!

— Parece que se reformou. — Gary dá de ombros. — Virou uma nova pessoa. Pelo menos é o que diz.

— Nova pessoa? — Luke descarta a idéia. — Gary, ele é pouco melhor do que um gângster.

Quase deixo meu copo cair no chão. Eu devo um favor a um *gângster*?

— "Gângster" é um pouco demais — diz Gary achando divertido. — Isso foi há anos.

— Essas pessoas nunca mudam — insiste Luke.

— Você é um homem duro, Luke! — Gary ri. Depois subitamente vê minha cara. — Becky, você está bem?

— Ótima! — respondo com voz aguda demais e tomo um gole de vinho. — Maravilhosa!

Sinto-me quente e fria no corpo inteiro. Isso não está de acordo com o plano.

Nem de longe.

Meu primeiro triunfo brilhante na área de contatos. O primeiro grande cliente que atraio para a Brandon Communications. E por acaso é um rei dos motéis com condenação por crime.

Mas como é que eu ia saber? Como? Ele parecia tão charmoso! Estava tão bem vestido!

Engulo em seco várias vezes.

E agora falei que Luke iria trabalhar para ele.

Mais ou menos.

Quer dizer... na verdade não *prometi* nada, prometi?

Ah, meu Deus.

Posso ouvir minha própria voz entoando alegre: "Meu marido adoraria ajudá-lo. De fato, fará disso uma prioridade!"

Olho o menu, tentando ficar calma. Tudo bem, obviamente é isso que tenho de fazer. Tenho de contar a Luke.

A IRMÃ DE BECKY BLOOM

É. Simplesmente confessar a coisa toda. Milão... a bolsa Angel... o telefonema de hoje... tudo.

É o que tenho de fazer. É a opção adulta.

Olho o rosto sério de Luke lendo a papelada e sinto um espasmo de medo agarrando minhas entranhas.

Não posso.

Simplesmente não posso.

— É engraçado você ter mencionado Nathan Temple, Becky — diz Gary tomando sua água. — Ainda nem lhe contei isso, Luke, mas ele entrou em contato conosco para fazer a divulgação de um hotel novo.

Olho o rosto largo e amigável de Gary e sinto uma gigantesca onda de alívio.

Graças a Deus. Graças a *Deus*.

Claro que eles fariam uma abordagem oficial também. Claro! Estive preocupada sem motivo! Luke fará o serviço e eu estarei quite com Nathan Temple e tudo ficará bem...

— Imagino que vamos recusar, não é? — acrescenta Gary.

Recusar? Minha cabeça levanta bruscamente.

— Você pode imaginar o que isso faria com nossa reputação? — pergunta Luke dando uma gargalhada curta.

— Recuse o trabalho. Mas com tato — acrescenta franzindo a testa. — Se ele está comprando o *Daily World* nós não queremos ofendê-lo.

— Não recuse! — digo antes de poder me controlar.

Os dois se viram para mim, surpresos, e eu forço um risinho leve.

— Quer dizer... vocês não deveriam ver os dois lados da questão? Antes de se decidir?

— Becky, para mim há apenas um lado da questão — diz Luke, irritado. — Nathan Temple não é o tipo de pessoa que eu queira ver associado à minha empresa. — Ele abre o menu. — Vamos fazer os pedidos.

— Você não acha que está fazendo um julgamento apressado? — pergunto desesperada. — "Não dê a primeira bofetada" e coisa e tal.

— O quê? — Luke fica atônito.

— Está na Bíblia!

Luke me olha.

— Você quer dizer "não atire a primeira pedra"?

— É...

Ah. Talvez ele esteja certo. Mas honestamente. Pedra... bofetada... qual é a diferença?

— O fato... — começo.

— O fato — interrompe Luke — é que a Brandon Communications não quer se associar com alguém que tem ficha criminal. Quanto mais o resto.

— Mas isso é... uma mentalidade tão estreita! A maioria das pessoas provavelmente tem ficha criminal hoje em dia! — Faço um gesto amplo com os braços. — Quer dizer, quem, sentado a esta mesa, não tem algum tipo de ficha criminal?

Há um curto silêncio.

— Bem — diz Luke. — Eu não tenho. Gary não tem. Você não tem.

Olho-o, consternada. Acho que ele está certo. Não tenho.

O que é uma tremenda surpresa, na verdade. Sempre me vi como alguém que vivia no limite.

— Mesmo assim...

— Becky, por que você puxou esse assunto, afinal de contas? — Luke franze a testa. — Por que está tão obcecada por Nathan Temple?

— Não estou *obcecada*! — digo depressa. — Só estou... interessada nos seus clientes. E nos possíveis clientes.

— Bem, ele não é meu cliente. Nem possível cliente — declara Luke num tom definitivo. — E jamais será.

— Certo. — Engulo em seco. — Bem... está bastante claro.

Ficamos em silêncio enquanto examinamos nossos menus. Pelo menos os outros dois estão examinando os menus. Eu finjo estudar o meu, enquanto a mente fica girando e girando.

Portanto não posso convencer Luke. De modo que terei de resolver a situação. É isso que as esposas apoiadoras fazem, afinal de contas. Lidam com os problemas com discrição e eficiência. Aposto que Hillary Clinton fez esse tipo de coisas um milhão de vezes.

Vai dar tudo certo. Simplesmente vou ligar para Nathan Temple, agradecer pela oferta gentil e dizer que infelizmente Luke está muito, muito ocupado...

Não. Vou dizer que ele *tentou* ligar e ninguém atendeu...

— Becky? Você está bem?

Ergo os olhos e vejo os dois me olhando. Abruptamente percebo que estou batendo na mesa cada vez com mais força com um dos lápis de Gary.

— Estou ótima! — digo, e largo-o rapidamente.

Tudo bem. Tenho um plano. O que farei é... vou dizer que Luke está doente.

É. Gênio. Ninguém pode discutir com isso.

Assim, logo que chegamos em casa e Luke está trancado com Gary no escritório, corro até o telefone do nosso quarto. Fecho a porta com um chute e digito rapidamente o número que Nathan Temple me deu. Para meu alívio gigantesco, a ligação cai na secretária eletrônica.

E, agora que presto atenção, ele fala *exatamente* como um rei dos motéis com passado criminoso. Por que, diabos, não ouvi isso antes? Devo estar surda ou sei lá o quê!

O bipe toca e eu dou um pulo, de medo.

— Oi! — digo tentando manter a voz leve e tranqüila.

— Este é um recado para o Sr. Temple. Aqui é Becky Brandon. Hã... eu contei tudo sobre seu hotel ao meu marido, e ele achou fabuloso! Mas infelizmente Luke não está muito bem de saúde no momento. Por isso não poderá fazer o lançamento. O que é uma tremenda pena! De qualquer modo, espero que o senhor encontre alguém! Tchau!

Desligo o telefone e afundo na cama, com o coração martelando.

Pronto. Resolvido.

— Becky? — Luke abre a porta e eu dou um pulo, aterrorizada.

— O quê? O que é?

— Tudo bem — diz ele rindo. — Não há nada errado. Só queria dizer que Jess chegou.

Treze

— Ela está subindo — diz Luke abrindo a porta da frente. — Para quem você estava telefonando, aliás?

— Ninguém — respondo depressa. — Só... hã... para a hora certa.

Tudo bem, digo a mim mesma com firmeza. Está feito. Tudo resolvido.

Posso ouvir o elevador subindo. Jess está a caminho!

Pego rapidamente minha lista e a examino uma última vez. *Border collies*... odeia abacate... o professor de matemática se chamava Sr. Lewis...

— Becky, eu guardaria isso antes de ela chegar — diz Luke achando divertido.

— Ah. É.

Enfio o papel no bolso e respiro fundo algumas vezes para me preparar. Agora que ela chegou estou me sentindo um pouquinho nervosa.

— Escute, Becky — Luke me olha. — Antes de ela chegar... espero sinceramente que as duas se acertem desta vez. Mas será que você está mantendo o bom senso? Não colocou todas as suas esperanças nesta visita, não é?

— Honestamente, Luke! Quem você acha que eu sou?

Claro que pus todas as esperanças nesta visita. Mas tudo bem, porque sei que vai dar certo. Desta vez vai ser diferente. Para começar não faremos nada que Jess não queira. Só vou seguir sua liderança.

E a outra coisa que preciso lembrar é uma dica que Luke me deu. Disse que era fantástico eu ser tão amigável com Jess — mas que ela é muito reservada, e que talvez grandes abraços não sejam o seu barato. Por isso sugeriu que eu fosse mais contida, só até nos conhecermos melhor. O que é justo.

Do saguão vem o ruído do elevador, chegando mais perto. Quase não posso respirar. Por que esse elevador é tão *lento*?

E de repente a porta se abre revelando Jess de jeans e camiseta cinza, segurando sua mochila.

— Oi! — grito correndo. — Bem-vinda! Podemos fazer o que você quiser este fim de semana! Qualquer coisa! É só dizer! Você é a chefe!

Jess não se mexe. De fato parece congelada no lugar.

— Oi, Jess — diz Luke mais calmamente. — Bem-vinda a Londres.

— Venha! — abro os braços. — Fique à vontade! Aqui não tem abacate!

Jess me olha bestificada — depois olha os botões do elevador, quase como se quisesse dar meia-volta.

— Deixe-me pegar sua bolsa — diz Luke. — Como foi o seminário?

Ele leva Jess para o apartamento e finalmente ela entra, olhando cautelosamente ao redor.

— Foi bom, obrigada. Olá, Becky.

— Olá! É fantástico ter você aqui! Vou mostrar seu quarto.

Abro a porta do quarto de hóspedes com orgulho, esperando que ela comente a foto da caverna ou o *Espeleologia Mensal*. Mas Jess não diz coisa alguma, apenas "Obrigada" quando Luke deixa sua bolsa.

— Olhe! — aponto. — É uma caverna!

— Hã... é — diz Jess, parecendo ligeiramente pasma.

Há uma pausa — e eu sinto um minúsculo espasmo de alarme. Não diga que a atmosfera vai ficar esquisita.

— Vamos todos tomar uma bebida! — exclamo. — Vamos abrir uma garrafa de champanha!

— Becky... são só quatro horas — diz Luke. — Talvez uma xícara de chá seja mais adequada, não?

— Eu adoraria uma xícara de chá — concorda Jess.

— Então chá! — digo. — Excelente idéia!

Vou na frente até a cozinha e Jess me acompanha, olhando tudo no apartamento.

— Belo lugar — comenta.

— Becky fez um ótimo trabalho — diz Luke em tom agradável. — Você tinha que ver como estava na semana passada. Todas as compras da lua-de-mel foram entregues... e não dava para a gente *se mexer* no meio de tanta coisa. — Ele balança a cabeça. — Ainda não sei como você conseguiu, Becky.

— Ah, você sabe. — Dou um sorriso modesto. — É só uma questão de organização.

SOPHIE KINSELLA

Estou acendendo o fogo da chaleira quando Gary entra na cozinha.

— Este é meu sócio, Gary — diz Luke. — Esta é a meia-irmã de Becky, Jess. Veio da Cumbria.

— Ah! — responde Gary enquanto aperta a mão de Jess. — Eu conheço a Cumbria. Uma bela parte do país. Onde você mora?

— Num povoado chamado Scully. É bastante rural. Muito diferente disto aqui.

— Já estive em Scully! — diz Gary. — Há anos. Não há uma famosa trilha de caminhada ali perto?

— Você provavelmente está falando do pico Scully.

— Isso mesmo! Nós tentamos subir, mas o tempo virou. Quase caí de lá.

— Ele pode ser perigoso — concorda Jess. — Você precisa saber o que está fazendo. Os idiotas vêm do Sul e entram em todo tipo de encrenca.

— Exatamente o meu caso! — diz Gary, animado.
— Mas a paisagem vale. Aqueles muros de pedra sem argamassa são espetaculares — acrescenta para Luke. — Parecem obras de arte. Quilômetros e quilômetros, estendidos pelo campo.

Estou ouvindo a conversa em fascínio total. Adoraria conhecer um pouco melhor o interior rural da Inglaterra. Adoraria ver uns muros de pedras sem argamassa. Quer dizer, só conheço Londres e Surrey, que é praticamente Londres também.

— Devíamos comprar um chalé na Cumbria! — digo entusiasmada enquanto distribuo as xícaras de chá. —

A IRMÃ DE BECKY BLOOM

No povoado de Jess! Então poderíamos vê-la o tempo todo — acrescento para ela. — Não seria fantástico?

Há um silêncio bastante longo.

— É — responde Jess finalmente. — Ótimo.

— Não creio que vamos comprar nenhum chalé em um futuro próximo — diz Luke erguendo as sobrancelhas para mim. — Estamos com orçamento contado, lembra?

— É, eu sei — retruco levantando as sobrancelhas de volta. — E eu estou me atendo a ele, não é?

— Bem, é. Por incrível que pareça. — Luke olha para a lata de biscoitos Fortnum no balcão. — Mas, francamente, não sei como está conseguindo. — Ele abre a geladeira. — Olhe isso tudo. Azeitonas recheadas... lagosta defumada... e com *orçamento contado*.

Não posso deixar de sentir um calor de orgulho. Toda essa comida é cortesia da venda dos relógios Tiffany! Fiquei tão feliz, que fui direto comprar um enorme cesto cheio das coisas prediletas de Luke.

— É só questão de boa administração doméstica — digo em tom casual e lhe ofereço um prato. — Coma um biscoito de chocolate de luxo.

— Hmm. — Luke me dá um olhar cheio de suspeitas, depois se vira para Gary. — Temos de continuar.

Os dois saem da cozinha — e fico a sós com Jess. Sirvo outra xícara de chá para ela e me empoleiro num banco à sua frente.

— E então! O que você gostaria de fazer?

— Tanto faz — responde Jess dando de ombros.

— Você é quem manda! Totalmente!

— Verdade, eu não me importo. — Jess toma um gole de chá.

Silêncio, a não ser pela torneira pingando lentamente na pia.

O que está ótimo. É só um daqueles silêncios relaxados, afáveis, que a gente pode ter com familiares. De fato isso *mostra* que estamos à vontade uma com a outra. Nem um pouco sem jeito nem nada...

Ah, meu Deus, *fala*. Por favor.

— Eu gostaria de levantar uns pesos — diz Jess de repente. — Normalmente malho todo dia. Mas esta semana não pude.

— Certo! — respondo com prazer. — Brilhante idéia! Eu também vou!

— Verdade? — Jess parece consternada.

— Claro! — Tomo um último gole de chá e pouso a xícara. — Vou me preparar!

Que idéia fabulosa! Fazer exercícios é tremendamente útil para criar laços. Podemos ir à academia Taylor, ali na esquina, onde sou Sócia Ouro, malhar um pouco e depois ir para o bar de sucos. Sei que o bar estará aberto porque já fui lá um monte de vezes nesta hora do dia.

E imagino que a academia também esteja aberta, embaixo.

Ou será em cima?

Tanto faz. Onde quer que seja.

Abro as portas do armário e puxo a gaveta cheia de roupas de ginástica. Poderia usar o moletom Juicy, só que

A IRMÃ DE BECKY BLOOM

pode ficar quente demais... ou aquele top cor-de-rosa bem maneiro, só que vi uma garota no bar de sucos com um exatamente igual...

Por fim escolho uma calça preta com rolotê retrô nas laterais, além de uma camiseta branca e os fabulosos tênis *hi-tech* que comprei nos Estados Unidos. Custaram uma grana, mas *são* biomecanicamente equilibrados com um solado médio de densidade dupla. Além disso o projeto avançado significa que você pode levá-los tranqüilamente da pista de maratona para o terreno irregular das trilhas.

Visto rapidamente tudo, amarro o cabelo num rabo-de-cavalo e acrescento meu chique relógio esporte Adidas. (O que mostra muito bem como Luke está errado. Eu *sabia* que ia precisar de um relógio esportivo um dia.) Corro até o quarto de hóspedes e bato à porta.

— Oi!

— Entre. — A voz de Jess vem abafada e meio estranha. Empurro cautelosamente a porta. Ela vestiu um velho *short* cinza e uma camiseta e, para minha surpresa, está deitada no chão.

Fazendo abdominais, percebo de súbito quando todo o seu tronco sai do chão. Nossa! Ela é bastante boa nisso.

E agora está fazendo aqueles com torção, que eu nunca consegui.

— Então... vamos? — pergunto.

— Aonde? — responde Jess sem perder o pique.

— À academia! Achei que você queria... — paro quando ela começa a levantar as pernas, também.

Certo, isso deve ser para se mostrar.

— Não preciso ir a lugar nenhum. Posso malhar aqui.

Aqui? Ela está falando sério? Mas não há espelhos. Não há MTV. Não há um bar de sucos.

Meu olhar cai na cicatriz em forma de cobra acima da canela de Jess. Estou para perguntar como arranjou aquilo quando me pega olhando e fica vermelha. Talvez ela seja sensível. É melhor não mencionar isso.

— Você não precisa de pesos?

— Eu tenho pesos. — Jess enfia a mão na mochila e pega duas velhas garrafas d'água cheias de areia.

Esses são os pesos dela?

— Nem chego perto de academias — diz Jess, começando a levantar as garrafas acima da cabeça. — Desperdício de dinheiro. Metade das pessoas que entram de sócias nunca vão. Compram roupas caras e nem usam. Qual é o sentido disso?

— Ah, sem dúvida! — digo depressa. — Concordo inteiramente.

Jess pára e ajeita o modo de segurar as garrafas. Depois seu olhar pousa na parte de trás da minha malha.

— O que é isso? — pergunta ela.

— É... — Tateio atrás com a mão.

Droga. É a etiqueta de preço.

— É... nada! — digo enfiando-a rapidamente na cintura. — Só vou pegar... uns pesos também.

Quando volto da cozinha com duas garrafas de Evian, não consigo deixar de me sentir meio desconcertada. Não era exatamente isso que eu tinha em mente. Tinha visualizado nós duas correndo sem esforço em esteiras adjacentes, com alguma música animada tocando e os refletores deixando nossos cabelos brilhantes.

Pois é. Não faz mal.

— Bom... vou acompanhar você, posso? — digo juntando-me a Jess no carpete.

— Vou fazer um pouco de trabalho para os bíceps — responde ela. — É bem fácil. — Jess começa a levantar e a baixar os braços e eu copio os movimentos. Meu Deus, ela se exercita bem depressa, não é?

— Posso pôr uma música? — pergunto depois de alguns instantes.

— Não preciso de música.

— Não. Nem eu — digo rapidamente.

Meus braços estão começando a doer. Isso não pode ser bom para eles, sem dúvida. Olho para Jess, mas ela está malhando firmemente. Casualmente me abaixo, fingindo que vou ajeitar o laço do tênis. E de súbito tenho uma idéia.

— Volto num minutinho — digo correndo de novo para a cozinha. Alguns instantes depois estou de volta segurando duas finas garrafas prateadas.

— É uma bebida saudável — digo com orgulho e entrego uma a Jess. — Para você se reequilibrar.

— Para eu o quê? — Jess pousa seus pesos e franze a testa.

— Diz na garrafa, olha. Tem uma mistura única de vitaminas e ervas que aumentam a expectativa de vida.

Jess está examinando o rótulo.

— É só açúcar e água. Olha. Água... xarope de glucose... — Ela pousa a garrafa. — Não, obrigada.

— Mas tem propriedades especiais! — digo surpresa. — Reequilibra, revitaliza e hidrata a pele de dentro para fora.

— Como faz isso?

— Eu... não sei.

— Quanto custa? — Jess pega a garrafa de novo e olha a etiqueta de preço. — Duas libras e noventa e cinco? — Ela parece totalmente escandalizada. — Três libras por um pouco de água com açúcar? Com isso dá para comprar um saco de vinte quilos de batata!

— Mas... eu não quero um saco de vinte quilos de batata — digo achando curioso.

— Mas deveria! Batata é um dos alimentos mais nutritivos e baratos disponíveis. — Ela me olha com reprovação. — As pessoas subestimam. Mas você sabe que a casca de uma batata tem mais vitamina C do que uma laranja?

— Bem... não — respondo nervosa. — Não sabia.

— Seria possível viver apenas com batatas e leite. — Ela começa a levantar os pesos de novo. — Você tem praticamente todos os nutrientes que o corpo necessita só com essas duas coisas.

— Certo! Isso é... realmente bom! Bem... vou tomar uma chuveirada.

Quando fecho a porta do quarto sinto-me totalmente aparvalhada. Que papo foi aquele das batatas? Nem sei como a gente entrou no assunto.

A IRMÃ DE BECKY BLOOM   239

Vou pelo corredor e vejo Luke através da porta do escritório, pegando alguma coisa numa prateleira.

— Você parece bem esportiva — diz ele erguendo os olhos. — Vai à academia?

— Jess e eu malhamos juntas — respondo balançando o cabelo.

— Excelente. Então vocês estão se dando bem?

— Estamos nos dando fantasticamente! — digo e vou pelo corredor.

O que... acho que é verdade.

Se bem que, para ser honesta, com Jess é meio difícil dizer. Ela não *empolga* exatamente a gente.

Mas, de qualquer modo, até agora a coisa vai bem. E agora que malhamos podemos nos recompensar! O que precisamos é de umas bebidas, uma atmosfera de festa e um pouco de música. Aí vamos relaxar de verdade.

Enquanto tomo banho começo a me sentir empolgada. Nada pode suplantar uma boa noite de amigas em casa. Suze e eu tivemos noites fantásticas quando morávamos juntas. Teve aquela vez em que Suze levou um chute daquele namorado medonho e nós passamos a noite inteira mandando formulários em nome dele, para receber tratamentos para impotência. E aquela outra em que preparamos drinques de hortelã e quase entramos em coma alcoólico. E a vez em que decidimos virar ruivas — e depois tivemos de achar um cabeleireiro que atendesse 24 horas.

E um monte de noites em que nada de especial acontecia... só assistíamos a filmes, comíamos pizza, falávamos e ríamos, e nos divertíamos de montão.

Paro enquanto enxugo o cabelo. É estranho não estar mais falando com Suze. Ela não ligou nenhuma vez desde que falei que tinha uma irmã. E eu também não liguei para ela.

Mas deixa para lá. Meu queixo se enrijece. É o que acontece na vida. As pessoas encontram novas amigas e novas irmãs. Isso se chama seleção natural.

E Jess e eu vamos passar momentos fabulosos esta noite. *Melhor* do que jamais tive com Suze.

Com um arrepio de antecipação visto uns jeans e uma camiseta onde está escrito "Coisa de irmãs" em prateado. Ligo as lâmpadas da penteadeira e pego cada item de maquiagem que possuo. Remexo numa caixa embaixo da cama e pego três perucas, quatro apliques, cílios postiços, *glitter* em spray e tatuagens adesivas. Depois abro o armário especial onde todos os meus sapatos são guardados.

Adoro meu armário de sapatos.

Quer dizer, *adoro* meu armário de sapatos. É a melhor coisa em todo o mundo! Todos os sapatos são arrumados em fileiras estupendas, e há até uma luz interna, para a gente enxergar direito. Olho com adoração as fileiras por alguns instantes, depois pego os mais divertidos, com saltos altos cheios de lantejoulas, e jogo na cama.

Pronta para as transformações!

Em seguida preparo a sala de estar. Pego todos os meus vídeos prediletos e espalho em leque no chão, acrescento pilhas de revistas e acendo algumas velas. Na cozinha esvazio batatas fritas, pipoca e doces em tigelas, acendo mais umas velas e pego o champanha. Olho a cozinha e todo o granito em volta está brilhando e o aço inoxidável é suavemente iluminado pelas chamas das velas. Está lindo!

Olho o relógio, e são quase seis horas. Jess já deve ter acabado de malhar. Vou ao quarto de hóspedes e bato à porta.

— Jess? — pergunto hesitante.

Não há resposta. Ela deve estar no chuveiro, ou algo assim. Ah, bem, não há pressa.

Mas quando vou para a cozinha escuto subitamente a voz dela vindo do escritório. Estranho. Chego perto da porta e a empurro suavemente — e ali está Jess, sentada ao computador, com Luke e Gary de cada lado, olhando a tela, onde posso ver a cabeça de Luke falando contra um fundo verde.

— Você pode superpor os gráficos assim — diz ela, batucando no teclado. — E sincronizar com a trilha sonora. Eu posso fazer, se você quiser.

— O que está acontecendo? — pergunto surpresa.

— É o CD-ROM da empresa — diz Luke. — Os caras que fizeram não tinham a mínima idéia do que precisávamos. A coisa inteira precisa ser reeditada.

— Sua irmã é uma verdadeira feiticeira nesse programa! — exclama Gary.

— Eu o conheço de trás para a frente — diz Jess clicando depressa. — Toda a universidade passou a usá-lo há um ano. E eu sou meio fanática. Gosto desse tipo de coisa.

— Fantástico! — exclamo. Em seguida paro junto à porta por alguns instantes enquanto Jess batuca mais um pouco no teclado. — Então... quer vir tomar uma bebida? Preparei tudo para a nossa noite de amigas.

— Desculpe — diz Luke, olhando para mim numa percepção súbita. — Estou prendendo você, Jess. Vamos ficar bem daqui para a frente. Mas obrigado!

— Obrigado! — ecoa Gary.

Os dois estão olhando-a com tremenda admiração. Não consigo deixar de sentir uma pequena pontada de ciúme.

— Venha! — digo animada. — Tem champanha esperando.

— Obrigado de novo, Jess — repete Luke. — Você é uma estrela!

— Tudo bem. — Jess se levanta e me acompanha para fora do escritório.

— Homens! — digo assim que estou fora do alcance da audição. — Só pensam em computador!

— Eu gosto de computadores — diz Jess dando de ombros.

— É... eu também — recuo rapidamente. — Sem dúvida!

O que é meio verdade.

Quer dizer, adoro o eBay.

Enquanto guio Jess para a cozinha sinto um jorro de empolgação. Aí vem. O momento pelo qual estive esperando! Pego o controle remoto do CD e aperto — e um instante depois Sister Sledge berra pelos alto-falantes da cozinha em volume máximo. Comprei o disco especialmente para isso!

— *We are family!* — canto junto, rindo contente para Jess. Pego a garrafa de champanha no balde de gelo e estouro a rolha. — Tome um pouco.

— Prefiro alguma coisa sem álcool, se você tiver — diz ela enfiando as mãos nos bolsos. — Champanha me dá dor de cabeça.

— Ah — digo parando. — Bem... está certo!

Sirvo para ela um copo de Aqua Libra e rapidamente guardo a garrafa antes que ela veja o preço e comece a falar de novo em batatas.

— Achei que a gente poderia só relaxar — falo acima da música. — Só se divertir... conversar... curtir...

— Parece bom — diz Jess assentindo.

— E minha idéia foi que a gente podia fazer transformações!

— Transformações? — Jess está inexpressiva.

— Venha comigo! — puxo-a pelo corredor e entro no quarto. — Podemos fazer a maquiagem uma da outra... experimentar todas as roupas diferentes... eu posso fazer escova no seu cabelo, se você quiser.

— Não sei — os ombros de Jess estão curvos e desconfortáveis.

— Vai ser divertido! Olha, sente-se na frente do espelho. Experimente uma das minhas perucas! — Ponho a loura tipo Marilyn na minha cabeça. — Não é fantástico?

Jess se encolhe.

— Odeio espelhos — diz ela. — E nunca uso maquiagem.

Encaro-a meio abestalhada. Como alguém pode odiar espelhos?

— Além disso estou satisfeita com minha aparência — acrescenta ela, meio na defensiva.

— Claro que está! — digo atônita. — Esse não é o ponto! É só para ser... você sabe. Divertido.

Silêncio.

— Mas tudo bem! — Tento esconder minha frustração. — Foi só uma idéia. Não precisamos fazer isso.

Tiro a peruca da Marilyn e apago as lâmpadas da penteadeira. Imediatamente o quarto mergulha numa semi-escuridão, que é como eu me sinto. Estava realmente ansiosa para arrumar Jess. Tinha idéias fantásticas para os olhos dela.

Mas não faz mal. Anda. Ainda podemos curtir!

— Então! Vamos... assistir a um filme? — sugiro.

— Claro. — Jess confirma com a cabeça.

E, de qualquer modo, em muitos sentidos um filme é *melhor*. Todo mundo gosta de filme, além disso podemos bater papo nas partes chatas. Vou na frente até a sala de estar e sinalizo entusiasmada para os vídeos espalhados no chão.

— Escolha. Estão todos aí!

— Certo — Jess começa a olhar os vídeos.

— Você é mais tipo *Quatro casamentos...* — instigo.

— Ou *Sintonia de amor... Harry e Sally*, feitos um para o outro...

A IRMÃ DE BECKY BLOOM

— Não me importo — diz Jess finalmente erguendo os olhos. — Escolha você.

— Você deve ter um predileto!

— Esses não são meu tipo de filme — diz Jess com uma pequena careta. — Prefiro algo um pouco mais peso-pesado.

— Ah — respondo consternada. — Ah, certo. Bem... posso pedir outro vídeo na locadora, se você quiser! Não vou demorar nem cinco minutos. Diga o que você gostaria de assistir...

— Tudo bem, não quero incomodar. — Ela dá de ombros. — Vamos assistir a um desses.

— Não seja boba! — digo rindo. — Não, se você não gosta de nenhum deles! Podemos fazer... outra coisa! Sem problema!

Sorrio para Jess, mas por dentro estou inquieta. Não sei o que mais sugerir. Meu plano de reserva era a fita de *karaokê Dancing Queen* — mas algo me diz que ela também não vai querer isso. Além do mais não estamos usando as perucas.

Por que tudo está tão *incômodo*? Achei que a esta hora estaríamos rindo histericamente. Achei que estaríamos nos divertindo.

Ah, meu Deus. Não podemos ficar sentadas aqui em silêncio a noite inteira. Vou abrir o jogo.

— Olha, Jess — digo me inclinando para a frente. — Quero fazer qualquer coisa que *você* queira. Mas você vai ter de me orientar. Portanto... seja honesta. Imagine que eu não a tivesse convidado para o fim de semana aqui. O que você estaria fazendo agora?

— Bem... — Jess pensa por um momento. — Esta noite eu iria a uma reunião de ambientalistas. Sou ativista de um grupo local. Nós conscientizamos, organizamos piquetes e passeatas... esse tipo de coisa.

— Bem, vamos fazer isso! — digo ansiosa. — Vamos organizar um piquete! Seria divertido! Eu podia fazer umas faixas...

Jess parece perplexa.

— Um piquete de quê?

— Hã... tanto faz! Qualquer coisa. Você é a hóspede. Você escolhe!

Jess só está me olhando incrédula.

— A gente não *organiza piquetes* simplesmente. É preciso começar com os temas. Com as preocupações ambientais. Eles não são para ser *divertidos*.

— Ah — digo rapidamente. — Vamos esquecer o piquete. E se você *não fosse* à reunião? O que estaria fazendo agora? E, o que quer que seja... vamos fazer. Juntas!

Jess franze a testa, pensativa, e eu olho seu rosto cheia de esperança. E súbita curiosidade. Pela primeira vez acho que vou realmente aprender algo sobre minha irmã.

— Provavelmente estaria fazendo minha contabilidade — diz ela finalmente. — De fato eu trouxe as contas comigo, para o caso de ter tempo.

Sua contabilidade. Numa noite de sexta-feira. Sua contabilidade.

— Certo! — consigo reagir finalmente. — Fabuloso! Bem, então... vamos fazer nossa contabilidade!

*

A IRMÃ DE BECKY BLOOM 247

Certo. Isso é legal. Isso é bom.

Estamos sentadas na cozinha, fazendo a contabilidade. Pelo menos Jess está fazendo a dela. Eu não sei bem o que estou fazendo.

Escrevi "Contabilidade" no topo da folha e sublinhei duas vezes.

De vez em quanto Jess levanta os olhos e eu rabisco algo rapidamente, só para parecer que entrei no pique. Até agora está escrito na minha folha:

"20 libras... orçamento... 200 milhões de libras... olá meu nome é Becky..."

Jess está franzindo a testa diante de uma pilha do que parecem extratos bancários, folheando para trás e para a frente.

— Alguma coisa errada? — pergunto com simpatia.

— Só estou tentando rastrear um dinheiro que sumiu. Talvez esteja num dos meus outros livros-caixa. — Ela se levanta. — Volto num instante.

Quando ela sai da cozinha eu tomo um gole de champanha e olho para a pilha de extratos.

Obviamente não vou olhá-los. São propriedade privada de Jess e eu respeito isso. E, de qualquer modo, não é da minha conta. Absolutamente.

A única coisa é que minha perna está coçando. Genuinamente. E eu me inclino para coçar... e casualmente me inclino um pouco mais... e um pouco mais... até ver o último número do extrato de cima.

30.002 libras.

Sinto um aperto nas profundezas do estômago e rapidamente me empertigo de novo, quase derrubando a taça de champanha. Meu coração martela de puro choque. Trinta mil libras? *Trinta mil libras?*

É um saldo negativo maior do que eu jamais tive. Jamais. *Jamais!*

Bom, agora tudo está começando a fazer sentido. Está se encaixando. Não é de espantar que ela faça seus próprios pesos. Não é de espantar que leve a garrafa térmica de café a toda parte. Provavelmente está num fundo de poço econômico, como eu estive uma vez. Provavelmente está lendo *Controlando Seu Dinheiro*, de David E. Barton!

Meu Deus, quem teria pensado nisso?

Quando Jess retorna não consigo deixar de olhá-la com novos olhos. Ela pega um de seus extratos e dá um suspiro pesado — e eu sinto uma súbita onda de afeto. Quantas vezes *eu* peguei um extrato e suspirei? Somos almas gêmeas!

Ela está examinando os números, ainda parecendo abalada. Bem, não é de espantar, com um saldo negativo daquele tamanho!

— Oi — digo com um sorriso compreensivo. — Ainda tentando encontrar o tal dinheiro?

— Deve estar em algum lugar. — Ela franze a testa e se vira para outro extrato.

Meu Deus, talvez o banco esteja para encerrar sua conta ou algo assim. Eu deveria lhe dar umas dicas.

Inclino-me para a frente, em tom confidencial.

A IRMÃ DE BECKY BLOOM

— Os bancos são um pesadelo, não é?

— São inúteis.

— Sabe, algumas vezes o truque é escrever uma bela carta. Dizer que você quebrou a perna ou algo assim. Ou que seu cachorro morreu.

— O quê? — Jess levanta a cabeça. — Por que eu diria isso?

Meu Deus, ela não faz idéia. Não é de espantar que esteja passando por tanta dificuldade!

— Você sabe! Para atrair um pouco de simpatia. Então talvez eles possam não cobrar pelo cheque especial. Ou mesmo aumentar o limite!

— Eu não tenho cheque especial — diz ela, parecendo perplexa.

— Mas...

Paro quando suas palavras acertam meu cérebro. Ela não tem cheque especial. O que significa...

Estou meio tonta.

Que as trinta mil libras são...

São *dinheiro* de verdade?

— Becky, você está bem? — Jess me dá um olhar estranho.

— Estou... ótima! — digo com voz estrangulada e tomo vários goles de champanha, tentando recuperar a calma. — Então... você não tem cheque especial. Isso é bom! É fantástico!

— Nunca tive cheque especial na vida! — insiste Jess com firmeza. — Não acho necessário. Qualquer um pode viver segundo seus meios, se realmente quiser. As pessoas

250 SOPHIE KINSELLA

que contraem dívidas simplesmente não têm auto-controle. Não há desculpa. — Ela ajeita os papéis, depois pára. — Mas você era jornalista financeira, não é? Sua mãe me mostrou uma matéria sua. Portanto deve saber disso tudo.

Seus olhos amendoados encontram os meus cheios de expectativa e eu sinto uma ridícula pontada de medo. De repente não sei se quero que ela saiba a verdade sobre minhas finanças. Não a verdade *exata*.

— Eu... hã... sem dúvida! Claro que sei. É tudo uma questão de... planejar antecipadamente e de administrar com cuidado.

— Exato! — Jess me olha, aprovando. — Quando algum dinheiro entra, a primeira coisa que faço é separar metade na poupança.

Ela faz o quê?

— Excelente! — consigo dizer. — É a única opção sensata.

Estou em choque. Quando era jornalista financeira costumava escrever matérias mandando as pessoas economizarem uma parte do dinheiro o tempo todo. Mas nunca pensei que alguém realmente *fizesse* isso.

Jess está me olhando com interesse renovado.

— Então... você faz o mesmo, não é, Becky?

Por alguns segundos não consigo arranjar uma resposta.

— Hã... bem! — digo finalmente, e pigarreio. — Algumas vezes só consigo vinte por cento.

— Eu também. — O rosto dela relaxa num sorriso.

— Algumas vezes só consigo vinte por cento.

A IRMÃ DE BECKY BLOOM

— Vinte por cento! — ecôo debilmente. — Bem... não importa. Você não deve se sentir mal.

— Mas me sinto — diz Jess inclinando-se sobre a mesa. — Você deve entender isso.

Nunca vi seu rosto tão aberto.

Ah, meu Deus, estamos nos conectando.

— Vinte por cento de quê? — ouço a voz de Luke quando ele e Gary entram na cozinha, ambos parecendo animados.

Sinto um arrepio de alarme.

— Hã... nada — digo.

— Só estamos falando de finanças — comenta Jess com Luke. — Estávamos fazendo nossa contabilidade.

— *Contabilidade?* — pergunta Luke, dando uma pequena gargalhada. — Que contabilidade, Becky?

— Você sabe! — digo animada. — Minhas finanças e coisa e tal.

— Ah. — Luke assente, pegando uma garrafa de vinho na geladeira. — Então... já chamou a equipe da SWAT? E a Cruz Vermelha?

— O que você quer dizer? — pergunta Jess, perplexa.

— Tradicionalmente é o que se chama para áreas de desastre, não é? — Ele ri para mim.

Ha-ha-merda-ha.

— Mas... Becky já foi jornalista financeira! — exclama Jess, parecendo bastante chocada.

— Jornalista financeira? — Luke parece achar tremendamente divertido. — Quer ouvir uma história dos dias de sua irmã como jornalista financeira?

— Não — digo rapidamente. — Ela não quer.

— O cartão no caixa eletrônico — diz Gary, lembrando.

— O cartão no caixa eletrônico! — Luke bate na mesa, adorando. — Isso foi durante a ilustre carreira de Becky como especialista de finanças pela TV — diz ele a Jess. — Ela estava filmando uma matéria sobre os perigos de usar o cartão no caixa eletrônico. Colocou seu próprio cartão para demonstrar... — Luke começa a rir de novo. — E ele foi engolido diante das câmeras.

— Mostraram uma noite dessas num programa de videocassetadas — diz Gary a mim. — A parte em que você começa a bater na máquina com o sapato é um clássico!

Lanço-lhe um olhar de fúria.

— Mas por que ele foi engolido? — pergunta Jess, perplexa. — Você estava... *sem saldo*?

— Se Becky estava sem saldo? — pergunta Luke animado, pegando alguns copos. — O papa é católico?

Jess fica confusa.

— Mas Becky, você disse que guardava metade do salário todo mês.

Merda.

— Perdão? — Luke gira lentamente. — Becky disse que faz *o quê*?

— Não... não foi exatamente isso que eu disse — falo sem graça. — Disse que é uma *boa idéia* guardar metade do salário. Em princípio. E é! É uma idéia muito boa!

— Que tal não pagar altas faturas de cartão de crédito que você esconde do marido? — pergunta Luke, le-

A IRMÃ DE BECKY BLOOM 253

vantando as sobrancelhas. — É uma boa idéia em princípio?

— Faturas de cartão de crédito? — pergunta Jess, me olhando horrorizada. — Então... você está com dívidas?

Meu Deus, por que ela tem de falar desse modo? *Dívida*. Como se fosse algum tipo de peste. Como se eu estivesse para ir para a cadeia. Quer dizer, caia na real. Estamos no século XXI. *Todo mundo* tem dívidas.

— Sabe como os médicos são os piores pacientes? — digo com um risinho. — Bem, os jornalistas financeiros são os piores... hã...

Espero que ela ria também, ou que pelo menos dê um sorriso simpático. Mas Jess está simplesmente abestalhada.

Sinto uma súbita exasperação por dentro. Tudo bem, posso ter feito uma ou outra dividazinha. Mas ela não precisa parecer tão *desaprovadora*.

— Por sinal, Jess — diz Gary. — Tivemos um probleminha com aquele programa.

— Verdade? — Jess ergue os olhos. — Posso dar uma olhada, se vocês quiserem.

— Tem certeza? — Gary me olha. — Não queremos interromper a noite de vocês...

— Tudo bem — digo balançando a mão. — Vão em frente.

Quando todos desaparecem no escritório vou pelo corredor até a sala de estar. Caio no sofá e olho na maior deprê para a televisão desligada.

Jess e eu não nos conectamos nem um pouco.

Não combinamos. Essa é a verdade.

Sinto-me subitamente cansada, de frustração. Estive tentando com tanto empenho desde que ela chegou! Fiz todo esforço possível. Comprei a foto da caverna... e preparei todos aqueles salgadinhos gostosos... e tentei planejar a melhor noite que pude. E ela nem *tentou* participar. Certo, talvez ela não gostasse de nenhum dos meus filmes. Mas podia ter fingido, não é? Se fosse eu, teria fingido.

Por que ela tem de ser tão *baixo astral*? Por que não pode simplesmente se *divertir*?

Enquanto engulo o champanha, minúsculas agulhas de ressentimento começam a me pinicar.

Como é que ela pode odiar compras? Como? Ela tem trinta mil libras, pelo amor de Deus! Deveria *adorar* compras!

E outra coisa. Por que é tão obcecada por batatas? O que há de tão fantástico numas porcarias de batatas?

Simplesmente não entendo. Ela é minha irmã, mas não entendo absolutamente nada sobre ela. Luke estava certo o tempo todo. Tudo tem a ver com a criação. A natureza não participa.

Dou um suspiro enorme e começo preguiçosamente a examinar os vídeos. Talvez assista a um deles sozinha. E coma um pouco de pipoca. E alguns daqueles deliciosos chocolates Thornton.

Jess provavelmente nem come chocolate. A não ser chocolate que ela mesma faça, a partir de batatas.

A IRMÃ DE BECKY BLOOM

255

É, bom para ela. *Eu* vou encher a barriga e assistir a um belo filme.

Estou pegando *Uma linda mulher* quando o telefone toca e eu atendo.

— Alô?

— Alô, Bex? — diz uma familiar voz aguda. — Sou eu.

— Suze! — Sinto um gigantesco jorro de alegria. — Ah, meu Deus! Oi! Como você está?

— Ah, estou bem? E você?

— Estou bem! Estou bem!

De repente desejo de todo o coração que Suze estivesse aqui. Como nos velhos tempos em Fulham. Sinto tanta falta dela! *Tanta*!

Mas agora tudo é diferente.

— E então, como foi o *spa* com Lulu? — pergunto tentando parecer natural.

— Foi... bom — responde ela depois de uma pausa. — Sabe. Meio... um pouco diferente... mas divertido!

— Ótimo!

Há um silêncio incômodo.

— E... eu estava imaginando como vão as coisas com a sua nova irmã — diz Suze hesitando. — Vocês são... são mesmo boas amigas?

Sinto uma pontada forte por dentro.

Não posso admitir a verdade a Suze. Simplesmente não posso admitir que a coisa toda foi um fracasso. Que ela vai a *spas* com sua nova amiga e eu nem consigo uma noite divertida com minha própria irmã.

— É fantástico! — digo. — Não poderia ser melhor! Nós estamos nos dando tão bem!

— Verdade? — Suze parece arrasada.

— Claro! Na verdade estamos tendo uma noite de amigas em casa, juntas, agora mesmo! Assistindo a filmes... rindo... só ficando juntas. Você sabe!

— O que estão assistindo? — pergunta Suze imediatamente.

— Hã... — Olho a tela vazia da TV. — *Uma linda mulher*.

— Adoro *Uma linda mulher* — diz Suze cheia de desejos. — A cena da loja!

— Eu sei! É a melhor cena de todos os tempos!

— E o fim, quando Richard Gere sobe pela parede! — Sua voz está borbulhando de entusiasmo. — Ah, meu Deus, quero assistir agora mesmo!

— Eu também! — digo sem pensar. — Quer dizer... quero assistir o... hã... o resto.

— Ah — diz Suze numa voz diferente. — Devo estar interrompendo vocês. Desculpe.

— Não! — respondo rapidamente. — Quer dizer, não faz mal...

— Vou desligar. Você deve estar querendo voltar para a sua irmã. Parece que estão se divertindo bastante. — Sua voz está desejosa. — As duas devem ter muita coisa para conversar.

— É — digo olhando a sala vazia. — É, nós... temos mesmo!

— Bem... vejo você qualquer hora. Tchau, Bex.

— Tchau! — respondo com a garganta subitamente apertada.

Espera!, quero gritar subitamente. Não vá!

Mas em vez disso desligo o telefone e olho para o espaço. Do outro lado do apartamento posso ouvir Luke, Gary e Jess rindo de alguma coisa. Eles se conectaram maravilhosamente com ela. Só eu que não.

E de repente estou dominada pela depressão.

Tinha esperanças tão gigantescas! Estava tão empolgada por ter uma irmã! Mas não adianta tentar mais, adianta? Fiz tudo que pude pensar. E tudo fracassou. Jess e eu nunca vamos ser amigas. Nem daqui a um milhão de anos.

Levanto-me do sofá, enfio preguiçosamente o vídeo de *Uma linda mulher* no aparelho e ligo com o controle remoto. Só posso ser educada pelo resto do fim de semana. Educada e agradável, como uma anfitriã cortês. Acho que consigo.

BANCO WEST CUMBRIA

42 STERNDALE STREET
COGGENTHWAITE
CUMBRIA

Srta. Jessica Bertram
12 Hill Rise
Scully
Cumbria

Cara Srta. Bertram,

Obrigado por sua carta.

Tendo examinado sua contabilidade em grande detalhe só posso concordar que há uma discrepância de 73 *pence*.

Sinto profundamente por esse erro do banco e creditei essa quantia em sua conta de poupança, com o depósito datando de três meses atrás. Além disso, a seu pedido, acrescentei os juros respectivos.

Quero aproveitar esta oportunidade para elogiá-la de novo pela abordagem meticulosa e sensata às suas finanças.

Pessoalmente, estou ansioso para vê-la na próxima noite de queijos e vinhos do Grupo de Poupadores Prudentes, em que nosso chefe de contas pessoais fará a palestra sobre "Fechar a bolsa de novo".

Sinceramente,

Howard Shawcross
Gerente de Contas

QUATORZE

Acordo com uma dor de cabeça de rachar. O que só pode ter algo a ver com o fato de que ontem entornei uma garrafa de champanha inteira sozinha, além de uma bandeja e meia de chocolates.

Enquanto isso Jess, Luke e Gary passaram horas diante do computador. Mesmo quando levei um pouco de pizza para eles, mal levantaram os olhos. Por isso assisti a *Uma linda mulher* inteiro e metade de *Quatro casamentos e um funeral* antes de ir para a cama sozinha.

Enquanto visto um roupão, toda remelenta, Luke já tomou banho e se vestiu com as roupas de "fim de semana casual" que usa quando vai passar o tempo todo no escritório.

— A que horas vocês terminaram ontem à noite? — pergunto com a voz rouca e áspera.

— Bem tarde. — Luke balança a cabeça. — Na verdade eu queria consertar aquele CD-ROM. Não faço a mínima idéia de como iríamos nos virar sem a Jess.

— Certo. — Sinto um ligeiro espinho de ressentimento.

— Sabe, tenho de mudar minha opinião sobre ela — acrescenta ele, amarrando os cadarços dos sapatos. — Sua irmã tem muita coisa boa. Ela não poderia ter sido mais solícita ontem à noite. Na verdade foi nossa salvadora. Ela certamente sabe se virar com um computador.

— Verdade? — pergunto em tom casual.

— Ah, sim. Ela é fantástica! — Ele se levanta e me dá um beijo. — Você estava certa. Fico muito feliz por tê-la convidado para passar o fim de semana.

— Eu também! — digo forçando um sorriso luminoso. — Nós todos estamos nos divertindo demais!

Arrasto os pés até a cozinha, onde Jess está sentada junto à bancada com seus *jeans* e camiseta, segurando um copo d'água.

Einstein.

Acho que esta manhã ela vai dividir o átomo. Enquanto estiver fazendo abdominais.

— Bom dia — diz ela.

— Bom dia! — respondo do meu jeito mais agradável, de boa anfitriã.

Estava relendo *A anfitriã cortês* ontem à noite, e o livro diz que, mesmo que o hóspede esteja irritando a gente, é preciso se comportar com charme e decoro.

Bem, ótimo. Posso ser charmosa. Posso ser decorativa.

— Dormiu bem? Deixe-me preparar um café-da-manhã para você!

Abro a geladeira e pego o suco fresco de laranja, o de *grapefruit* e o de uva-do-monte. Abro a caixa de pães e pego um pão com sementes, *croissants* e bolinhos. Depois começo a procurar geléias nos armários. Três tipos de doces de luxo, geléia de morango com champanha, mel de flores silvestres... e cobertura de chocolate belga. Pronto. Ninguém vai dizer que não dou um bom desjejum aos meus hóspedes.

Percebo Jess observando cada movimento, e quando me viro ela está com uma expressão estranha.

— O que é? — pergunto. — O que há de errado?

— Nada — responde ela sem jeito. Em seguida toma um gole d'água e levanta os olhos de novo. — Luke me contou ontem à noite. Sobre seu... problema.

— Meu o quê?

— Seus gastos.

Encaro-a em choque. Ele contou, foi?

— Não tenho problema — falo lançando um sorriso. — Ele estava exagerando.

— Disse que você está com orçamento contado. — Jess parece preocupada. — Parece que o dinheiro anda curto no momento.

— Isso mesmo — digo em tom amável.

Não que seja da sua conta, cacete, acrescento na cabeça. Não posso *acreditar* que Luke andou batendo com a língua nos dentes para ela.

— Então... como é que você pode comprar café de luxo e geléia de morango com champanha? — Ela sinaliza para a comida espalhada no balcão.

— Boa administração — digo tranqüila. — Priorizando. Se você economiza em alguns itens pode se esbaldar em outros. É a primeira regra da administração financeira. Como aprendi na escola de jornalismo financeiro — acrescento objetivamente.

Certo, isso é uma pequena mentira. Não cursei jornalismo financeiro. Mas honestamente. Quem ela pensa que é, me interrogando?

— Então, em que itens você está economizando? — pergunta Jess com a testa franzida. — Não consigo ver nada nesta cozinha que não venha da Fortnums ou da Harrods.

Estou para dar uma resposta indignada quando percebo que talvez ela esteja certa. Adquiri um hábito de freqüentar a sessão de comidas da Harrods depois que comecei a ganhar todo esse dinheiro no eBay. Mas e daí? A Harrods é uma loja de alimentos perfeitamente legítima.

— Meu marido aprecia um bom padrão de vida — digo rigidamente, com um sorriso superior. — Meu objetivo é proporcionar isso a ele.

— Mas você poderia fazer o mesmo com menos. — Jess se inclina para a frente, parecendo animada. — Poderia economizar em toda parte! Eu poderia dar umas dicas.

Dicas? Dicas de Jess?

De repente o *timer* solta um *ping* e eu levanto a cabeça empolgada. Está na hora!

— Você está cozinhando alguma coisa? — pergunta Jess, perplexa.

— É... não exatamente. Sirva-se... volto num minuto.

A IRMÃ DE BECKY BLOOM   263

Corro para o escritório e ligo o computador. Os lances no casaco laranja antigo terminam em cinco minutos e eu vou consegui-lo. Bato com as unhas, impaciente, e assim que a tela se ilumina chamo a página salva do eBay.

Eu sabia. "kittybee111" deu outro lance. 200 libras. Ela se acha tão esperta. Bem, tome *isso*, "kittybee111". Pego o cronômetro de Luke na mesa e marco para dali a três minutos. À medida que a hora vai chegando ponho as mãos acima do teclado como um atleta nos blocos de largada.

Certo. Um minuto antes do fim dos lances. Vá.

O mais rápido possível digito * 00.50.

Merda. O que eu digitei? Deletar. Redigitar. £200,50.

Aperto "Enviar" e a próxima tela surge. Identidade do usuário... senha... estou digitando o mais depressa possível.

"*O seu lance é o maior no momento*".

Faltam dez segundos. Meu coração está martelando. E se alguém estiver dando um lance *agora mesmo*?

Freneticamente clico o "Atualizar".

— O que você está fazendo, Becky? — pergunta a voz de Jess à porta.

Merda.

— Nada! Por que não prepara uma bela torrada para você enquanto eu só...

A página está voltando de novo. Não consigo respirar. Será que eu... será que eu...

"*Parabéns! Você ganhou o item!*"

— Isssso! — grito incapaz de me conter, e dou um soco no ar. — Isso! Consegui!

— Conseguiu o quê? — Jess avançou pelo cômodo e está espiando a tela por cima do meu ombro. — Isso aí é *você*? — pergunta ela chocada. — Está com orçamento contado e comprando um casaco por duzentas libras?

— Não é bem assim! — respondo irritada com a expressão dela. Levanto-me, fecho a porta do escritório e me viro para encará-la.

— Olha — digo em voz baixa. — Está tudo bem. Eu tenho um bocado de dinheiro do qual Luke não sabe. Estive vendendo todas as coisas que nós compramos na lua-de-mel. E ganhei uma grana preta! Vendi dez relógios Tiffany um dia desses e ganhei duas mil pratas! — Levanto o queixo com orgulho. — Por isso posso *facilmente* me dar a este luxo.

A expressão desaprovadora de Jess não se altera.

— Você poderia ter posto esse dinheiro num investimento de juros altos. Ou usado para pagar alguma conta.

Controlo uma ânsia súbita de gritar com ela.

— É, bem, não fiz isso — digo forçando um tom agradável. — Comprei um casaco.

— E Luke não faz idéia? — Jess me fixa com um olhar acusador.

— Ele não *precisa* fazer idéia! Jess, meu marido é um homem muito ocupado. Meu papel é manter o lar funcionando bem. E não ocupar o tempo dele com minúcias do cotidiano.

— Então você mente para ele.

A IRMÃ DE BECKY BLOOM   **265**

Sinto uma irritação diante do tom dela.

— Todo casamento precisa de um ar de mistério. Esse é um fato bem conhecido!

Jess balança a cabeça.

— E é assim que você consegue comprar todas aquelas geléias Fortnums, também? — Ela sinaliza para o computador. — Você não deveria ser apenas honesta?

Ah, pelo amor de Deus. Ela não entende nada?

— Jess... deixe-me explicar — digo gentilmente. — Nosso casamento é um organismo complicado, vivo, que só nós dois podemos realmente entender. Eu sei o que dizer a Luke e com o quê não incomodá-lo. Pode chamar isso de instinto... de discrição... pode chamar de inteligência emocional, se quiser.

Jess me olha em silêncio por alguns instantes.

— Bem, acho que você precisa de ajuda — diz finalmente.

— Eu não preciso de *ajuda*!

Fecho o computador, empurro a cadeira para trás e passo por ela indo até a cozinha, onde Luke está fazendo um bule de café.

— Curtindo o café-da-manhã, querido? — pergunto em voz alta.

— Fantástico! — diz Luke, admirando. — *Onde* você conseguiu esses ovos de codorna?

— Ah... você sabe... — dou um sorriso afetuoso. — Sei que você gosta, por isso encontrei alguns. — Lanço um olhar triunfante para Jess, que revira os olhos.

— Mas estamos sem *bacon* — observa Luke. — E umas outras coisas. Anotei tudo.

— Certo — digo com uma idéia súbita. — De fato...
Vou sair e comprar essas coisas. Jess, você não se importa se eu for fazer algumas tarefas domésticas, não é? Não
espero que *você* venha também, claro — acrescento do-
cemente. — Sei como odeia e despreza fazer compras.

Graças a Deus. Fuga.

— Tudo bem — responde Jess, enchendo um copo
de água da torneira. — Eu gostaria de ir.

Meu sorriso congela no rosto.

— À Harr... ao supermercado? — pergunto na minha voz mais calorosa e charmosa. — Mas vai ser muito
chato. Por favor, não sinta que precisa ir também.

— Eu gostaria. — Ela me olha. — Se você não se
importar.

— Importar? — pergunto ainda com um sorriso fixo.

— Por que eu me importaria? Só vou me preparar.

Enquanto saio para o corredor estou quente de indignação. Quem ela acha que é, dizendo que preciso de ajuda?

Ela é que precisa de ajuda. Ajuda para forçar sua boca
miserável a abrir um sorriso.

E que desplante, me dar conselho sobre o casamento.
O que ela sabe sobre isso? Luke e eu temos um casamento fantástico! Praticamente nunca brigamos!

O interfone toca e eu atendo, ainda irritada.

— Alô?

— Alô — diz uma voz de homem. — Tenho uma
entrega de flores para Brandon.

A IRMÃ DE BECKY BLOOM

Aperto o botão, deliciada. Alguém me mandou flores? Ah, meu Deus. Aperto a boca com a mão. Luke deve ter me mandado flores. Ele é tão romântico! Provavelmente é o aniversário de alguma coisa que esqueci, como a primeira vez em que jantamos juntos, dormimos juntos ou sei lá o quê.

Na verdade... seria o mesmo aniversário, agora que penso bem.

Mas tanto faz. O fato é que isso só prova minha tese. Só prova o relacionamento fantástico que nós temos e como Jess está totalmente errada. Sobre tudo.

Abro a porta do apartamento e paro cheio de expectativa junto ao elevador. Isso vai mostrar a ela! Vou levar as flores direto à cozinha e dar um beijo enorme e apaixonado em Luke, e ela vai dizer alguma coisa realmente humilde como "Eu não fazia idéia do relacionamento perfeito que vocês tinham". E eu vou sorrir com gentileza e dizer: "Sabe, Jess..."

Meus pensamentos são interrompidos quando a porta do elevador começa a se abrir. E, ah... meu Deus. Luke deve ter gastado uma *fortuna*!

Dois entregadores uniformizados estão carregando o mais gigantesco buquê de rosas — além de um enorme cesto de frutas cheio de laranjas, mamões e abacaxis, tudo embrulhado em ráfia chique.

— Uau! — digo deliciada. — Isso é absolutamente fantástico! — Sorrio para o homem que está me oferecendo uma prancheta e rabisco minha assinatura.

— E a senhora vai entregá-los ao Sr. Brandon? — pergunta o homem enquanto volta ao elevador.

— Claro! — digo alegre.

Um instante depois suas palavras se registram no meu cérebro.

Espera aí. Isso é para *Luke*? Quem está mandando flores para Luke?

Vejo um cartão aninhado entre as flores e pego com um agradável arrepio de curiosidade. Então, enquanto examino as palavras, congelo.

Caro Sr. Brandon,

Lamentei extremamente saber de sua doença. Por favor, diga se eu puder ajudar em alguma coisa. E saiba que podemos adiar o lançamento do hotel enquanto for necessário, para garantir sua plena recuperação.

Com votos de melhoras,

Nathan Temple

Olho o papel, paralisada de horror. Isso não deveria acontecer.

Nathan Temple não deveria mandar flores. Não deveria adiar o lançamento do hotel. Deveria ir *embora*.

— O que é? — ouço a voz de Luke. Dou um pulo, de pânico, e o vejo vindo da cozinha.

Num movimento contínuo amasso o cartão de Nathan Temple e o enfio no bolso do roupão.

A IRMÃ DE BECKY BLOOM

— Oi! — digo com a voz um pouco aguda demais.
— Não são fantásticas?

— São para mim? — pergunta Luke incrédulo, vendo a etiqueta de entrega. — De quem?

Depressa. Pense.

— São... de... de mim! — digo animada.

— De *você*? — Luke me encara.

— É! Eu pensei em lhe mandar umas flores. E... hã... frutas. Aí está querido! Feliz sábado!

De algum modo consigo colocar o enorme buquê e o cesto de flores nos braços de Luke, depois dou-lhe um beijo de leve no rosto. Luke está pasmo.

— Becky, fico muito tocado. Verdade. Mas por que me mandou tudo isso? Por que me mandou um cesto de frutas?

Por alguns instantes não consigo pensar numa resposta.

— Eu preciso ter um *motivo* para mandar um cesto de frutas ao meu marido? — digo finalmente, conseguindo parecer meio magoada. — Sabe, nós estamos chegando ao primeiro aniversário de casamento!

— Certo — diz Luke depois de uma pausa. — Bem... obrigado. É maravilhoso. — Ele olha mais de perto para o buquê. — O que é isso?

Enquanto sigo seu olhar meu estômago dá uma cambalhota portentosa. Aninhado entre as flores está um conjunto de letras de plástico dourado, dizendo "Fique bom logo".

Merda.

— "Fique bom logo"? — Luke levanta os olhos, perplexo.

270 SOPHIE KINSELLA

Minha mente dispara freneticamente.

— Isso... isso... não *significa* "Fique bom logo" — digo rindo. — Está... em código!

— Em *código*?

— É! Todo casamento precisa de um código secreto entre marido e mulher! Você sabe, para as pequeninas mensagens secretas de amor. Por isso pensei em criar um!

Luke me encara por longo tempo.

— Então, o que "Fique bom logo" significa? — pergunta finalmente. — No nosso código secreto.

— Na verdade é... é... muito fácil. — Pigarreio sem jeito. — "Fique" significa... "eu". E "bom" significa... "te". E "logo" significa...

— "Amo"? — sugere Luke.

— É! Você está captando a idéia! Não é bacana?

Silêncio. Minhas mãos estão apertadas ao lado do corpo. Luke me olha interrogativamente.

— E você não teria... digamos... encomendado o pacote errado na floricultura, por engano? — sugere ele.

Ah.

Bom, essa é uma explicação *muito* melhor. Por que não pensei nela?

— Você descobriu meu segredo! — exclamo. — Droga! Como adivinhou? Você me conhece bem demais. Agora, bem... vá tomar seu belo café-da-manhã e eu vou me preparar para o supermercado.

Enquanto passo a maquiagem meu coração está martelando.

O que vou fazer com relação a isso?

E se Nathan Temple telefonar para perguntar como Luke está? E se mandar mais flores?

E se quiser visitar Luke no leito de enfermo? Sinto um jorro de pânico e borro o rímel na pálpebra. Exasperada, jogo longe o aplicador.

Certo, só... fique calma. Vamos examinar todas as opções.

Opção 1: contar tudo a Luke.

Não. De jeito nenhum. Só o pensamento faz meu estômago borbulhar. Ele está ocupado demais com a apresentação para o Arcodas. Isso só vai deixá-lo irritado e com raiva. Além disso, como esposa apoiadora devo protegê-lo desse tipo de irritação.

Opção 2: contar alguma coisa a Luke.

Tipo só os pontos principais. Talvez alterando de modo a me fazer ficar bem e possivelmente manter de fora o nome de Nathan Temple.

Ah, meu Deus. Impossível.

Opção 3: administrar a situação num discreto estilo Hillary.

Mas já tentei isso. E não deu certo.

De qualquer modo, aposto que Hillary tinha ajuda. O que preciso é de uma equipe. Tipo em *The West Wing*. Então tudo seria muito fácil! Eu só iria até Alison Janney e diria discretamente: "Temos um problema. Mas não deixe o presidente saber." E ela iria murmurar: "Não se preocupe, vamos resolver isso." Então trocaríamos sorrisos calorosos mas tensos, e entraríamos no Salão Oval onde Luke estaria prometendo a um grupo de crianças desprivilegiadas que o *playground* delas será salvo. E seu olhar encontraria o meu com um brilho... e faríamos um *flashback* para nós dois valsando nos corredores da Casa Branca na noite anterior, assistidos apenas por um segurança impassível.

O som de um caminhão de lixo lá fora me traz de volta à realidade, com um tranco. Luke não é presidente. Eu não estou em *The West Wing*. E ainda não sei o que fazer.

Opção quatro. Não fazer nada.

Isso tem um monte de vantagens óbvias. E o ponto é... eu realmente *preciso* fazer alguma coisa?

Pego o delineador labial e começo a aplicá-lo pensativamente. Quer dizer, vamos recuar um instante. Vamos colocar toda essa coisa nas devidas proporções. Tudo que aconteceu foi que alguém mandou flores para Luke. Só isso.

Além disso, quer que Luke trabalhe para ele. E acha que eu lhe devo um favor.

E é um gângster.

Não. Pára com isso. Ele não é gângster. É um... um empresário com uma condenação criminal. É totalmente diferente.

E de qualquer modo... *de qualquer modo...* ele provavelmente só estava sendo educado naquele bilhete, não é? Quer dizer, caia na real. Como se ele fosse adiar todo o lançamento de um hotel para Luke fazê-lo. É uma idéia ridícula!

A IRMÃ DE BECKY BLOOM

Quanto mais penso, mais tranqüila me sinto. Nathan Temple não pode estar esperando seriamente que Luke trabalhe para ele. Já deve ter encontrado outra empresa de relações públicas. A coisa toda vai estar caminhando e ele já deve ter esquecido tudo sobre a Brandon Communications. Exato. Portanto não preciso fazer nada! Está tudo bem.

Mesmo assim talvez eu devesse escrever um curto bilhete de agradecimento. E tipo mencionar que infelizmente Luke piorou.

Por isso, antes de sairmos para o supermercado rabisco um cartão educado para Nathan Temple e largo na caixa do correio do lado de fora. Enquanto vou caminhando me sinto bastante satisfeita. Estou com toda a situação sob controle e Luke não sabe de nada. Sou a supermulher!

Meu ânimo aumenta ainda mais quando entramos no supermercado. Meu Deus, os supermercados são lugares fantásticos. Sempre claros, iluminados, com música tocando, e sempre estão dando amostras grátis de queijo ou algo assim. Além disso dá para comprar um monte de CDs e maquiagem, e tudo sai no cartão de crédito com o nome Tesco.

A primeira coisa que atrai meu olhar quando entro é uma gôndola com chás especiais, com um infusor grátis em forma de flor, se você comprar três.

— Pechincha! — digo contente, pegando três caixas aleatoriamente.

— Não é realmente uma pechincha — entoa a voz desaprovadora de Jess ao meu lado, e eu sinto a tensão crescer imediatamente.

Por que ela teve de vir junto?

De qualquer modo, não faz mal. Só vou permanecer educada e cortês.

— *É* uma pechincha — explico. — Eles estão dando um brinde grátis.

— Você bebe chá de jasmim? — retruca ela, olhando a caixa na minha mão.

— Hã...

Chá de jasmim. É aquele que tem gosto de esterco velho, não é?

Mas e daí? Eu quero o infusor de chá.

— A gente sempre pode achar um uso para chá de jasmim — digo lépida, e o jogo no carrinho. — Certo! E agora?

Empurro o carrinho para a seção de legumes, parando para pegar um exemplar da *InStyle*.

Aah. E a nova *Elle* também saiu. Com uma camiseta grátis!

— O que você está fazendo? — pergunta a voz sepulcral de Jess no meu ouvido.

— Compras! — digo animada, e jogo um novo livro de bolso no carrinho.

— Você poderia pegar isso na biblioteca sem pagar nada! — exclama Jess, horrorizada.

Na *biblioteca*? Olho-a com igual terror. Não quero um exemplar manuseado com uma horrível capa de plástico que tenho de lembrar de devolver.

— Na verdade é um clássico moderno — digo. — Todo mundo deveria ter seu próprio exemplar.

— Por quê? Por que não pode pegar na biblioteca?

Sinto uma pontada de irritação.

Porque eu simplesmente quero meu belo exemplar brilhante! E dá o fora e me deixa em paz!

— Porque... talvez eu queira fazer notas na margem — digo em tom superior. — Eu tenho bastante interesse por crítica literária, você sabe.

Continuo a empurrar o carrinho, mas ela vem depressa atrás de mim.

— Becky, olha. Eu quero ajudá-la. Você precisa controlar seus gastos. Tem de aprender a ser mais frugal. Luke e eu estávamos falando disso...

— Ah, verdade? — pergunto magoada. — Que gentileza!

— Posso lhe dar umas dicas... mostrar como ser econômica...

— Não preciso da sua ajuda! — retruco indignada. — Eu sou econômica! Mais econômica, impossível.

Jess parece incrédula.

— Você acha que é econômico comprar revistas que poderia ler de graça numa biblioteca pública?

Por um momento não consigo pensar numa resposta. Então meu olhar pousa na *Elle.* Sim!

— Se eu não *comprasse*, não ganharia os brindes, não é? — respondo em triunfo, e giro o carrinho na esquina. Ah. Pronto, Srta. Espertinha.

Vou para a seção de frutas e começo a colocar sacos no carrinho.

Isso não é econômico? Belas maçãs saudáveis. Levanto os olhos — e Jess está se encolhendo.

— O que é? — pergunto. — O que é, agora?

— Você deveria comprar as frutas soltas. — Ela sinaliza para o outro lado do corredor, onde uma mulher está laboriosamente escolhendo num monte de maçãs e enchendo um saco. — O custo unitário é muito menor! Você economizaria... vinte *pence*!

Bem, uh-la-lá. Vinte *pence*!

— Tempo é dinheiro — respondo com frieza. — Francamente, Jess, não vale meu tempo ficar escolhendo maçãs.

— Por quê? Afinal de contas, você está desempregada.

Ofego cheia de afronta.

Desempregada? *Desempregada*?

Não estou desempregada! Sou uma hábil compradora pessoal! Estou com emprego na boca de espera!

De fato... nem vou me dignar a dar uma resposta. Giro nos calcanhares e vou até o balcão de saladas. Encho duas enormes caixas de papelão com azeitonas marinadas de luxo, levo de volta ao carrinho — e paro atônita.

Quem colocou esse gigantesco saco de batatas no meu carrinho?

Eu disse que queria um saco de batatas enorme? Disse que queria *alguma* batata?

E se eu estiver fazendo a dieta do Dr. Atkins?

Olho ao redor furiosa, mas Jess não está à vista. E o pior é que essa porcaria é pesada demais para eu levantar sozinha. Para ela não tem problema, a Miss Marombeira do Ano. Mas para onde ela foi?

De repente, para minha perplexidade, vejo-a saindo de uma porta lateral segurando uma grande caixa de papelão e falando com um empregado da loja. O que está fazendo agora?

— Estive falando com o gerente de produtos — diz ela se aproximando. — Podemos ficar com todas essas bananas machucadas de graça.

Ela esteve fazendo... *o quê?*

Olho dentro da caixa — e está cheia das bananas mais revoltantes e estragadas que já vi.

— Elas estão perfeitamente boas, se você cortar as partes pretas — diz Jess.

— Mas não quero cortar as partes pretas! — Minha voz está mais aguda do que eu pretendia. — Quero belas bananas amarelas! E não quero esse estúpido saco enorme de batatas também!

— Você pode fazer três semanas de refeições com esse saco — diz Jess, ofendida. — É o alimento mais econômico e nutritivo que se pode comprar. Uma batata sozinha...

Ah, meu Deus, por favor. Outro discurso sobre batatas, não.

— Onde é que eu vou colocá-las? — interrompo. — Não tenho um armário com tamanho suficiente.

— Há um armário no corredor — diz Jess. — Você pode usá-lo. Se entrasse para um clube de vendas por atacado poderia usá-lo para farinha e aveia também.

Encaro-a aparvalhada.

278 SOPHIE KINSELLA

Aveia? Para quê eu quero aveia? E, de qualquer modo, claramente ela não olhou *dentro* daquele armário.

— Aquele é o meu armário de bolsas — observo. — E está totalmente cheio.

Jess dá de ombros.

— Você poderia se livrar de algumas bolsas.

Por um momento estou abestalhada demais para responder. Ela está sugerindo a sério que eu me livre de algumas bolsas... para colocar *batatas*?

— Vamos indo — digo finalmente, e empurro o carrinho com o máximo de calma que consigo.

Permaneça educada. Permaneça cortês. Em vinte e quatro horas ela terá ido embora.

Mas à medida que progredimos pela loja estou começando realmente a perder a calma. A voz de Jess fica constantemente zumbindo nos meus ouvidos como um marimbondo, até que sinto vontade de me virar e lhe dar uma bofetada.

Você poderia fazer suas próprias pizzas por metade do preço... já pensou em comprar uma caçarola a vapor de segunda mão?... Sapóleo com a marca do supermercado é 40 pence mais barato... Você pode usar vinagre em vez de amaciante de roupas...

— Não quero usar vinagre! — quase grito. — Quero usar amaciante de roupas, certo? — Ponho um frasco no carrinho e parto para a seção de sucos, com Jess atrás.

— Algum comentário? — pergunto quando coloco duas caixas no carrinho. — Alguma coisa errada com suco de laranja lindo e saudável?

A IRMÃ DE BECKY BLOOM

— Não — responde Jess dando de ombros. — Só que você poderia ter os mesmos benefícios para a saúde com um copo de água da torneira e um vidro de comprimidos de vitamina C.

Certo. Agora quero mesmo lhe dar um tapa.

Desafiante, jogo mais duas caixas de suco no carrinho, empurro-o e vou para a seção de pães. Há um delicioso cheiro de pão assando no ar, e quando chego mais perto vejo uma mulher num balcão demonstrando algo para um pequeno agrupamento de pessoas.

Aah, adoro esse tipo de coisa.

Ela está com um brilhante negócio cromado ligado na tomada, e quando o abre, está cheio de *waffles* em forma de coração, todos de um marrom dourado e com aparência gostosa.

— O aparelho de *waffles* é rápido e fácil de usar! — está dizendo. — Acorde todo dia com o cheiro de *waffles* frescos ficando prontos.

Meu Deus, não seria fantástico? Tenho uma visão súbita: eu e Luke na cama, comendo *waffles* em forma de coração com xarope de bordo, e tomando grandes *cappuccinos* espumantes.

— O aparelho de *waffles* custa normalmente 49 libras e 99 — está dizendo a mulher. — Mas hoje estamos vendendo por um preço especial de... 25 libras. São cinqüenta por cento de desconto.

Sinto um choque elétrico. Cinqüenta por cento?

Certo, preciso ter um desses.

— Sim, por favor! — digo empurrando o carrinho.

— O que você está fazendo? — pergunta Jess horrorizada.

— Comprando um aparelho de *waffles*, é óbvio. — Reviro os olhos. — Pode sair da minha frente?

— Não! — responde Jess, plantando-se com firmeza diante do carrinho. — Não vou deixar você gastar 25 libras numa coisa desnecessária.

Encaro-a ultrajada. Como ela sabe do que eu preciso ou não?

— Eu *preciso* de um aparelho de *waffles*! Está na lista de coisas que preciso. Na verdade, um dia desses Luke falou: "O que essa casa realmente precisa é de um aparelho de *waffles*."

O que é mentira, certo. Mas ele poderia ter falado. Como é que ela vai saber?

— Além disso estou *economizando* dinheiro, caso você não tenha notado — acrescento, empurrando decididamente o carrinho em volta dela. — É uma pechincha!

— Não é pechincha se você não precisa de um! — Ela agarra o carrinho e tenta puxá-lo de volta.

— Tire as mãos do meu carrinho! — digo indignada. — Eu preciso de um aparelho de *waffles*! E posso comprar! Facilmente! Quero um — acrescento para a mulher, e pego uma caixa na mesa.

— Não quer não — reage Jess, arrancando-o dos meus braços.

O quê? *O quê?*

— Só estou fazendo isso pelo seu bem, Becky! Você é viciada em compras! Precisa aprender a dizer não!

A IRMÃ DE BECKY BLOOM

— Eu consigo dizer não! — Praticamente cuspo em fúria. — Posso dizer não, quando quero! Só estou optando por não dizer agora! Eu *vou* levar um — digo à mulher que parece confusa. — Na verdade vou levar dois. Posso dar um para mamãe no Natal.

Pego duas caixas e, em desafio, coloco-as no carrinho. Pronto.

— Então você vai desperdiçar cinqüenta libras, não é? — diz Jess cheia de desprezo. — Jogar fora dinheiro que você não tem.

— Não estou jogando fora.

— Está sim!

— Não estou! E eu *tenho* dinheiro. Tenho bastante dinheiro.

— Você está vivendo numa total terra da fantasia! — grita Jess subitamente. — Tem dinheiro até ficar sem ter mais coisas para vender. Mas o que vai acontecer depois? E o que vai acontecer quando Luke descobrir o que você esteve fazendo? Você só está armazenando encrenca!

— Não estou armazenando encrenca! — reajo com raiva.

— Está sim!

— Não estou não...

— *Vocês duas, sejam boas irmãs e parem de brigar de uma vez por todas!* — interrompe uma voz exasperada de mulher, e nós duas pulamos.

Olho ao redor, perplexa. Será que mamãe está aqui?

E de repente vejo a mulher que falou. Nem está olhando para nós. Está falando com duas meninas sentadas num carrinho de supermercado.

Ah.

Empurro o cabelo para longe do rosto, subitamente me sentindo meio envergonhada. Olho para Jess — e ela também está com cara de envergonhada.

— Vamos pagar — digo com voz digna e empurro o carrinho.

Vamos para casa em silêncio total. Mas por baixo do exterior calmo estou fumegando.

Quem ela acha que é, me fazendo sermão? Quem ela acha que é, dizendo que tenho problema?

Chegamos em casa e descarregamos as compras com um mínimo de comunicação. Mal estamos nos olhando nos olhos.

— Gostaria de uma xícara de chá? — pergunto com formalidade exagerada quando guardamos o último pacote.

— Não, obrigada — responde ela com igual formalidade.

— Vou me ocupar na cozinha, você pode se divertir por um tempo.

— Ótimo.

Ela desaparece no quarto e no instante seguinte volta segurando um livro chamado *Petrografia das rochas ígneas britânicas*.

Cara, ela realmente sabe se divertir.

Quando se senta num banco do bar, acendo o fogo da chaleira e pego duas canecas. Alguns instantes depois Luke entra, parecendo preocupado demais.

A IRMÃ DE BECKY BLOOM

— Oi, querido! — digo colocando mais calor na voz do que o normal. — Comprei um lindo aparelho de *waffles* para a gente! Podemos comer *waffles* todo dia!

— Excelente — responde ele distraído, e eu lanço um olhar vitorioso para Jess.

— Quer uma xícara de chá?

— Hã... sim, obrigado. — Ele coça a testa e olha atrás da porta da cozinha. Depois em cima da geladeira.

— Você está bem? — pergunto. — Algo errado?

— Perdi uma coisa. — Ele franze a testa. — É ridículo. As coisas não *desaparecem* no ar.

— O que é? — pergunto simpática. — Eu ajudo você a procurar.

— Não se preocupe. — Luke balança a cabeça. — É só uma coisa do trabalho. Vai aparecer. Não pode ter desaparecido.

— Mas eu quero ajudar! — Passo a mão afetuosa em seus ombros. — Eu já disse, querido. Conte o que você está procurando e nós vamos procurar, como uma equipe. É uma pasta de papel... ou um livro... algum documento?

— É gentileza sua. — Ele me beija. — Na verdade não é nada disso. É uma caixa de relógios. Da Tiffany. Dez relógios.

Meu coração pára.

Do outro lado do cômodo percebo Jess levantando a cabeça.

— Você disse... relógios Tiffany? — consigo perguntar.

— É. Você sabe que vamos dar um grande jantar ao Grupo Arcodas amanhã à noite? Faz parte da apresentação. Estamos querendo agradá-los. Por isso comprei um bocado de relógios, como presente da empresa. E agora eles desapareceram. — Sua testa se franze ainda mais. Num minuto estavam aqui... no outro desapareceram!

Posso sentir os olhos de Jess em mim, como raios.

— São muitos relógios para sumir — diz ela em voz inexpressiva.

Ah, vá se foder!

Estou engolindo em seco. Como é que posso ter vendido os presentes da empresa de Luke? Como posso ter sido tão estúpida? Quer dizer, eu *pensei* que não me lembrava de tê-los comprado na lua-de-mel...

— Talvez eu tenha posto lá embaixo na garagem. — Luke pega suas chaves. — Vou dar uma olhada.

Ah, meu Deus. Tenho de confessar.

— Luke... — digo numa voz minúscula. — Luke, por favor, não fique com raiva...

— O quê? — Ele gira nos calcanhares. E ao ver meu rosto fica subitamente alerta. — O que é?

— Bem. — Lambo os lábios. — Talvez eu possa ter...

— O quê? — Seus olhos estão se estreitando. — O que você pode ter feito, Becky?

— Vendido — sussurro.

— *Vendido?*

— Você queria que eu desentulhasse a casa! — gemo. — Eu não sabia como fazer! Nós tínhamos coisas demais! Por isso vendi tudo no eBay. E... vendi os relógios também. Por engano.

A IRMÃ DE BECKY BLOOM

Estou mordendo o lábio, esperando que Luke possa sorrir, ou mesmo gargalhar. Mas ele simplesmente fica exasperado.

— Jesus Cristo, Becky. Nós estamos enterrados até a porra do *pescoço*. Realmente precisamos desse tipo de problema. — Ele pega o celular, digita um número e ouve por alguns segundos. — Oi, Marie? Temos um pequeno problema com o jantar do Grupo Arcodas amanhã à noite. Ligue para mim. — Em seguida fecha o telefone e há um silêncio.

— Eu não sabia! — digo desesperada. — Se você me *dissesse* que eram presentes da empresa... se tivesse me deixado ajudar...

— *Ajudar?* — Luke me interrompe. — Becky, você tem de estar brincando.

Balançando a cabeça, ele sai da cozinha.

Olho para Jess. Dá para ver "eu não disse?" num grande balão de pensamento sobre sua cabeça. Um instante depois ela se levanta e o acompanha até o escritório.

— Se eu puder fazer alguma coisa — ouço-a dizendo em voz baixa — é só dizer.

— Está tudo bem — responde ele. — Mas obrigado.

Jess diz mais alguma coisa, mas agora sua voz está abafada. Deve ter fechado a porta.

De repente *preciso* saber o que ela está dizendo. Vou em silêncio até a porta da cozinha — e me esgueiro pelo corredor. Chego o mais perto possível da porta do escritório e encosto o ouvido nela.

— Não sei como você consegue viver com ela — está dizendo Jess, e sinto um choque de indignação. Depois me enrijeço, esperando a resposta de Luke.

Há um silêncio no cômodo. Não consigo respirar. Não consigo me mexer. Percebo meu ouvido encostado na madeira da porta.

— É difícil — diz a voz de Luke por fim.

Algo frio mergulha no meu coração.

Luke acha difícil viver comigo.

Há um ruído como se alguém viesse para a porta, e salto para trás, apavorada. Corro de volta à cozinha e fecho a porta. Meu coração está martelando e os olhos estão quentes.

Só estamos casados há onze meses. Como ele pode achar difícil viver comigo?

A chaleira ferve mas não quero mais chá. Abro a geladeira, pego uma garrafa de vinho aberta e derramo o líquido num copo. Bebo tudo em alguns goles e estou enchendo de novo quando Jess volta à cozinha.

— Oi — diz ela. — Parece que Luke resolveu o problema do presente.

— Fantástico — respondo tensa, e tomo outro gole de vinho.

Então ela e Luke resolveram tudo agora, não foi? Ela e Luke têm conversinhas às quais não sou convidada. Enquanto a vejo sentar-se e abrir seu livro de novo, uma grande onda de dor começa a crescer dentro de mim.

— Achei que você ficaria do meu lado — digo tentando parecer calma. — Aparentemente somos irmãs, não é?

A IRMÃ DE BECKY BLOOM

— O que você quer dizer? — Jess franze a testa.

— Você poderia ter me defendido!

— *Defendido*? Você acha que vou defendê-la quando é tão irresponsável?

— Ah, então eu sou irresponsável — digo meio selvagemente. — E você é perfeita, imagino.

— Não sou perfeita! Mas sim! Você é irresponsável! — Jess fecha o livro. — Francamente, Becky, acho que você precisa cair na real. Você não tem idéia de dever pessoal... é obcecada em gastar dinheiro... você *mente*...

— Bem, e você é um saco! — Minhas palavras saem num rugido. — Você é uma vaca miserável e unha-de-fome, que não sabe se divertir!

— *O quê?* — Jess parece totalmente desnorteada.

— Eu fiz todo tipo de esforço esse fim de semana! — grito. — Fiz tudo que podia para que você se sentisse bem-vinda, e você não quis participar de nada! Certo, então você não gosta de *Harry e Sally, feitos um para o outro*. Mas poderia ter fingido!

— Então você preferia que eu não fosse sincera? — pergunta Jess cruzando os braços. — Preferia que eu mentisse? Isso é a sua cara, Becky.

— Fingir que você gosta de alguma coisa não é *mentir!* — grito frustrada. — Eu só queria que a gente se divertisse um pouco juntas! Pesquisei, planejei seu quarto e tudo... e você é tão fria! É como se não tivesse nenhum sentimento!

De repente fico à beira das lágrimas. Não acredito que estou gritando com minha irmã. Paro e respiro fundo algumas vezes. Talvez dê para salvar as coisas. Talvez ainda possamos fazer com que funcione.

— O negócio, Jess... é que fiz tudo isso porque queria que fôssemos amigas — digo com a voz tremendo um pouco. — Só queria que fôssemos amigas.

Levanto os olhos esperando ver seu rosto se suavizando. Mas ela parece quase mais cheia de desprezo do que antes.

— E você sempre tem de ter o que quer. Não é, Becky?

Sinto o rosto queimar de choque.

— O... o que você quer dizer? — hesito.

— Quero dizer que você é mimada! — Sua voz áspera atravessa minha cabeça. — O que você quer, você consegue! Tudo lhe é entregue de bandeja. Se você entra numa encrenca, seus pais a tiram, e se não tiram, Luke faz isso! Toda a sua vida me deixa enojada. — Ela sinaliza com o livro. — É vazia! Você é rasa e materialista... e nunca *conheci* alguém tão obcecada com a própria aparência e com compras...

— Você, falando de obsessão! — berro. — Falando de *obsessão!* Você é obcecada por economizar dinheiro! Nunca conheci ninguém tão unha-de-fome! Tem trinta mil libras no banco e anda por aí como se não tivesse um tostão! Pegando plástico bolha de graça e bananas horríveis, amassadas! Quem *se importa* se o sapóleo custa quarenta *pence* a menos?

A IRMÃ DE BECKY BLOOM

— Você se importaria se estivesse comprando seu próprio sapóleo desde os quatorze anos — contra-ataca Jess. — Talvez não entrasse em encrenca se cuidasse mais de quarenta *pence* aqui e ali. Ouvi dizer como você quase arruinou Luke em Nova York. Francamente não entendo!

— Bem, eu não entendo *você*! — grito chorando. — Fiquei tão empolgada quando soube que tinha uma irmã, achei que íamos nos ligar e sermos amigas. Achei que poderíamos fazer compras e nos divertir... e comer bombom de hortelã na cama uma da outra...

— Bombom de hortelã? — Jess me olha como se eu fosse louca. — Por que iríamos comer bombom de hortelã?

— Porque sim! — Balanço os braços, frustrada. — Porque seria *divertido*! Sabe, "divertido"?

— Eu sei me divertir — reage Jess irritada.

— Lendo sobre *pedras*? — pego o *Petrografia das rochas ígneas britânicas*. — Como é que pedras podem ser interessantes? São só... pedras! São o *hobby* mais chato do mundo! O que combina muito bem com você!

Jess abre a boca, aterrorizada.

— As pedras... *não* são chatas! — Ela salta de volta e pega seu livro. — São muito mais interessantes do que bombons de hortelã, compras insensatas e ficar com dívidas!

— Você fez uma cirurgia e extirpou a diversão, ou algo assim?

— Você fez uma cirurgia e extirpou a responsabilidade? — grita Jess. — Ou já nasceu como uma criança mimada?

Encaramo-nos furiosas, ambas ofegando ligeiramente. A cozinha está em silêncio, a não ser pelo zumbido da geladeira.

Não sei exatamente o que a Anfitriã Cortês deve fazer numa situação dessas.

— Ótimo. — O queixo de Jess fica tenso. — Bem... não acho que haja sentido em ficar por aqui. Posso pegar um ônibus de volta à Cumbria se sair agora.

— Ótimo.

— Vou pegar minhas coisas.

— Faça isso.

Ela gira nos calcanhares e sai da cozinha, e eu tomo um gole de vinho. Minha cabeça ainda está martelando com gritos e meu coração está disparado.

Ela não pode ser minha irmã. Não pode. É uma vaca miserável, unha-de-fome e hipócrita, e nunca mais quero vê-la.

Nunca.

THE CINDY BLAINE SHOW
Cindy Blaine Produções de TV
43 Hammersmith Bridge Road
Londres W6 8TH

Sra. Rebecca Brandon
37 Maida Vale Mansions
Londres NW6 OYF

22 de maio de 2003

Cara Sra. Brandon,

Obrigada por sua mensagem.

Lamentamos saber que não poderá mais participar do programa de Cindy Blaine sobre "Encontrei uma irmã e uma alma-gêmea".

Será que podemos sugerir que participe do programa que faremos em breve com o tema "Minha irmã é uma vaca!!!"? Por favor, ligue se a idéia lhe parecer atraente.

Desejando tudo de bom,

Kayleigh Stuart
Assistente de produção

(celular: 07878 3456789)

Finerman Wallstein

Advogados
Finerman House
1398 Avenue of the Americas
Nova York, NY 10105

Sra. Rebecca Brandon
37 Maida Vale Mansions
Maida Vale
Londres NW6 0YF

Cara Sra. Brandon,

Obrigado por sua mensagem. Alterei seu testamento segundo suas instruções. A cláusula 5, seção (f) agora diz:

"E absolutamente nada para Jess, já que é tão má. E, de qualquer modo, ela tem um monte de dinheiro."

Atenciosamente,

Jane Cardozo

Quinze

Não me importo. Quem precisa de irmã? Eu, não.

Para começar, nunca quis ter uma. Nunca *pedi* uma. Estou ótima sozinha.

E, de qualquer modo, não estou sozinha. Tenho um casamento forte e amoroso. Não preciso de uma porcaria de irmã!

— Irmã estúpida! — digo em voz alta, tirando a tampa de um vidro de geléia. Faz quase duas semanas que Jess foi embora. Luke tem uma reunião até tarde na cidade, e mamãe e papai vêm aqui, a caminho do aeroporto, por isso estou fazendo o café-da-manhã para todo mundo.

— O que foi? — pergunta Luke entrando na cozinha. Está pálido e tenso, como nos últimos dias. O Grupo Arcodas está tomando a decisão sobre a proposta e agora ele só pode esperar. E Luke não é muito bom em esperar.

— Só estava pensando em Jess — digo batendo com força o vidro de geléia. — Você estava certo sobre ela. Nós nunca iríamos nos dar bem, nem em um milhão de anos! Nunca conheci uma figura tão miserável!

— Mmm — responde Luke distraído, servindo-se de suco de laranja.

Ele poderia me apoiar mais.

— Da próxima vez vou aceitar seu conselho — digo tentando atrair sua atenção. — Nunca deveria tê-la convidado. Não acredito que temos algum parentesco!

— No fim achei que ela era legal. Mas dá para entender por que vocês duas não se entenderam.

Sinto uma pontada de ressentimento.

Ele não deveria dizer "achei que ela era legal". Deveria dizer: "Que vaca, não acredito que você a agüentou sequer por um minuto!"

— Becky... o que você está fazendo? — O olhar de Luke pousa nas migalhas e nas embalagens plásticas atulhando a bancada de granito.

— *Waffles*! — digo animada.

E isso prova outra coisa. Jess estava totalmente errada. Usei o aparelho de *waffles* praticamente todo dia. Pronto! Quase desejo que ela estivesse aqui para ver.

A única coisa é que não sou muito boa em preparar a mistura. Por isso compro *waffles* prontos, corto na forma de coração e ponho no aparelho para esquentar.

Mas o que há de errado nisso? Estou usando, não estou? Nós estamos comendo *waffles*, não estamos?

— *Waffles*... de novo? — pergunta Luke com uma careta minúscula. — Acho que vou deixar passar, obrigado.

— Ah — respondo consternada. — Bem, que tal umas torradas? Ou ovos? Ou... bolinhos?

— Para mim café está ótimo.

— Mas você tem de comer alguma coisa! — Olho-o com súbito alarme. Ele sem dúvida está mais magro, preocupado com a proposta. Preciso alimentá-lo. — Vou fazer umas panquecas para você! — digo ansiosa. — Ou uma omelete!

A IRMÃ DE BECKY BLOOM

— Becky, corta essa! — reage ele bruscamente. — Estou ótimo. — Luke sai da cozinha abrindo o celular. — Alguma novidade? — ouço-o dizer antes que a porta do escritório se feche.

Olho para o *waffle* quebrado na minha mão. Uma sensação fria se arrasta sobre mim.

Sei que Luke se sente realmente tenso por causa do trabalho. E provavelmente é por isso que está com o pavio meio curto comigo no momento. Não significa que tenha algum problema maior, ou algo assim.

Mas fico lembrando o que o ouvi dizer a Jess naquela noite. Que acha difícil viver comigo.

Sinto uma pequena pontada familiar no coração e me sento, com a cabeça num redemoinho. Estive pensando nisso a semana inteira, tentando entender.

Como pode ser difícil viver comigo? Quer dizer... o que eu faço de errado?

Abruptamente pego um lápis e papel. Certo. Vamos olhar bem no fundo de mim mesma e ser realmente honesta. O que eu faço que pode tornar difícil viver junto? Anoto um cabeçalho e sublinho com firmeza.

Dificuldades para se viver com Becky Bloom
1.

Minha mente está vazia. Não consigo pensar em nada.

Qual é. Pense. Seja sincera e não poupe nada. Deve haver alguma coisa. Quais são os problemas fundamentais entre nós? Quais são as questões verdadeiras?

De repente percebo. Sempre deixo meu xampu sem a tampa e Luke reclama que pisa nela, no chuveiro.

Dificuldades para se viver com Becky Bloom
1. Deixa o xampu destampado

É. E sou esquecida. Vivo esquecendo o número do alarme contra ladrões. Uma vez precisei telefonar para a polícia e perguntar, e eles entenderam errado e mandaram duas radiopatrulhas.

Dificuldades para se viver com Becky Bloom
1. Deixa o xampu destampado
2. Esquece o número do alarme

Olho a lista, incerta. Não parece o bastante. Deve haver mais. Deve haver algo realmente significativo e profundo.

E de repente ofego e aperto a boca com a mão.

Os CDs. Luke vive reclamando que eu pego e não coloco de volta nas caixas.

O que sei que não parece *tão* profundo assim — mas talvez seja a gota d'água. E, além disso, sempre dizem que as coisinhas insignificantes é que importam num relacionamento.

Certo. Vou consertar isso.

Corro para a sala de estar e vou direto à pilha bagunçada de CDs perto do aparelho de som. Enquanto os separo sinto uma espécie de leveza. Uma libertação. Esse vai ser o ponto de virada no nosso casamento.

A IRMÃ DE BECKY BLOOM

Empilho direitinho e espero até Luke passar pela porta, indo para o banheiro.

— Olha! — grito com um tom de orgulho na voz. — Organizei os CDs! Estão todos nas respectivas caixas!

Luke olha para dentro da sala.

— Ótimo — diz com um gesto ausente e continua andando.

Encaro-o cheia de reprovação.

É só isso que ele consegue dizer?

Aqui estou, consertando nosso casamento em dificuldades e ele nem *notou*.

De repente a campainha toca e eu salto de pé. Devem ser mamãe e papai. Terei de voltar ao nosso casamento mais tarde.

Certo. Então eu sabia que mamãe e papai tinham realmente entrado nessa de aconselhamento matrimonial. Mas de algum modo não esperava que aparecessem com *slogans* nas camisetas. A de mamãe diz "Sou uma Mulher, sou a Deusa", e a de papai diz "Não Deixe os Sacanas Passivo-agressivos Botarem Você na Pior".

— Uau! — exclamo tentando esconder a surpresa. — São fantásticas!

— Compramos no centro — diz mamãe rindo de orelha a orelha. — Não são divertidas?

— Então vocês devem estar curtindo mesmo a terapia.

— É maravilhosa! — exclama mamãe. — *Tão* mais interessante do que o bridge! E tão sociável! Um dia desses fizemos uma sessão de grupo, e adivinha só quem apareceu! Marjorie Davis, que morava do outro lado da rua!

— Verdade? — respondo surpresa. — Então ela se casou?

— Ah, não! — mamãe baixa a voz, cheia de tato. — Ela tem *questões de fronteira*, coitadinha.

Não consigo entender direito. O que, afinal, são questões de fronteira?

— Então... hã... *vocês* têm questões? — pergunto enquanto vamos para a cozinha. — A coisa anda difícil?

— Ah, nós fomos ao abismo e voltamos — diz mamãe, assentindo. — Não foi, Graham?

— Bem na beira — responde papai, afável.

— Mas agora a raiva e a culpa ficaram para trás. Estamos com o poder de viver e amar. — Ela ri para mim e remexe em sua bolsa. — Trouxe um belo pão suíço. Vamos colocar a chaleira no fogo?

— Sua mãe encontrou a deusa interior — diz papai com orgulho. — Ela andou sobre carvões em brasa, sabia?

Encaro-a boquiaberta.

— Você andou sobre carvões em brasa? Ah, meu Deus! Eu fiz isso no Sri Lanka! Doeu?

— Nem um pouco! Foi indolor! Fiquei com os sapatos de jardinagem, claro — acrescenta mamãe como um pensamento de última hora.

— Uau! — respondo. — Essa foi... hã... brilhante.

— Mas ainda temos muito que aprender — diz mamãe cortando rapidamente o pão suíço. — Por isso vamos nesse cruzeiro.

A IRMÃ DE BECKY BLOOM

— Certo — falo depois de uma pausa. — É. O...
cruzeiro da terapia. — A primeira vez que mamãe falou
nisso eu pensei que ela estava brincando. — Então a idéia
é vocês percorrerem o Mediterrâneo e todo mundo faz
sessões de terapia.

— Não é *só* terapia! — responde mamãe. — Há ex-
pedições de turismo também.

— E diversão — completa papai. — Parece que eles
têm shows ótimos. E um baile *black-tie*.

— Todos os nossos amigos do centro vão — acrescenta mamãe. — Já organizamos um pequeno coquetel
para a primeira noite! Além disso... — ela hesita. — Um
dos oradores convidados é especializado em reuniões com
membros da família há muito perdidos. O que deve ser
particularmente interessante para nós.

Sinto uma pontada desconfortável. Não quero pensar
em membros da família há muito perdidos.

Há um silêncio, e posso ver mamãe e papai trocando
olhares.

— Então... você não se deu bem com Jess — diz papai
finalmente.

Ah, meu Deus. Dá para ver que ele está desapontado.

— Na verdade, não — respondo desviando o olhar.
— Nós apenas... não somos muito parecidas.

— E por que deveriam? — pergunta mamãe, colocando a mão em meu braço para dar apoio. — Vocês cresceram totalmente separadas. Por que você teria algo em
comum com Jess a mais do que com... digamos... —
Ela pensa um momento. — Kylie Minogue.

— Becky tem muito mais em comum com Jess do que com Kylie Minogue! — exclama papai imediatamente. — Para começar, Kylie Minogue é australiana.

— Isso não prova nada — retruca mamãe. — Todos fazemos parte da *Commonwealth*, não é? Becky provavelmente se daria muito bem com Kylie Minogue, não é, querida?

— Bem...

— Elas não teriam nada a dizer uma para a outra — intervém papai, balançando a cabeça. — Estou dizendo.

— Claro que teriam! — insiste mamãe. — Elas teriam uma conversa ótima! Imagino que seriam grandes amigas!

— Já a Cher — diz papai. — *Aquela* é uma mulher interessante.

— Becky não quer ser amiga da Cher! — reage mamãe indignada. — Mas da Madonna, talvez...

— Bem, no dia em que eu conhecer Kylie Minogue, Cher *ou* Madonna, aviso a vocês, certo? — digo um pouco mais irritada do que pretendia.

Há um silêncio, e mamãe e papai se viram para me examinar. Então mamãe olha para papai.

— Graham, vá levar o café do Luke. — Ela entrega uma caneca a papai e, assim que ele sai, me dá um olhar intenso.

— Becky, amor! Você está bem? Parece um pouco tensa.

Ah, meu Deus. Há algo no rosto simpático de mamãe que faz minha compostura desmoronar. O que estive tentando tanto enterrar começa a vir à superfície.

A IRMÃ DE BECKY BLOOM   301

— Não se preocupe com Jess — diz ela com gentileza. — Não importa nem um pouco se vocês duas não se dão bem. Ninguém vai se importar!

Engulo em seco algumas vezes tentando manter o controle.

— Não é Jess. Pelo menos não é só Jess. É... Luke.

— Luke? — pergunta mamãe atônita.

— As coisas não estão indo muito bem no momento. Na verdade... — Minha voz começa a falhar. — Na verdade... acho que nosso casamento está com problemas.

Ah, meu Deus. Agora que falei em voz alta isso parece totalmente verdadeiro e convincente. *Nosso casamento está com problemas.*

— Tem certeza, amor? — Mamãe está perplexa. — Vocês dois me parecem tão felizes!

— Bem, não estamos! Acabamos de ter uma briga horrível!

Mamãe me encara por alguns instantes, depois explode numa gargalhada. Sinto a indignação crescer por dentro.

— Não ria! Foi medonha!

— Claro que foi, amor! Vocês estão chegando ao primeiro aniversário de casamento, não é?

— Bem... é.

— Então. É a época da sua Primeira Briga Feia! Você sabia disso, não sabia, Becky?

— O quê? — pergunto sem fazer a mínima idéia.

— Sua Primeira Briga Feia! — Ela faz "tsk tsk" diante de minha expressão. — Minha nossa! O que as revistas femininas ensinam a vocês hoje em dia?

— Hã... como colocar unhas de acrílico?

— Bem! Deveriam estar ensinando sobre casamentos felizes! Todos os casais têm uma Primeira Briga Feia por volta do primeiro ano. Uma grande discussão, depois o ar clareia e tudo volta ao normal.

— Meu Deus, eu nunca soube disso — digo lentamente. — Então... nosso casamento não está com problemas, afinal?

Isso tudo faz sentido. Na verdade faz muito sentido. Uma Primeira Briga Feia — e tudo fica calmo e feliz de novo. Como uma tempestade. Ar limpo e renovação. Ou um daqueles incêndios florestais que parecem medonhos mas na verdade são *bons* porque todas as plantas pequenas podem crescer de novo. Exato.

E o verdadeiro ponto é — sim! Isso significa que nada foi minha culpa! Nós teríamos uma briga de qualquer modo, independentemente do que eu fizesse! Estou começando a me animar de novo. Tudo vai ficar ótimo outra vez. Rio para mamãe e mordo um pedaço enorme de pão suíço.

— Então... Luke e eu não teremos mais brigas — digo só para garantir.

— Ah, não! — responde mamãe, me tranqüilizando. — Só até chegarem à Segunda Briga Feia, que só vai acontecer...

Ela é interrompida pela porta da cozinha se abrindo com um estrondo e Luke aparecendo. Está segurando o telefone, o rosto todo iluminado e o maior riso que eu já vi em sua cara.

— Conseguimos. Conseguimos o Grupo Arcodas!

*

Eu sabia que tudo ia ficar bem! *Sabia*. Tudo está ótimo. Na verdade este dia inteiro está parecendo o Natal!

Luke cancelou a reunião e foi direto para a empresa, comemorar — e depois de deixar mamãe e papai num táxi eu me encontrei com ele lá. Meu Deus, adoro a sede da Brandon Communications. É tudo chique, com madeira clara e refletores em toda parte, e é um lugar tremendamente feliz. Todo mundo fica andando, rindo e bebendo champanha o dia inteiro!

Ou pelo menos fazem isso quando ganham um cliente enorme. Durante o dia inteiro há som de risos e vozes empolgadas em toda parte, e alguém programou todos os computadores para cantar "parabéns" a cada dez minutos.

Luke e seus principais funcionários fizeram uma rápida reunião de comemoração/estratégia a que eu assisti. A princípio todos estavam dizendo coisas como "O trabalho começa aqui", "Precisamos recrutar" e "Há gigantescos desafios pela frente". Mas de repente Luke exclamou: "Foda-se. Vamos festejar. Amanhã pensamos nos desafios."

Por isso mandou sua secretária telefonar para um bufê, e às cinco horas um monte de caras com aventais pretos apareceram com mais champanha e canapés arrumados em chiques caixas de Perspex. Todos os empregados se amontoaram na maior sala de reuniões, havia música no sistema de som, e Luke fez um pequeno discurso dizendo que era um dia ótimo para a Brandon C e dando os parabéns, e todo mundo aplaudiu.

E agora alguns de nós vamos jantar numa *outra* comemoração! Estou na sala de Luke retocando a maquiagem e ele está colocando uma camisa limpa.

— Parabéns! — digo pela milionésima vez. — É fantástico.

— É um bom dia. — Luke ri para mim, abotoando os punhos. — Há anos eu queria um cliente grande e importante assim. Isso pode abrir o caminho para muita coisa.

— Sinto muito orgulho de você.

— Eu também. — O rosto de Luke se suaviza de repente. Ele se aproxima e me abraça. — Sei que andei distraído ultimamente. E sinto muito.

— Tudo bem — respondo baixando os olhos. — E eu... sinto muito por ter vendido os relógios.

— Isso não importa! — Luke acaricia meu cabelo. — Sei que as coisas não têm sido fáceis para você. A volta para casa... sua irmã...

— É, bem. Não vamos pensar nela. Vamos pensar em *nós*. No futuro. — Baixo sua cabeça e lhe dou um beijo. — Tudo vai ficar ótimo.

Durante um tempo ficamos os dois em silêncio. Mas de um modo bom. Somos apenas nós, abraçados, relaxados e contentes juntos, como na lua-de-mel. Sinto um súbito jorro de alívio. Mamãe estava certíssima! Aquela Primeira Briga Feia limpou totalmente o ar! Estamos mais unidos do que nunca!

— Eu te amo — murmuro.

— Eu te amo. — Luke beija meu nariz. — Temos de ir.

A IRMÃ DE BECKY BLOOM 305

— Certo. — Rio para ele. — Vou descer e ver se o carro já chegou.

Vou pelo corredor, flutuando numa nuvem de júbilo. Tudo está perfeito. Tudo! Quando passo pelas bandejas do bufê pego uma taça de champanha e tomo alguns goles. Talvez a gente vá dançar esta noite. Depois do jantar. Quando todo mundo tiver ido para casa, Luke e eu vamos a uma boate comemorar direito, só nós dois.

Desço a escada toda feliz, ainda segurando a taça, e abro a porta da recepção. Então paro, perplexa. A alguns metros de distância um sujeito de rosto fino, com terno risca-de-giz, está falando com Janet, a recepcionista. Ele parece familiar — mas de repente não consigo situá-lo...

E de repente meu estômago dá um salto mortal para trás.

Consigo sim.

É o cara de Milão. O que levou as bolsas de Nathan Temple para fora da loja. O que ele está fazendo aqui?

Cautelosamente dou alguns passos para ouvir a conversa deles.

— Então o Sr. Brandon *não* está doente? — está perguntando ele.

Merda.

Recuo para trás da porta e fecho-a com força, o coração martelando. O que faço agora?

Tomo um gole de champanha para acalmar os nervos — e depois outro. Uns dois caras da informática passam e me dão um olhar estranho, e eu sorrio de volta com cara de boba.

SOPHIE KINSELLA

Certo. Não posso me esconder atrás desta porta para sempre. Estico a cabeça acima do painel de vidro até conseguir ver a recepção — e graças a Deus. O cara de risca-de-giz foi embora. Com um suspiro de alívio empurro a porta e caminho tranqüila até a área de recepção.

— Oi! — digo casualmente a Janet, que está digitando em seu computador. — Quem era aquele sujeito agorinha mesmo? O que estava falando com você.

— Ah, ele! Trabalha para um homem chamado... Nathan Temple.

— Certo. E... o que ele queria?

— Foi estranho! — diz ela fazendo uma careta. — Ficou perguntando se Luke estava "melhor".

— E o que você disse? — Estou tentando não parecer muito ansiosa.

— Bem, disse que ele está ótimo, claro! Nunca esteve melhor! — Ela ri, achando divertido. Depois, ao ver meu rosto, pára subitamente de digitar. — Ah, meu Deus. Ele não está bem, é?

— O quê?

— Aquele homem era um médico, não era? — Ela se inclina para a frente, parecendo abalada. — Pode me contar, Becky. Luke pegou alguma doença tropical enquanto vocês estavam fora?

— Não! Claro que não!

— Então é o coração? Os rins? — Os olhos dela estão lacrimejando. — Sabe... eu perdi minha tia esse ano. Realmente não tem sido fácil...

— Desculpe — digo sem graça. — Mas honestamente, não se preocupe! Luke está ótimo! Tudo está ótimo, ótimo...

Levanto os olhos... e as palavras morrem nos meus lábios.

Por favor, não.

Isso não pode estar acontecendo.

O próprio Nathan Temple está entrando no prédio.

É maior e tem o peito mais largo do que eu lembrava, e usa o mesmo casaco com acabamento de couro que estava experimentando em Milão. Transpira poder e dinheiro, além de um cheiro de charuto. E seus olhos azuis penetrantes estão cravados direto em mim.

— Bem, olá — diz ele em seu sotaque *cockney*. — Sra. Brandon. Encontramo-nos de novo.

— O... olá! Nossa! Que... ótima surpresa!

— Ainda curtindo a bolsa? — Ele me dá o brilho de um sorriso.

— É... sim! É fabulosa!

Tenho de tirá-lo daqui é o que está me passando pelo cérebro. *Tenho de tirá-lo daqui.*

— Vim falar sobre meu hotel com seu marido — diz ele em tom agradável. — Seria possível?

— Certo! — engulo em seco. — Claro. Fantástico! A única coisa é que... Luke está meio atolado, infelizmente. Mas o senhor não gostaria de uma bebida? Poderíamos ir a um bar... bater um bom papo... o senhor poderia me contar tudo...

É. Gênio. Vou levá-lo para fora... pagar umas bebidas... Luke jamais saberá...

— Não me importo em esperar — diz ele acomodando o corpanzil numa poltrona de couro. — Se avisar a ele que estou aqui... — Seus olhos encontram os meus com um pequeno brilho. — Imagino que tenha se recuperado da doença, não é?

Meu coração dá uma cambalhota.

— Sim! — respondo alegre. — Ele está... muito melhor! Obrigada pelas flores!

Olho para Janet, que vem acompanhando esse diálogo numa ligeira perplexidade.

— Devo ligar para Luke? — pergunta ela estendendo a mão para o telefone.

— Não! Quer dizer... não se preocupe! Eu mesma vou — respondo com a voz meio aguda.

Começo a ir para os elevadores, com o coração martelando de nervosismo.

Certo. Consigo lidar com isso. Vou levar Luke para fora do prédio pelos fundos dizendo que alguém derramou água no piso do saguão e está muito escorregadio. É. E nós entramos no carro... depois finjo que esqueci alguma coisa, *volto* para Nathan Temple e digo...

— Becky?

Pulo uns três metros e levanto os olhos. Luke está vindo pela escada, de dois em dois degraus. Seu rosto reluz e ele está vestindo o paletó.

— E então, o carro já chegou? — Ele olha surpreso minha expressão congelada. — Querida... você está bem?

Ou eu poderia contar tudo a Luke.

A IRMÃ DE BECKY BLOOM

Encaro-o feito uma idiota por alguns segundos, com o estômago se revirando.

— Hã... Luke? — consigo dizer por fim.

— Sim?

— Há... há uma pessoa de quem eu preciso lhe falar. — Engulo em seco. — Deveria ter contado há séculos, mas... não contei... e estava cuidando disso, mas...

De repente percebo que Luke não ouve sequer uma palavra. Seus olhos estão ficando sombrios, em choque, quando se concentram além de mim, em Nathan Temple.

— Aquele é... — Ele balança a cabeça, incrédulo. — O que *ele* está fazendo aqui? Achei que Gary tinha se livrado dele.

— Luke...

— Espera, Becky. Isso é importante. — Ele pega o celular e digita um número. — Gary — diz em voz baixa. — O que Nathan Temple está fazendo no nosso saguão? Você deveria ter cuidado disso.

— Luke... — tento de novo.

— Querida, espere um minuto. — Ele se vira de novo para o telefone. — Bem, ele está aqui. Maior do que na vida real.

— Luke, por favor, escute. — Puxo seu braço ansiosa.

— Becky, o que quer que seja, não pode esperar até mais tarde? — diz Luke com um toque de impaciência. — Eu tenho um problema que preciso resolver...

— Mas é isso que eu estou tentando falar! — digo desesperada. — É sobre o seu problema! Tem a ver com Nathan Temple!

Luke me encara como se eu não estivesse fazendo sentido.

— Como pode ter a ver com Nathan Temple? Becky, você nem *conhece* Nathan Temple!

— Bem... na verdade... conheço sim. — Mordo o lábio. — Mais ou menos.

Silêncio. Lentamente Luke fecha o telefone.

— Você conhece "mais ou menos" Nathan Temple?

— Aí está o Sr. Brandon! — ressoa uma voz e nós dois levantamos os olhos, vendo que Janet, na recepção, nos viu. — Luke, você tem um visitante!

— Já estou indo, Janet — grita Luke de volta com um sorriso profissional. Em seguida se vira para mim, ainda sorrindo. — Becky, que porra está acontecendo?

— É... é uma história meio comprida — digo com o rosto quente.

— Você estava planejando me contar essa história em algum momento? — O sorriso de Luke está fixo, mas há uma tensão definitiva em sua voz.

— Sim! Claro! Eu só estava... esperando o momento certo.

— Você acha que *este* pode ser um bom momento? Tendo em mente que ele está a metros de distância, porra?

— É... sim! Sem dúvida. — Engulo em seco, nervosa. — Bem, tudo começou... é... numa loja, por acaso...

— Tarde demais — interrompe Luke em voz baixa. — Ele está vindo.

Acompanho o olhar de Luke e sinto um tremor de apreensão. Nathan Temple saiu de sua poltrona e vem para nós.

A IRMÃ DE BECKY BLOOM   311

— Então aí está. — Sua voz rouca chega. — O esquivo Luke Brandon. Você esteve escondendo seu marido de mim, minha jovem, não é? — E ele balança um dedo, fingindo me acusar.

— Claro que não! — dou um riso agudo. — Hã... Luke, você conhece Nathan Temple? Nós nos conhecemos em Milão... lembra, querido? — Dou um enorme sorriso falso como se fosse uma anfitriã de festa e tudo isso fosse perfeitamente normal.

— Boa noite, Sr. Temple — diz Luke com calma. — Que bom conhecê-lo.

— É um prazer. — Nathan Temple dá um tapa nas costas de Luke. — Então está se sentindo melhor, espero.

O olhar de Luke salta para mim, e eu disparo de volta uma expressão agonizante.

— Estou me sentindo muito bem — responde ele. — Posso perguntar de que se trata... esta visita inesperada?

— Bem. — Nathan Temple enfia a mão no bolso e pega uma charuteira de prata. — Parece que você não atende aos telefonemas do meu escritório.

— Estive ocupado esta semana — responde Luke sem se abalar. — Peço desculpas se minhas secretárias deixaram de repassar seus recados. Havia alguma coisa específica que o senhor queria discutir?

— O meu projeto do hotel — diz Nathan, oferecendo um charuto a Luke. — O *nosso* projeto do hotel, devo dizer.

Luke começa a responder, mas Nathan Temple levanta a mão para impedi-lo. Em seguida acende cuidadosamente o charuto e dá algumas baforadas.

— Perdoe se apareço aqui sem avisar — diz finalmente. — Mas quando quero alguma coisa não fico esperando. Vou e pego. Exatamente como a sua boa esposa, aqui. — Os olhos dele brilham. — Tenho certeza de que ela lhe contou a história.

— Acho que Becky esteve guardando a melhor parte — diz Luke com um sorriso tenso.

— Gosto da sua mulher — diz Nathan Temple com afabilidade. Em seguida sopra uma nuvem de fumaça e passa o olhar avaliador sobre mim. — Se quiser vir trabalhar comigo a qualquer momento, querida, é só telefonar.

— Nossa! — respondo meio sem jeito. — Hã... obrigada!

Olho apreensiva para Luke. Uma veia está latejando em sua testa.

— Becky — diz ele num tom educado e comedido — será que podemos trocar uma palavrinha? Com licença um momento — acrescenta.

— Sem problema. — Nathan Temple balança o charuto. — Vou terminar isso. Depois podemos conversar.

Luke marcha comigo até uma pequena sala de reuniões e fecha a porta. Depois se vira para me encarar, com o rosto tenso e profissional. Eu já o vi assim, quando ele dá bronca nos empregados.

Ah, meu Deus. Subitamente estou apavorada.

— Certo, Becky, comece do início. Não... — ele se interrompe. — Comece do meio. Como conheceu Nathan Temple?

— Foi quando estávamos em Milão. — Hesito. — Eu estava numa loja e ele... ele me fez um favor.

A IRMÃ DE BECKY BLOOM

— Ele lhe fez um *favor*? — Luke parece abalado. — Que tipo de favor? Você ficou doente? Se perdeu?

Há um longo silêncio agoniado.

— Havia uma... bolsa — digo finalmente.

— Uma bolsa? — Luke está pasmo. — Ele lhe comprou uma bolsa?

— Não! Eu comprei. Mas ele me colocou no topo da lista. E foi realmente muito gentil! E eu fiquei muito grata... — Estou dando nós nas mãos. — Por isso, quando voltamos à Inglaterra, ele telefonou e disse que queria que você se envolvesse com o lançamento de um hotel...

— E o que você respondeu? — pergunta Luke com a voz perigosamente baixa.

— O negócio... — engulo em seco. — É que eu achei que você adoraria fazer o lançamento de um hotel.

A porta se abre subitamente e Gary entra na sala.

— O que está acontecendo? — pergunta ele de olhos arregalados. — O que Nathan Temple está fazendo aqui?

— Pergunte a Becky. — Luke sinaliza para mim. — Parece que ela está tendo um tremendo contato com ele.

— Eu não sabia quem ele era! — digo na defensiva. — Não fazia idéia! Ele só era um adorável *cockney* que conseguiu a bolsa para mim...

— Bolsa? — pergunta Gary com a cabeça girando alerta, de mim para Luke. — Que bolsa?

— Parece que Becky ofereceu meus serviços a Nathan Temple em troca de uma bolsa — diz Luke em tom curto e grosso.

— Uma *bolsa*? — Gary parece perplexo.

— Não era uma bolsa qualquer! — exclamo incomodada. — Era uma bolsa Angel, de edição limitada! Só existem algumas poucas no mundo inteiro! Saiu na capa da *Vogue*! Todas as estrelas de cinema querem uma, e coisa e tal!

Os dois me encaram em silêncio. Nenhum deles parece impressionado.

— E, de qualquer modo — digo com o rosto em chamas —, achei que o lançamento de um hotel seria fabuloso! É cinco estrelas! Vocês iam conhecer celebridades!

— *Celebridades?* — ecoa Luke, subitamente perdendo as estribeiras. — Becky, eu não *preciso* conhecer esse tipo de celebridades! Não preciso fazer o lançamento do hotel de um criminoso cafona! Preciso estar aqui, com minha equipe, concentrado nas necessidades do novo cliente.

— Eu não sabia! — digo desesperada. — Achei que era um brilhante golpe de criação de contato!

— Calma, chefe — diz Gary a Luke, tentando tranqüilizá-lo. — Nós não prometemos nada a ele...

— Ela prometeu. — Luke sinaliza para mim e Gary gira, chocado.

— Eu não... prometi exatamente. — Minha voz treme um pouco. — Eu só disse... que você adoraria.

— Percebe como isso torna a coisa muito mais difícil para mim? — Luke está segurando a cabeça. — Becky, por que não me *contou*? Por que não me contou isso em Milão?

A IRMÃ DE BECKY BLOOM   315

Silêncio.

— Porque a bolsa Angel custou dois mil euros — digo finalmente numa voz minúscula. — Achei que você ficaria chateado.

— Jesus Cristo. — Luke parece estar no limite de suas forças.

— E aí eu não queria incomodar! Você estava tão ocupado com a apresentação para o Arcodas... Pensei em cuidar disso sozinha. E *estava* cuidando.

— Cuidando — ecoa Luke incrédulo. — Como estava cuidando disso?

— Falei a Nathan Temple que você estava doente. — Engulo em seco.

Muito lentamente a expressão de Luke muda.

— O buquê de flores — diz ele em voz calma. — Era de Nathan Temple?

Ah, meu Deus.

— Era — sussurro.

— Ele lhe mandou flores? — pergunta Gary incrédulo.

— E um cesto de frutas — responde Luke.

Gary dá uma gargalhada fungada.

— Não é engraçado — diz Luke com a voz parecendo um chicote. — Acabamos de ganhar o maior cliente de nossas vidas. Deveríamos estar comemorando. E não tendo de lidar com a porcaria do Nathan Temple sentado no nosso saguão. — Ele se afunda numa cadeira.

— Não é bom torná-lo inimigo, Luke — diz Gary fazendo uma pequena careta. — Principalmente se ele está comprando o *Daily World*.

Silêncio na pequena sala, a não ser pelo tiquetaque de um relógio.

Não ouso dizer uma palavra.

Então Luke se levanta abruptamente.

— Não podemos ficar aqui sentados o dia inteiro. Vou falar com ele. Se tenho de fazer o trabalho, tenho de fazer o trabalho. — Ele me encara. — Só espero que a bolsa tenha valido, Becky. Realmente espero que tenha valido.

Sinto uma súbita pontada de dor.

— Luke, desculpe — digo desesperada. — Desculpe de verdade. Nunca pretendi... nunca percebi...

— É, Becky — ele me interrompe com voz cansada. — Deixa para lá.

Ele sai da sala seguido por Gary. E eu só fico ali sentada em silêncio. De repente sinto uma lágrima rolar pelo rosto. Tudo estava tão perfeito! E agora está arruinado.

DEZESSEIS

As coisas não vão bem.

Na verdade esta foi a pior semana de todo o nosso casamento.

Praticamente não vi Luke, de tão atolado que ele está no trabalho. Tem tido reuniões todos os dias com o Grupo Arcodas, além disso houve uma crise enorme com um dos bancos clientes, e um dos seus principais gerentes de contas foi levado às pressas ao hospital, com meningite. É um tumulto completo.

E hoje, em vez de ter a chance de relaxar e se recompor, ele precisa viajar até Chipre para visitar o hotel de Nathan Temple e começar a planejar o lançamento. Um lançamento que ele não quer fazer.

E é tudo minha culpa.

— Posso fazer alguma coisa? — pergunto nervosa enquanto o vejo colocar camisas numa mala.

— Não. Obrigado.

É assim que ele está a semana inteira. Quieto, de dar medo, e mal me encarando. E quando me encara parece tão irritado que meu estômago dá uma cambalhota e eu me sinto doente.

Estou me esforçando de verdade para me manter positiva e animada. Quer dizer, na certa é totalmente normal os casais terem problemas assim. Como mamãe disse. Esta é a Segunda Briga Feia do nosso casamento, e todo o ar vai ficar limpo de novo e tudo vai ficar bem...

Só que não sei se a Segunda Briga Feia deve acontecer dois dias depois da Primeira Briga Feia.

E não sei se deveria durar uma semana inteira.

Tentei mandar um e-mail para mamãe, em seu navio de cruzeiro, para pedir conselhos, mas recebi uma mensagem de volta dizendo que o cruzeiro de Mente e Corpo era um retiro fora do mundo exterior, e nenhum passageiro podia ser contatado.

Luke fecha o zíper da sacola de terno e desaparece no banheiro sem nem mesmo me olhar, e sinto uma pontada de dor. Ele vai sair em cinco minutos. Não podemos nos separar assim. Simplesmente não podemos.

Ele sai de novo e joga sua *nécessaire* na mala.

— Nosso primeiro aniversário de casamento está chegando, você sabe — digo numa voz rachada. — A gente deveria... planejar alguma coisa.

— Eu nem tenho certeza se vou voltar — diz Luke.

Ele parece que não se importa, também. Nosso primeiro aniversário de casamento e ele nem está interessado. De repente minha cabeça esquenta e eu sinto lágrimas pressionando os olhos. A semana inteira foi medonha, e agora Luke vai partir e nem quer sorrir para mim.

— Você não precisa ficar tão hostil, Luke — digo rapidamente. — Sei que fiz merda. Mas não foi de propósito. Pedi desculpa um zilhão de vezes.

A IRMÃ DE BECKY BLOOM

— Eu sei — responde Luke no mesmo tom cansado que está usando a semana inteira.

— O que você espera que eu faça?

— O que você espera que *eu* faça, Becky? — retruca ele numa exasperação súbita. — Dizer que não faz mal? Dizer que não me importo em viajar para uma ilha esquecida por Deus quando deveria estar pondo todo o esforço no Grupo Arcodas? — Ele fecha a mala com gestos bruscos. — Quer que eu diga que estou *feliz* em me associar a um hotel horrendo e cafona?

— Não vai ser cafona! — exclamo consternada. — Tenho certeza de que não vai! Nathan Temple disse que seria da maior qualidade! Você deveria tê-lo visto naquela loja em Milão, Luke. Ele só aceitava o melhor! O melhor couro... o melhor *cashmere*...

— E tenho certeza que vai ter os melhores colchões de água — diz Luke com sarcasmo na voz. — Becky, você não entende? Eu tenho alguns princípios.

— Eu também! — reajo chocada. — Tenho princípios! Mas isso não faz de mim uma *esnobe*!

— Não sou esnobe — rebate Luke, tenso. — Simplesmente tenho padrões.

— Você é esnobe! — digo antes de conseguir impedir. — Só porque ele era dono de motéis! Estive pesquisando Nathan Temple na internet. Ele faz um bocado de caridade, ajuda pessoas...

— E também deslocou o queixo de um homem — interrompe Luke. — Você leu sobre isso?

Por alguns instantes fico parada.

— Isso foi... há anos — digo finalmente. — Ele se corrigiu... melhorou...

— Tanto faz, Becky. — Luke suspira e pega a mala. — Não podemos deixar isso de lado?

Ele sai para a sala e depois de um momento vou atrás.

— Não. Não podemos deixar. Temos de conversar, Luke. Você praticamente não me olhou durante toda a semana.

— Estive ocupado. — Ele enfia a mão na mala, pega um envelope de Ibuprofen e joga dois comprimidos na boca.

— Não esteve não. — Mordo o lábio. — Esteve me punindo.

— E você pode me *culpar*? — Luke passa as mãos pelos cabelos. — Foi uma semana infernal.

— Então me deixe ajudar! — respondo ansiosa. Acompanho-o até a cozinha onde ele está colocando água num copo. — Deve haver algo que eu possa fazer. Eu poderia ser sua secretária... ou fazer pesquisa...

— Por favor! — interrompe Luke, e engole o Ibuprofen. — Chega de ajuda. Tudo que a sua "ajuda" faz é desperdiçar a porra do meu tempo. Certo?

Encaro-o com o rosto queimando. Ele deve ter olhado minhas idéias na pasta cor-de-rosa. Deve ter achado que eram uma merda total.

— Certo — digo finalmente. — Bem... não vou incomodar mais.

— Por favor, faça isso. — Ele entra no escritório e posso ouvi-lo abrindo gavetas.

Enquanto estou sentada ali, com o sangue martelando na cabeça, ouço o som da caixa de correspondência.

A IRMÃ DE BECKY BLOOM

Vou até o *hall*, onde há um pacote no capacho. É um envelope para Luke, com uma marca de correio manchada. Pego e olho para a letra, escrita em hidrocor preta. Parece familiar. Só que não é.

— Você recebeu um pacote — digo.

Luke sai do escritório segurando uma pilha de pastas de papel e as joga na pasta executiva. Em seguida pega o pacote comigo, abre e tira um disco de computador, junto com uma carta.

— Ah! — exclama ele, parecendo mais satisfeito do que durante toda a semana. — Excelente.

— De quem é?

— Da sua irmã — diz Luke.

Sinto como se ele tivesse me dado um soco no peito. Minha irmã? *Jess*? Meu olhar vai até o pacote, incrédulo. Aquela é a letra de Jess?

— Por que... — Estou tentando manter a voz calma. — Por que Jess está escrevendo para você?

— Ela mexeu naquele CD-ROM para nós. — Luke examina a página até o final. — Ela é realmente demais. É melhor do que os nossos caras da informática. *Preciso* mandar umas flores.

Sua voz está toda calorosa e agradecida, e seus olhos brilham. Enquanto o olho, de repente sinto um enorme nó na minha garganta.

Ele acha a Jess fabulosa, não é? Jess é fabulosa... e eu sou uma merda.

— Então Jess foi de grande ajuda para você, não é? — pergunto com a voz trêmula.

— É. Para ser honesto, foi.

— Acho que você preferiria que ela estivesse aqui, e não eu. Acho que você preferiria que a gente trocasse de lugar.

— Não seja ridícula. — Luke dobra a carta e coloca de volta no envelope.

— Se acha Jess tão fantástica, por que não vai morar com ela? — ouço minha voz saindo num jorro de angústia. — Por que vocês não vão... conversar sobre computador?

— Becky, acalme-se — diz Luke, espantado.

Mas não consigo me acalmar. Não consigo parar.

— Tudo bem! Pode ser honesto comigo, Luke! Se prefere uma unha-de-fome miserável, com gosto zero para se vestir e senso de humor zero... é só dizer! Talvez você devesse se casar com ela, se ela é tão fantástica! Ela é tão divertida! Tenho *certeza* de que iria ficar numa ótima com ela...

— Becky! — Luke me interrompe com um olhar que me enregela até a medula. — Pare agora mesmo.

Ele fica quieto alguns instantes, dobrando o envelope. Não ouso mover um músculo.

— Sei que você não se deu bem com Jess — diz finalmente, levantando os olhos. — Mas saiba o seguinte: sua irmã é uma boa pessoa. É honesta, confiável e trabalhadora. Gastou horas nisso para nós. — Ele bate no disco. — E se ofereceu para fazer, não pediu pagamento nem agradecimento. Eu diria que ela é uma pessoa realmente altruísta. — Ele dá alguns passos para mim, com o rosto implacável. — Você poderia aprender muito com sua irmã.

Meu rosto está quente e frio, de choque. Abro a boca para falar — mas não sai nada.

— Tenho de ir. — Luke olha o relógio. — Vou pegar minhas coisas.

Ele sai da cozinha. Mas não consigo me mexer.

— Estou indo. — Luke reaparece à porta da cozinha segurando sua mala. — Não sei quando volto.

— Luke... desculpe. — Finalmente encontrei a voz, mesmo que esteja toda trêmula. — Desculpe se fui um desapontamento tão grande para você. — Levanto a cabeça tentando manter o controle. — Mas se realmente quer saber... você também foi um desapontamento para mim. Você mudou. Você era divertido na lua-de-mel. Era divertido, tranqüilo e relaxado...

De repente tenho uma lembrança de como Luke era. Sentado em seu tapete de ioga com as tranças descoradas e o brinco. Sorrindo para mim ao sol do Sri Lanka. Pegando minha mão.

Sinto uma pontada insuportável de saudade. Aquele sujeito tranqüilo e feliz não tem qualquer semelhança com o homem de rosto tenso parado à minha frente

— Você está diferente. — As palavras saem num soluço e eu sinto uma lágrima escorrendo pelo rosto. — Voltou a ser como era. Como prometeu que nunca mais seria. — Enxugo a lágrima com força. — Não era assim que eu imaginava a vida de casada, Luke.

Há silêncio na cozinha.

— Nem eu. — Há algo maroto e familiar em sua voz, mas ele não está sorrindo. — Tenho de ir. Tchau, Becky.

Ele se vira, e alguns instantes depois ouço a porta da frente batendo.

Engulo em seco algumas vezes, tentando manter o controle. Mas as lágrimas já estão escorrendo pelas bochechas e minhas pernas estão bambas. Afundo no chão e enterro o rosto nos joelhos. Luke foi embora. E nem me deu um beijo de despedida.

Por um tempo não me mexo. Só fico sentada no *hall*, abraçando os joelhos, ocasionalmente enxugando os olhos com a manga da blusa. Por fim as lágrimas secam e eu respiro fundo algumas vezes, mais calma. Mas a sensação enjoativa e oca no estômago continua lá.

Nosso casamento está destroçado. E nem faz um ano.

Por fim me levanto e fico de pé rigidamente. Sinto-me entorpecida e atordoada. Entro lentamente na sala de jantar silenciosa e vazia, no meio da qual está orgulhosamente nossa mesa esculpida, do Sri Lanka.

A visão me dá vontade de chorar de novo. Tinha sonhos tão lindos para essa mesa! Tinha sonhos de como seria nossa vida de casados. Todas as visões estão se empilhando na cabeça: a luz das velas, eu servindo um cozido suculento, Luke sorrindo amoroso, todos os nossos amigos reunidos em volta da mesa...

De repente sinto uma saudade avassaladora, quase física. Preciso falar com Suze. Preciso ouvir sua voz simpática. Ela saberá o que fazer. Sempre sabe.

Vou quase correndo até o telefone e digito o número com força.

A IRMÃ DE BECKY BLOOM   325

— Alô? — atende uma voz aguda de mulher. Mas
não é Suze.

— Oi! — digo sem graça. — Aqui é a Becky. Quem...

— Aqui é Lulu! Oi, Becky! Como vai?

Sua voz animada e abrasiva parece lixa nos meus sentimentos em carne viva.

— Estou bem. Suze está aí, por acaso?

— Está acabando de colocar os gêmeos no carrinho!
Vamos sair para um piquenique na Marsham House.
Conhece?

— Hã... — esfrego o rosto. — Não. Não conheço.

— Ah, você deveria visitá-la! Cosmo, queridinho!
Com seu macacão de brim, não! É uma supercasa, his-
tórica. E maravilhosa para as crianças. Há uma fazenda
de borboletas!

— Certo — consigo dizer. — Fantástico.

— Vou pedir para ela ligar de volta em dois segundos, certo?

— Obrigada — respondo com alívio. — Seria ótimo. Só diga... que realmente preciso falar com ela.

Vou até a janela, encosto o rosto no vidro e olho para
o tráfego lá embaixo. O sinal de trânsito na esquina fica
vermelho e todos os carros param. Fica verde de novo e
todos os carros partem numa pressa alucinada. Depois
fica vermelho de novo — e outros carros param.

Suze não ligou. E já faz mais de dois segundos.

Ela não vai ligar. Agora vive num mundo diferente.
Um mundo de macacões de brim, piqueniques e fazen-
das de borboletas. Não há espaço para mim e meus problemas estúpidos.

326 SOPHIE KINSELLA

Minha cabeça está densa e pesada de desapontamento. Sei que Suze e eu não temos nos dado muito bem ultimamente. Mas achei... honestamente achei...

Engulo em seco.

Talvez possa ligar para Danny. Só que... deixei uns seis recados e ele não ligou de volta.

Pois é. Não faz mal. Não importa. Tenho de dar um jeito sem ajuda.

Ando com o máximo de determinação possível até a cozinha. O que vou fazer é... uma xícara de chá. É. E partir daí. Acendo o fogo da chaleira, jogo um saquinho de chá numa caneca e abro a geladeira.

Não tem leite.

Por um instante sinto vontade de cair no chão soluçando de novo.

Mas em vez disso respiro fundo e levanto o queixo. Ótimo. Vou comprar leite. E refazer os estoques. Vai ser bom tomar um pouco de ar puro e afastar a mente das coisas.

Pego a bolsa, passo um pouco de brilho labial e deixo o apartamento. Saio rapidamente pela portaria e vou para a rua, passo pela loja esquisita com um monte de móveis dourados e entro na *delicatessen* da esquina.

No momento em que entro começo a me sentir mais firme. Aqui dentro é tão quente e tranqüilo, com um cheiro delicioso de café, de queijo e da sopa que estejam preparando no dia. Todos os vendedores usam aventais compridos e listados, parecem genuínos queijeiros franceses.

Pego um cesto de vime, vou ao balcão de leite e coloco duas caixas de leite orgânico semidesnatado. Então meu olhar cai num pote de iogurte grego de luxo. Talvez compre umas coisinhas para me animar. Ponho o iogurte no cesto, junto com algumas musses de chocolate. Depois pego um estupendo vidro soprado à mão, com cerejas de grife.

Isso é desperdício de dinheiro, entoa uma voz na minha cabeça. *Você nem gosta de cerejas em conserva.*

Parece a voz de Jess. Estranho. E, de qualquer modo, eu *gosto* de cerejas em conserva. Mais ou menos.

Balanço a cabeça irritada e jogo o vidro no cesto, depois vou para a próxima gôndola e pego uma minipizza de azeitona e anchovas.

Lixo caro demais, diz a voz na minha cabeça. *Você poderia fazer em casa por 20 pence.*

Cala a boca, retruco mentalmente. Não, não poderia. Vá embora.

Jogo a pizza no cesto e ando mais rapidamente pelas gôndolas, colocando pacotinhos de pêssego branco e pêras em miniaturas, vários queijos, trufas de chocolate, uma torta francesa de morango...

Mas a voz de Jess está constantemente na minha cabeça, como um zumbido.

Você está jogando dinheiro fora. O que aconteceu com o orçamento? Acha que se paparicar assim vai trazer Luke de volta?

— Pára com isso! — digo em voz alta, irritada. Meu Deus, estou enlouquecendo. Num desafio jogo três latas de caviar russo no cesto cheio demais e vou cambaleando até o caixa. Largo o cesto no balcão e enfio a mão na bolsa para pegar o cartão de crédito.

Enquanto começa a pegar todas as minhas compras, a garota no caixa sorri para mim.

— A torta é deliciosa — diz colocando-a cuidadosamente numa caixa. — E os pêssegos brancos. E caviar! — Ela parece impressionada. — Vai dar uma festa?

— Não! — digo abalada. — Não vou dar uma festa. Só estou... só...

Mas de repente não posso continuar.

De repente me sinto uma idiota. Olho a pilha de comida estúpida, cara demais, de luxo, soltando bipes no leitor de código de barras, e sinto o rosto em chamas. O que estou fazendo? Por que estou comprando tudo isso? Não preciso disso. Jess está certa.

Jess está certa.

O simples pensamento faz com que eu me encolha e me vire. Não quero pensar em Jess.

Mas não consigo evitar. Não consigo escapar dos pensamentos que giram num redemoinho na cabeça como grandes corvos negros. Vinda do nada, ouço a voz séria de Luke. *Ela é uma pessoa boa... É honesta, confiável e trabalhadora... Você poderia aprender muito com sua irmã.*

Ah, meu Deus. É isso.

Esta é a resposta.

— São 130 libras e 77 centavos — diz a garota do caixa com um sorriso. Encaro-a totalmente atordoada.

— Eu... preciso ir — digo. — Agora.

— Mas as suas compras! — exclama a garota.

— Não preciso dela.

A IRMÃ DE BECKY BLOOM   329

Viro-me e saio cambaleando da loja, ainda segurando o cartão de crédito. Chego à calçada e respiro fundo e longamente, como se estivesse com falta de ar.

Tudo se encaixou. Tenho de ir aprender com Jess. Como Yoda.

Serei sua aprendiz e ela vai me ensinar seus modos frugais. Vai me mostrar como ser uma boa pessoa, o tipo de pessoa que Luke deseja. E vou aprender a salvar meu casamento.

Começo a andar pela rua, cada vez mais depressa, até que estou correndo. Pessoas me olham, mas não me importo. Tenho de ir à Cumbria. Neste minuto.

Corro até em casa e subo uns três lances de escada antes de perceber que os pulmões estão quase explodindo e que nunca vou chegar à cobertura. Sento-me e bufo como uma locomotiva a vapor durante alguns minutos, depois pego o elevador pelo resto do caminho. Entro no apartamento e corro ao quarto, onde pego uma mala vermelho-vivo embaixo da cama e começo a jogar coisas aleatoriamente dentro, como fazem na TV. Uma camiseta... roupa de baixo... um par de sandálias turquesa, de salto agulha, com tiras cobertas de *strass*... quer dizer, não importa o que vou levar, não é? Só tenho de chegar lá e construir pontes com Jess.

Por fim fecho a mala e a levanto da cama. Pego um casaco, arrasto a mala pelo corredor e saio, viro-me e tranco a porta com duas voltas da chave. Olho-a pela última vez — depois vou para o elevador, sentindo-me forte com uma nova decisão. Tudo vai mudar a partir deste momento. Minha vida nova começa aqui. E lá vou eu, aprender o que é realmente importante...

Ah. Esqueci a chapinha de alisamento.

Instintivamente aperto o botão de "PARAR". O elevador, que já ia descer, dá uma espécie de sacolejo, mas fica imóvel.

Não posso ir sem a chapinha. E *spray* de cabelo. E o bálsamo labial Kiehl. Não posso *viver* sem isso.

Certo, talvez tenha de repensar toda a estratégia do "não importa o que se leva".

Saio correndo do elevador, destranco a porta da frente e volto ao quarto. Tiro outra mala de baixo da cama, esta verde-lima, e começo a jogar coisas dentro, também.

Agora que penso nisso, deveria levar hidratante extra. E talvez um dos meus chapéus novos, só para o caso de haver algum casamento. Jogo um monte de roupas a mais e um jogo de gamão para viagem, para o caso de me entediar no trem (e conhecer alguém que possa me ensinar a jogar).

Por fim pego a bolsa Angel. E quando vejo meu reflexo no espelho, sem aviso, a voz de Luke ressoa na minha cabeça:

Só espero que a bolsa tenha valido a pena, Becky.

Paro. Por alguns instantes me sinto enjoada.

O que seria simplesmente ridículo. Como posso deixar para trás minha coisa mais valiosa?

Ponho-a no ombro e me olho, tentando recapturar o desejo e a empolgação que senti ao vê-la pela primeira vez. É uma *bolsa Angel*, lembro-me com desafio. Tenho

A IRMÃ DE BECKY BLOOM

o item mais desejado do planeta. Pessoas lutam por ela. Uma bolsa não pode ficar mais pesada, pode?

Ah, certo. Coloquei o carregador do celular dentro. É por isso.

Tudo bem. Chega. Estou indo. E vou levar a bolsa.

Desço ao térreo e arrasto as malas para fora do prédio. Um táxi iluminado se aproxima e eu estendo a mão. Coloco as malas dentro, sentindo-me subitamente agitada pelo que vou fazer.

— Estação de Euston, por favor — digo ao motorista, com a voz falhando. — Vou me reconciliar com minha irmã há muito perdida, achada e depois afastada.

O motorista me olha, sem se comover.

— Quer a entrada dos fundos, amor?

Honestamente. É de pensar que os motoristas de táxi deveriam ter algum senso de drama. É de pensar que aprenderiam isso na escola de táxis.

As ruas estão liberadas e chegamos a Euston em dez minutos. Enquanto vou até a bilheteria, arrastando as malas, sinto como se estivesse num antigo filme preto-e-branco. Deveria haver nuvens de vapor em toda parte, e os guinchos e apitos dos trens, e eu deveria estar usando um conjunto de *tweed* bem cortado e estola de pele, com *mise-en-plis* no cabelo.

— Uma passagem para a Cumbria, por favor — digo com um latejar de emoção, e ponho uma nota de 50 libras no balcão.

É aí que um homem de queixo comprido deveria me notar e oferecer um coquetel, ou tirar cisco do meu olho.

Em vez disso uma mulher com uniforme de náilon laranja me olha como se eu fosse uma imbecil.

— Cumbria? — pergunta ela. — Onde, na Cumbria?

Ah. Claro. Será que o povoado de Jess tem estação?

De repente tenho um clarão ofuscante de memória. Quando conheci Jess ela falou que vinha de...

— North Coggenthwaite. Ida e volta, por favor. Mas não sei quando vou voltar. — Dou-lhe um sorriso corajoso. — Vou me reconciliar com minha irmã há muito perdida, achada...

A mulher me interrompe sem simpatia.

— São 177 libras.

O quê? *Quanto?* Por esse preço eu poderia ir a Paris.

— Hã... aqui está — digo entregando parte do dinheiro dos relógios Tiffany.

— Plataforma nove. O trem parte em cinco minutos.

— Certo. Obrigada.

Viro-me e começo a andar rapidamente pela estação até a plataforma nove. Mas quando o gigantesco trem Intercity aparece, meu passo confiante fica um pouco mais lento. Pessoas passam ao redor, abraçando amigos, carregando bagagens e batendo portas de vagões.

Paro. Meu coração está martelando e as mãos estão suadas em volta das alças das malas. Até agora isso tudo parecia uma espécie de jogo. Mas não é. É real. Não posso acreditar que vou mesmo fazer.

Vou realmente viajar centenas de quilômetros para um lugar estranho — para encontrar uma irmã que me odeia de paixão?

DEZESSETE

Ah, meu Deus, estou aqui.

São cinco horas mais tarde e estou aqui, na Cumbria, no povoado de Jess. Estou no norte!

Estou andando pela rua principal de Scully — e é tão pitoresca! Exatamente como Gary descreveu, com os muros de pedras sem argamassa e coisa e tal. Dos dois lados há antigas casas de pedras com teto de ardósia. Para além das casas estão morros ásperos com pedras se projetando e ovelhas pastando. E acima de todos os outros há um morro gigantesco que é praticamente uma montanha.

Enquanto passo por um lindíssimo chalé de pedras noto uma cortina sendo puxada e alguém me espiando. Acho que estou um pouquinho chamativa, com as malas vermelha e verde-lima. Meus saltos fazem barulho na rua, além disso a caixa do chapéu está batendo a cada movimento. Enquanto passo por um banco, duas velhas senhoras com vestidos estampados e cardigãs me olham com suspeitas e posso ver uma delas apontando para meus sapatos de camurça cor-de-rosa. Dou-lhes um sorriso amigável e estou para dizer "comprei na Barneys!" quando elas se levantam e saem arrastando os pés, ainda me olhando. Dou mais alguns passos pela rua e paro, ofegando ligeiramente.

Esse lugar tem muito morro, não é? Não que haja nada de errado com morros. Não é absolutamente problema para mim.

Mas mesmo assim eu poderia parar alguns instantes para admirar o campo e recuperar o fôlego. O motorista de táxi se ofereceu para me levar até a porta, mas eu disse que preferiria andar o finalzinho, só para acalmar os nervos. E também secretamente tomar um gole de uma garrafinha de vodca que comprei no trem. Estou começando a me sentir meio trêmula porque vou ver Jess de novo, o que é ridículo porque tive horas para me preparar no trem.

Até acabei recebendo ajuda de especialistas! Tinha entrado no bar do trem e pedido um *bloody mary* — só para dar um pouquinho de coragem — e ali estava todo um grupo de atores shakespearianos, tomando vinho e fumando, indo para uma turnê de *Henrique V*. Nós batemos papo e eu acabei contando toda a história, falei que ia tentar me reconciliar com Jess. E todos ficaram malucos! Disseram que era exatamente como *Rei Lear*, e pediram *bloody marys* para todos e insistiram em me orientar no discurso.

Não sei se vou fazer *tudo* que eles sugeriram. Como arrancar os cabelos ou me empalar com a adaga falsa. Mas várias dicas foram bastante úteis! Tipo, por exemplo, jamais roubar a cena de um colega, o que significa nunca

A IRMÃ DE BECKY BLOOM 335

se posicionar de modo a que o outro tenha de se virar de costas para a platéia. Todos concordaram que essa era a pior coisa que eu poderia fazer com minha irmã, e que se eu fizesse haveria zero chances de reconciliação e que francamente eles não a culpariam. Observei que não haveria platéia, mas eles disseram que isso era absurdo, que iria se juntar uma multidão.

O vento está soprando meu cabelo para tudo quanto que é canto, e posso sentir os lábios sendo ressecados pelo ar do norte, por isso pego o bálsamo labial e passo um pouco. Depois, com um arrepio, pego o celular pela milionésima vez para ver se Luke ligou e eu não percebi. Mas não há qualquer sinal. Devo estar fora de área. Olho por um minuto para a telinha vazia, o coração batendo com uma esperança estúpida. Se não há sinal, talvez ele tenha tentado ligar! Talvez esteja telefonando agora mesmo e não consiga completar...

Mas bem no fundo sei que não é verdade. Seis horas se passaram desde que ele partiu. Se quisesse ligar, já teria feito isso.

Sinto-me vazia por dentro enquanto tudo volta numa torrente. A voz áspera de Luke. O modo como ele me olhou logo antes de sair, tão desapontado e cansado. Todas as coisas que ele disse. Nossa briga esteve ecoando em meu cérebro o dia inteiro, até a cabeça ficar quente e dolorida.

Para meu horror, lágrimas começam subitamente a pinicar os olhos. Pisco furiosamente para contê-las e fungo com força. Não vou chorar. Tudo vai ficar bem. Vou tomar jeito, me transformar numa nova pessoa e Luke nem vai me reconhecer.

Decididamente começo a puxar as malas de novo morro acima, até chegar à esquina da Hill Rise. Paro e olho os terraços de pedra cinza dos chalés, com a coluna arrepiando de apreensão. É isso. É a rua de Jess. Ela mora numa dessas casas!

Estou enfiando a mão no bolso para verificar o número exato quando de repente noto movimento numa janela de um andar de cima, a algumas casas de distância. Olho — e lá está Jess! Está parada junto à janela, olhando para mim numa perplexidade absoluta.

Apesar de tudo que aconteceu entre nós, sinto um jorro de emoção ao ver seu rosto familiar. Essa é minha irmã, afinal de contas. Começo a correr rua acima, as malas se sacudindo atrás de mim, a caixa de chapéu batendo a cada passo. Chego à porta, ofegante, e estou para levantar o ferrolho quando ele se abre. Jess está parada diante de mim com uma calça de veludo-cotelê marrom-claro e suéter, parecendo estupefata.

— Becky... que diabo você está fazendo aqui?

— Jess, quero aprender com você — digo em voz embargada e levanto as mãos em súplica como os atores shakespearianos me ensinaram. — Vim ser sua aprendiz.

— O quê? — Ela dá um passo atrás, horrorizada. — Becky, você andou *bebendo*?

— Não! Quer dizer, sim. Uns *bloody marys*, talvez... mas não estou bêbada, garanto! Jess, quero ser uma boa pessoa. — As palavras saem num jato. — Quero aprender com você. E conhecer você. Sei que cometi erros na vida... mas quero aprender a partir deles. Jess, quero ser como você.

Há um silêncio agourento. Jess está me olhando com firmeza.

— Quer ser como eu? Achei que eu era uma "vaca miserável e unha-de-fome", Becky.

Droga. Esperava que ela tivesse esquecido essa parte.

— É... sinto muito ter dito isso — murmuro abalada. — Não falei a sério.

Jess não parece convencida. Rapidamente volto a mente ao treinamento no trem.

— O tempo curou nossas feridas... — começo tentando segurar sua mão.

— Não curou! — responde Jess, recuando. — E você tem muita cara-de-pau em vir aqui.

— Mas estou pedindo para você me ajudar como irmã — digo desesperada. — Quero aprender com você! Você é Yoda e eu sou...

— Yoda? — Os olhos de Jess se arregalam, incrédulos.

— Você não parece o Yoda — acrescento às pressas. — Nem um pouco! Só quis dizer...

— É, bem, não estou interessada, Becky. Nem em você nem em sua última idéia estúpida. Vá embora.

Ela bate a porta e eu fico olhando, chocada. Jess bateu a porta na minha cara? Na cara da própria irmã?

— Mas eu vim lá de Londres! — grito pela porta.

Não há resposta.

Não posso desistir. Assim, não.

— Jess! — Começo a bater na porta com força. — Você tem de me deixar entrar! Por favor! Sei que tivemos diferenças...

— Deixe-me em paz! — A porta é aberta bruscamente e Jess está ali parada de novo. Mas dessa vez não parece apenas hostil. Parece positivamente lívida. — Becky, nós não tivemos apenas diferenças! Nós *somos* diferentes. Não tenho tempo para você. Francamente, gostaria de nunca ter conhecido você. E não faço idéia do que você está fazendo aqui.

— Você não entende — digo rapidamente, antes que ela possa bater a porta de novo. — Tudo deu errado. Luke e eu brigamos. Eu... eu fiz uma coisa estúpida.

— Ora, que surpresa! — Jess cruza os braços.

— Sei que fui eu mesma que provoquei. — Minha voz começa a tremer. — Sei que a culpa é minha. Mas acho que nosso casamento está com problemas de verdade. Acho mesmo.

Enquanto digo as palavras, posso sentir as lágrimas ameaçando de novo. Pisco com força, tentando contê-las.

— Jess... por favor, me ajude. Você é a única pessoa em quem posso pensar. Se eu pudesse aprender com você, talvez Luke voltasse atrás. Ele gosta de você. — Sinto um aperto na garganta, mas me obrigo a encará-la. — Ele gosta mais de você do que de mim.

Jess balança a cabeça, mas não sei se é porque não acredita ou não se importa.

— Quem é, Jess? — vem uma voz de trás dela, e outra garota aparece junto à porta. Tem cabelo liso cor de rato, óculos, e está segurando um bloco de papel pardo.

— Outra testemunha-de-Jeová?

— Não sou testemunha-de-Jeová! — digo. — Sou irmã de Jess!

— Irmã de Jess? — A garota me encara perplexa, os olhos examinando minha roupa, os sapatos e as duas malas.

— Sei o que você quis dizer — comenta ela com Jess, e baixa a voz um pouco. — Ela parece meio desequilibrada. Desequilibrada?

— Não estou maluca! — respondo à garota. — E não tem nada a ver com você. Jess...

— Becky, vá para casa — diz Jess peremptoriamente.

— Mas...

— Você não entende inglês? Vá para casa! — Ela ergue a mão como se fosse espantar um cachorro.

— Mas... eu sou sua parente! — Minha voz está começando a tremer. — Parentes se ajudam! Parentes cuidam um do outro. Jess, eu sou sua irmã!

— Bem, não é minha culpa — responde Jess rispidamente. — Nunca pedi para ser sua irmã. Tchau, Becky.

Ela bate a porta de novo, com tanta força que eu me encolho. Levanto a mão para bater de novo, e deixo-a cair. Não adianta, não é?

Por alguns instantes fico ali imóvel, olhando a porta pintada de marrom. Então, lentamente, viro-me e começo a puxar as malas de volta pela rua.

Vim até aqui por nada.

O que faço agora?

A idéia de voltar direto para casa é insuportável. Todas aquelas horas de trem... para quê? Um apartamento vazio?

Um apartamento vazio e nenhum marido.

E ao pensar em Luke subitamente não consigo mais me controlar. Lágrimas começam a descer pelo rosto e dou um soluço gigantesco, seguido por outro. Quando chego à esquina duas mulheres com carrinhos de bebê me olham com curiosidade, mas praticamente não noto. Estou chorando demais. Minha maquiagem deve estar toda borrada... e não tenho uma mão livre para pegar um lenço, por isso tenho que fungar... preciso parar. Preciso dar um jeito em mim.

Há uma espécie de praça à esquerda, com um banco de madeira no meio. Vou para lá. Pouso as malas e afundo, com a cabeça nas mãos, e dou vazão a um novo jorro de lágrimas.

Aqui estou, a centenas de quilômetros de casa, sozinha, e ninguém quer me conhecer. E é tudo minha culpa. Arruinei tudo.

E Luke nunca mais vai me amar.

Meus ombros estão tremendo e estou meio ofegando quando ouço debilmente uma voz de homem acima da minha cabeça.

— Ora, ora. O que é isso?

Olho para cima, remelenta, e vejo um homem de meia-idade com calça de veludo cotelê e um agasalho de moletom verde me olhando, meio desaprovando, meio preocupado.

— É o fim do mundo? — pergunta em voz abrupta.

— Tem gente idosa tentando cochilar aqui. — Ele sinaliza para os chalés em volta da praça. — Você está fazendo tanto barulho que assusta as ovelhas.

Ele sinaliza morro acima, onde, sem dúvida, duas ovelhas me olham curiosas.

— Desculpe se estou perturbando a paz — engulo em seco. — Mas no momento as coisas não andam muito brilhantes para mim.

— Uma discussão com o namorado — declara ele, como se fosse uma conclusão óbvia.

— Não, eu sou casada. Mas meu casamento está com problemas. Na verdade acho que pode ter acabado. E vim até aqui ver minha irmã, mas ela nem quer falar comigo... — Sinto as lágrimas escorrendo pelas bochechas de novo. — Minha mãe e meu pai estão viajando num cruzeiro de terapia e meu marido foi para Chipre com Nathan Temple, e minha melhor amiga gosta de outra mais do que de mim, e não tenho com quem conversar. E simplesmente não sei para onde ir! Quer dizer, literalmente, não sei para onde ir depois de levantar deste banco...

Dou um soluço enorme, pego um lenço de papel e enxugo os olhos que jorram. Depois olho para cima.

O sujeito me espia como se estivesse atordoado.

— Vou lhe dizer uma coisa, querida — diz ele com um pouco mais de gentileza. — O que acha de uma xícara de chá?

— Parece maravilhoso. — Hesito. — Muito obrigada.

O homem vai na frente, pela praça, levando minhas duas malas como se não pesassem nada, e eu vou atrás com a caixa de chapéu.

— Aliás, meu nome é Jim — diz ele por cima do ombro.

— E o meu, Becky. — Assôo o nariz. — É muita gentileza sua. Eu ia tomar uma xícara de chá em Londres, mas fiquei sem leite. Na verdade... foi assim que vim parar aqui.

— É um longo caminho para tomar um chá.

Isso foi hoje de manhã, percebo de repente. Parece que foi há um milhão de anos.

— Mas não vamos ficar sem leite — acrescenta ele, virando-se para um chalé onde está escrito Scully Stores em letras pretas sobre a porta. Uma campainha toca quando entramos, e em algum lugar nos fundos ouço um cachorro latindo.

— Ah. — Olho ao redor com novo interesse. — Isso é uma loja!

— Esta é *a* loja — corrige ele. Em seguida pousa minhas malas e gentilmente me tira de cima do capacho, e com isso a campainha pára de tocar. — Está na família há 55 anos.

— Uau. — Olho a loja aconchegante. Há gôndolas com pão fresco, prateleiras com latas e pacotes muito bem arrumados, vidros de doce antiquados e um mostruário de cartões-postais e presentes. — Isso é lindo! Então... o senhor é o Sr. Scully?

— Scully é o nome do povoado, querida.

— Ah, sim. — Fico ruborizada. — Esqueci.

— Meu nome é Smith. E acho que você precisa daquela xícara de chá. Kelly? — Ele ergue a voz e alguns

A IRMÃ DE BECKY BLOOM   343

instantes depois aparece uma garota por uma porta nos fundos. Tem uns 13 anos, é magra, com cabelos finos presos num rabo-de-cavalo e olhos cuidadosamente maquiados. E está segurando a revista *Heat*.

— Eu estava cuidando da loja, sério, papai — diz imediatamente. — Só subi para pegar uma revista.

— Tudo bem, querida. Gostaria que você fizesse uma bela xícara de chá para esta moça. Ela passou por uns... problemas.

— Ah, certo. — Kelly me olha com curiosidade explícita antes de desaparecer de novo pela porta dos fundos, e de repente me ocorre que devo estar absolutamente apavorante.

— Gostaria de se sentar? — pergunta Jim, e puxa uma cadeira.

— Obrigada. — Ponho no chão a caixa de chapéu e pesco a bolsinha de maquiagem na bolsa Angel. Abro o espelho e me olho. E, meu Deus, nunca estive pior na vida. Meu nariz está todo vermelho, os olhos injetados, o delineador manchado como um panda e um risco de sombra turquesa "brilho 24 horas" de algum modo foi parar na bochecha.

Rapidamente pego um creme de limpeza e me livro de tudo até o rosto ficar nu e cor-de-rosa, me olhando triste do espelho. Metade de mim sente vontade de deixar como está. Por que deveria passar maquiagem? De que adianta se meu casamento acabou?

— Aí está. — Uma xícara de chá fumegante aparece diante de mim no balcão. Ergo os olhos e vejo Kelly me observando avidamente.

— Muito obrigada — digo com a voz ainda um pouco insegura. — Você é realmente um doce.

— Tudo bem — diz Kelly enquanto tomo o primeiro gole delicioso. Meu Deus, uma xícara de chá é a resposta para tudo.

— Isso é... — levanto os olhos e vejo Kelly espiando minha bolsa com olhos que parecem pratos de jantar. — Isso é... uma bolsa Angel de verdade?

Sinto uma gigantesca pontada por dentro, que consigo esconder com um sorriso débil.

— É. É uma bolsa Angel de verdade.

— Papai, ela tem uma bolsa Angel! — exclama Kelly para Jim, que está tirando sacos de açúcar de uma caixa.

— Eu mostrei a você na revista *Glamour*! — Os olhos dela estão brilhando de empolgação. — Todas as estrelas de cinema têm! Elas se esgotaram na Harrods! Onde você conseguiu a sua?

— Em... Milão — digo depois de uma pausa.

— Milão! — ofega Kelly. — Que maneiro! — Agora seus olhos caíram no conteúdo de minha bolsa de maquiagem. — Isso é um brilho labial Stila?

— Bem... é.

— Emily Masters tem brilho labial Stila — diz cheia de desejo. — Ela se acha o máximo.

Olho para seus olhos iluminados e as bochechas vermelhas, e de repente, com uma pontada gigantesca, quero ter 13 anos de novo. Ir às lojas no sábado gastar a mesada. Sem nada com que me preocupar a não ser o trabalho de biologia e se James Fullerton gosta de mim.

A IRMÃ DE BECKY BLOOM

— Olha... fique com esse — digo remexendo na bolsa de maquiagem e pegando um brilho labial Stilla novo em folha, sabor *grapefruit*. — Nunca vou usá-lo.

— Verdade? — Kelly ofega. — Tem certeza?

— E quer esse *blush* cremoso? — Entrego a caixa. — Não que você precise de *blush*.

— Uau!

— Epa, espera um momento aí — diz a voz de Jim do outro lado da loja. — Kelly, você não pode pegar a maquiagem da moça. — Ele balança a cabeça ligeiramente. — Devolva, querida.

— Ela ofereceu, papai! — diz Kelly com a pele translúcida manchando-se de rosa. — Não pedi, nem nada...

— Honestamente, Jim. Kelly pode ficar com isso. Nunca vou usar. — Dou um riso trêmulo. — Só comprei porque a gente ganha um perfume grátis se gastar mais de oitenta libras...

De repente lágrimas brotam nos meus olhos de novo. Meu Deus, Jess está certa. Sou um fracasso total.

— Você está bem? — pergunta Kelly, alarmada. — Pegue de volta...

— Não, estou ótima. — Forço um sorriso. — Só preciso... pensar numa outra coisa.

Enxugo os olhos com lenço de papel, levanto-me e vou até o mostruário de presentes. Já que estou aqui, poderia muito bem levar umas lembranças. Pego um suporte de cachimbos para papai e uma bandeja pintada que vai agradar a mamãe. Estou olhando para um modelo em vidro do lago Windermere e imaginando se devo comprá-lo para

Janice quando noto duas mulheres paradas do lado de fora da vitrine. Enquanto olho, uma terceira se junta a elas.

— O que elas estão esperando? — perguntou perplexa.

— Isso — diz Jim. Em seguida olha o relógio e coloca uma placa onde está escrito "Pão de hoje pela metade do preço".

Imediatamente todas as mulheres entram na loja.

— Vou levar dois redondos, por favor, Jim — diz uma com cabelo cinza-metálico e capa de chuva bege. — Tem algum *croissant* com desconto?

— Hoje não — responde Jim. — Tudo pelo preço normal.

— Ah. — Ela pensa um momento. — Não, não vou levar.

— Vou querer três grandes de aveia — cantarola outra mulher, com lenço de cabeça verde. Quem é essa? — Ela aponta o polegar para mim. — Vimos você chorando na praça. É turista?

— Eles sempre se perdem — diz a primeira mulher. — Em que hotel você está, querida? Ela fala inglês? *Speke Inglese?*

— Ela parece dinamarquesa — diz a terceira mulher, como quem sabe das coisas. — Alguém fala dinamarquês?

— Sou inglesa — digo. — E não estou perdida. Estava chateada porque... — Engulo em seco. — Porque meu casamento está com problemas. E vim aqui pedir ajuda à minha irmã, mas ela não quis dar.

— Sua irmã? — pergunta a mulher de lenço na cabeça, cheia de suspeitas. — Quem é sua irmã?

— Ela mora neste povoado. — Tomo um gole de chá.
— O nome dela é Jessica Bertram.

Há um silêncio abalado. Parece que acertei a cabeça das mulheres com um martelo. Olho em volta, confusa, e vejo que o queixo de Jim caiu cerca de trinta centímetros.

— *Você* é irmã de Jess? — pergunta ele.

— Bem... é, sou. Meia-irmã.

Olho a loja silenciosa ao redor — mas ninguém se mexeu. Todo mundo ainda está me olhando boquiaberto, como se eu fosse uma alienígena.

— Sei que nós somos um pouco diferentes na aparência... — começo.

— Ela disse que você era louca — diz Kelly, na bucha.

— Kelly! — censura Jim.

— O quê? — Olho de um rosto para outro. — Ela disse *o quê*?

— Nada! — responde Jim, lançando um olhar de alerta para Kelly.

— Todos nós sabíamos que ela ia visitar a irmã há muito perdida — diz Kelly, ignorando-o. — E quando voltou disse que você era maluca. Desculpe, papai, mas é verdade!

Posso sentir minhas bochechas ficando de um vermelho vivo.

— Não sou *maluca!* Sou normal! Só sou... meio diferente de Jess. Nós gostamos de coisas diferentes. Ela gosta de pedras. Eu gosto... de lojas.

Todo mundo na loja me olha com curiosidade.

— Então você não se interessa por pedras? — pergunta a mulher com lenço verde.

— Na verdade, não — admito. — De fato... essa foi uma questão que surgiu entre nós.

— O que aconteceu? — pergunta Kelly, boquiaberta.

— Bem... — Raspo o pé, sem jeito, no chão. — Eu disse a Jess que nunca na vida ouvi falar de um *hobby* mais chato do que pedras, e que isso combinava bem com ela.

Há um ofegar de horror coletivo.

— Ninguém pode ser grosseiro com Jess falando mal de pedras — diz a mulher de capa bege, balançando a cabeça. — Ela adora aquelas pedras, que Deus a abençoe.

— Jess é uma boa garota — entoa a mulher grisalha, dando-me um olhar sério. — Forte. Confiável. Daria uma ótima irmã.

— Ninguém poderia esperar uma irmã melhor — concorda a mulher de lenço verde, assentindo.

Sinto-me na defensiva diante do olhar delas.

— Não é minha culpa! Quero me reconciliar com ela! Mas ela não está interessada em ser minha irmã! Não sei como tudo deu errado. Queria tanto que fôssemos amigas! Planejei um fim de semana inteiro, mas ela não gostou de nada. E *desaprovava* tudo. Nós terminamos tendo uma briga enorme... e eu chamei ela de coisas...

— Que coisas? — pergunta Kelly, ávida.

— Bem... — coço o nariz. — Disse que ela era miserável. Disse que era realmente chata...

Há um outro enorme som ofegante. Kelly parece quase dominada pelo horror e levanta a mão como se quisesse me parar. Mas não quero parar. Isso é catártico. Agora que comecei, quero confessar tudo.

— ...e a pessoa mais unha-de-fome que conheci na vida — continuo, instigada por seus rostos pasmos. — Com zero sentido de vestimenta, que devia ter feito uma cirurgia para extirpar diversão...

Paro, mas dessa vez não há som ofegante. Todo mundo parece ter congelado.

De repente percebo um tilintar. Um tilintar que, agora que penso bem, está acontecendo há alguns segundos Viro-me muito lentamente.

E sinto um frio nas costas.

Jess está parada à porta com o rosto muito pálido.

— Jess! — gaguejo. — Meu Deus, Jess! Eu não estava... eu não *quis dizer* nada disso... só queria explicar...

— Ouvi dizer que você estava aqui — diz ela, falando com uma dificuldade óbvia. — Vim ver se você estava bem. Se queria uma cama para passar a noite. Mas... acho que mudei de idéia. — Ela me olha diretamente. — Sabia que você era superficial e mimada, Becky. Não percebi que também era uma vaca de duas caras.

Ela se vira e sai, fechando a porta com estrondo.

Kelly está totalmente vermelha, o rosto de Jim está contorcido. Toda a atmosfera está pinicando de incômodo.

Então a mulher de lenço verde cruza os braços.

— Bem — diz ela. — Dessa vez você estragou tudo mesmo, não foi, querida?

Estou em choque total.

Vim aqui me reconciliar com Jess — e só fiz piorar as coisas.

— Aí está, querida — diz Jim colocando uma nova xícara de chá diante de mim. — Três cubos de açúcar.

As três mulheres também estão tomando chá, e Jim até apareceu com um bolo. Tenho a sensação de que esperam que eu faça outra coisa para diverti-los.

— Não sou uma vaca de duas caras — digo desesperada e tomo um gole. — Honestamente! Sou legal! Vim aqui para construir pontes! Quer dizer, sei que Jess e eu não nos damos. Mas queria aprender com ela. Achei que ela poderia me ensinar a salvar meu casamento...

Todos na loja inspiram bruscamente.

— O casamento dela também está com problema? — pergunta a mulher de lenço verde a Jim, e estala a língua. — Minha nossa.

— Desgraça pouca é bobagem — estrondeia a mulher de cabelo metálico, lugubremente. — Fugiu com uma mulher bonita, foi?

Jim me olha, depois se inclina para as mulheres, baixando a voz.

— Parece que ele foi para Chipre com um homem chamado Nathan.

— Ah. — A mulher de cabelos metálicos arregala os olhos. — Ah, *sei*.

— O que você vai fazer, Becky? — pergunta Kelly, mordendo o lábio.

Ir para casa, relampeja em minha cabeça. *Desistir*.

Mas fico vendo na mente o rosto pálido de Jess e sentindo uma pequena pontada no coração. Sei como é ser sacaneada. Já sofri com vacas horríveis na vida. Vem-me uma imagem de Alicia, a Vaca Pernalta, a mulher mais maligna e sarcástica que já conheci.

Não posso suportar que minha irmã ache que sou como Alicia.

— Tenho de me desculpar com Jess — digo levantando os olhos. — Sei que nunca seremos amigas. Mas não posso ir para casa com ela pensando o pior sobre mim. — Tomo um gole do chá escaldante e levanto a cabeça. — Há algum lugar onde eu possa ficar, por aqui?

— Edie tem uma pensão — diz Jim sinalizando para a mulher com lenço. — Tem algum quarto livre, Edie?

Edie enfia a mão em sua gigantesca bolsa marrom, pega um caderno e consulta.

— Você tem sorte — responde ela erguendo os olhos. — Tenho um de solteiro, de luxo, livre.

— Edie vai cuidar de você — diz Jim, com tanta gentileza que sinto lágrimas ridículas surgindo de novo.

— Posso ficar nele esta noite, por favor? — pergunto a ela, enxugando os olhos. — Muito obrigada. — Tomo outro gole de chá, depois noto minha xícara. É de cerâmica azul com "Scully" pintado à mão, em branco. — É bonita. — Engulo. — Você vende?

— Na prateleira dos fundos — diz Jim me olhando, divertido.

— Posso levar duas? Quer dizer, quatro? — Pego um lenço de papel e assôo o nariz. — E só queria dizer... muito obrigada. Vocês todos estão sendo muito gentis.

*

A pensão é uma casa grande do outro lado da praça. Jim carrega minhas malas e eu levo a bolsa de chapéu e uma sacola cheia de lembranças, e Edie vem atrás, dando uma lista de regras que tenho de cumprir.

— Nenhuma visita depois das onze horas... nenhuma festa com mais de três pessoas no quarto... não pode abusar de solventes ou latas de aerossol... pagamento adiantado, aceita-se cheque ou dinheiro, por favor — conclui ela quando chegamos à porta iluminada.

— Posso deixar aqui, Becky? — pergunta Jim colocando minhas malas no chão.

— Está ótimo. E muito obrigada — digo, tão grata que quase sinto vontade de lhe dar um beijo. Mas não ouso. Por isso fico andando enquanto ele atravessa o gramado outra vez.

— Muito obrigada — repete Edie significativamente.

— Ah — digo percebendo que ela quer ser paga. — Sem dúvida!

Remexo a bolsa procurando a carteira — e meus dedos roçam no celular. Pela força do hábito pego-o e olho a tela. Mas ainda não há sinal.

— Você pode usar o telefone público no saguão, se quiser ligar para alguém — diz Edie. — Temos um casulo de privacidade que pode ser baixado.

Há alguém para quem eu queira ligar?

Com uma pontada penso em Luke em Chipre, ainda furioso comigo. Mamãe e papai entretidos numa oficina de terapia no cruzeiro. Suze fazendo piquenique em algum gramado pitoresco e ensolarado com Lulu e todas as crianças usando macacão de brim.

— Não. Tudo bem — digo tentando sorrir. — Não tenho ninguém a quem ligar. Para ser honesta... ninguém nem deve ter notado que fui embora.

5/06/03, 16:54
para Becky
de Suze

Bex. Desculpe não ter respondido. Pq vc não atende ao telefone? Dia desastroso no piquenique. Todos fomos picados por vespas. Vou a Londres visitar. Ligue p mim.

Suze

6/06/03
para Becky
de Suze

Bex. Kd vc???????????????

Suze

Dezoito

Não durmo bem.

Na verdade nem sei se dormi. Pareço ter passado a noite olhando o teto texturizado da pensão de Edie, com a mente girando sem parar.

Só que devo ter dormido um pouco, porque quando acordei de manhã estava com a cabeça cheia de um sonho horrível em que eu me transformava em Alicia, a Vaca Pernalta. Estava usando um conjunto cor-de-rosa e dando um horrível riso de desprezo, e Jess estava toda pálida e parecendo arrasada. Na verdade, agora que penso bem, Jess estava meio parecida comigo.

Só o pensamento faz com que eu fique enjoada. Tenho de fazer alguma coisa.

Não estou com fome, mas Edie preparou um café-da-manhã inglês completo e não parece impressionada quando digo que normalmente só como um pedaço de torrada. Por isso belisco um pouco de ovos com bacon e finjo experimentar o chouriço — depois tomo um último gole de café e vou procurar Jess.

Quando subo o morro até sua casa, o sol da manhã bate em meus olhos e um vento frio sopra através do cabelo. *Parece* um dia para reconciliações. Recomeços e pratos limpos.

Chego à porta da frente, toco a campainha e espero com o coração martelando.

Não há resposta.

Certo. Estou realmente cansada de as pessoas não estarem quando quero ter reuniões emocionais com elas. Espio pelas janelas, imaginando se ela pode estar se escondendo. Talvez eu devesse jogar umas pedras nas vidraças.

Mas e se eu quebrar uma? Ela *realmente* iria me odiar.

Toco a campainha mais algumas vezes, depois volto pelo caminho. Posso esperar. Não tenho mais nada a fazer. Sento-me no muro e me acomodo confortavelmente. Está ótimo. Só vou esperar, e quando ela voltar para casa vou saltar com um discurso dizendo como estou arrependida.

O muro não é tão confortável quanto pensei a princípio e me remexo algumas vezes, tentando achar uma posição cômoda. Olho o relógio, verifico se está funcionando, depois olho uma senhora com um cachorrinho andando devagar pela calçada do outro lado da rua.

Depois olho o relógio de novo. Cinco minutos se passaram.

Meu Deus, isso é chato.

Como é que os caras que fazem tocaias se viram? Morrem de tédio?

Levanto-me para esticar as pernas e vou até a casa de Jess. Toco a campainha, só para garantir, depois volto ao muro. Quando faço isso vejo um policial vindo pela rua

A IRMÃ DE BECKY BLOOM

na minha direção. O que um policial está fazendo aqui, na rua? Achei que todos estavam amarrados às suas mesas com a papelada ou rodando pelos subúrbios em radio-patrulhas.

Sinto uma pancada de apreensão ao ver que ele olha diretamente para mim. Mas não estou fazendo nada erra-do, estou? Quer dizer, ficar de tocaia não é contra a lei.

Ah. Bem, certo, talvez ficar de tocaia *seja* contra a lei. Mas só estou fazendo há cinco minutos. Sem dúvida isso não conta. E, de qualquer modo, como ele sabe que estou tocaiando alguém? Eu poderia estar sentada aqui só por diversão.

— Tudo bem? — pergunta ele enquanto se aproxima.

— Tudo bem, obrigada!

Há uma pausa, e ele me olha cheio de expectativa.

— Algum problema? — pergunto educadamente.

— Poderia circular, moça? Isso aí não é um banco público.

Sinto um dardo de ressentimento.

— Por quê? — digo ousada. — Isso é que está erra-do neste país! Qualquer pessoa que não se ajuste é perse-guida! Por que as pessoas não podem sentar num muro sem ser incomodadas?

— Este muro é meu — diz ele, e sinaliza para a por-ta. — Esta casa é minha.

— Ah, certo. — Fico vermelha da cabeça aos pés. — Eu só estava... é... indo. Obrigada! Belo muro!

Certo. Esqueça o plano da tocaia. Tenho de voltar mais tarde.

Desço o morro até a praça do povoado e me pego virando na direção da loja. Quando entro, Kelly está sentada atrás do caixa com um exemplar da *Elle* e Jim está arrumando maçãs na gôndola.

— Fui procurar Jess — falo desanimada. — Mas ela não estava. Vou ter de esperar até ela voltar.

— Posso ler seu horóscopo? — pergunta Kelly. — Ver se diz alguma coisa sobre irmãs?

— Ora, mocinha — diz Jim em tom reprovador. — Você deveria estar estudando para as provas. Se não está trabalhando, pode ir servir na casa de chá.

— Não! — responde Kelly rapidamente. — Eu estou estudando! — Ela faz uma careta para mim, depois baixa a *Elle* e pega um livro chamado *Álgebra elementar*.

Meu Deus, álgebra. Tinha esquecido totalmente que isso existia. Talvez seja bom não estar mais com 13 anos.

Preciso de um barato de açúcar, por isso vou até a seção de biscoitos e pego uns de chocolate e Orange Clubs. Depois vou até a prateleira de papéis de carta. Adoro papéis de carta, e nunca se tem demais. Pego um pacote de tachinhas em forma de ovelhas, que sempre serão úteis. E poderia pegar o grampeador e as pastas de papel combinando.

— Tudo certo aí? — pergunta Jim, vendo meus braços cheios.

— Sim, obrigada.

Levo minhas mercadorias ao caixa, onde Kelly soma o valor.

— Quer uma xícara de chá? — pergunta ela.

— Ah, não, obrigada — digo educadamente. — Não quero me intrometer. Iria atrapalhar.

— Atrapalhar o quê? Ninguém vai aparecer antes das quatro, quando o preço do pão diminui. E você pode testar meu vocabulário de francês.

— Ah, bem. — E me animo. — Se eu puder ser *útil*...

Três horas depois ainda estou aqui. Tomei três xícaras de chá, comi meio pacote de biscoitos de chocolate e uma maçã, e fiz estoque de mais alguns presentes para as pessoas em casa, como um conjunto de canecas de cerveja com formas de pessoas e um jogo americano, que é sempre útil.

Além disso estou ajudando Kelly com o dever. Só que agora passamos da álgebra e da revisão de vocabulário de francês para a roupa de Kelly para a discoteca da escola. Abrimos todas as revistas e eu a maquiei com um olho diferente do outro, só para mostrar as possibilidades. Um lado está bem dramático, todo enfumaçado e com um cílio postiço que achei na minha bolsa de maquiagem; o outro todo prateado, anos 1960, com rímel branco era espacial.

— Não deixe sua mãe ver você assim — é tudo que Jim fica falando enquanto passa.

— Se ao menos eu estivesse com meus apliques de cabelo! — digo examinando o rosto de Kelly criticamente. — Poderia fazer um rabo-de-cavalo fantástico.

— Estou incrível! — Kelly ri para si mesma ao espelho.

— Você tem maçãs do rosto maravilhosas. — E passo pó brilhante nelas.

— Isso é divertido demais! — Kelly me fixa com os olhos brilhantes. — Meu Deus, queria que você morasse aqui, Becky! A gente poderia fazer isso todo dia!

Ela está com tamanha empolgação que me sinto ridiculamente emocionada.

— Bem... sabe. Talvez eu faça uma visita outra vez. Se resolver as coisas com Jess.

Mas só em pensar em Jess minhas entranhas meio que desmoronam. Quanto mais o tempo passa, mais nervosa fico com a idéia de vê-la de novo.

— Eu quis fazer testes de maquiagem assim, com Jess — acrescento meio pensativa. — Mas ela não se interessou.

— Bem, então ela é uma idiota.

— Não é. Ela é... ela gosta de coisas diferentes.

— Ela tem um temperamento complicado — intervém Jim, passando com algumas garrafas de refrigerante de cereja. — É difícil acreditar que vocês duas sejam irmãs. — Ele pousa as garrafas e enxuga a testa. — Talvez tenha a ver com a criação. A de Jess foi bem difícil.

— Então você conhece a família dela? — pergunto interessada.

— Sim. Não muito bem, mas conheço. Já fiz negócios com o pai de Jess. Ele é dono da Alimentos Bertram. Mora em Nailbury. A oito quilômetros daqui.

De repente estou queimando de curiosidade. Jess não me disse uma palavra sobre sua família. Mamãe e papai também parecem não saber muita coisa.

A IRMÃ DE BECKY BLOOM

— Então... como é? — pergunto o mais casualmente possível. — A família dela.

— Como eu disse, Jess passou por grandes dificuldades. A mãe morreu quando ela estava com 15 anos. É uma idade difícil, para uma garota.

— Eu nunca soube disso! — Os olhos de Kelly se arregalam.

— E o pai... — Jim se encosta pensativo no balcão. — Ele é um bom homem. Um homem justo. Muito bem-sucedido. Montou a Alimentos Bertram a partir do nada, com dificuldade. Mas não é o que você chamaria de... caloroso. Sempre foi tão duro com Jess quanto com os irmãos dela. Esperava que cada um se virasse sozinho. Lembro de quando Jess começou o segundo grau. Ela entrou na escola de Carlisle. Muito acadêmica.

— Eu fiz teste para essa escola — diz Kelly para mim, fazendo careta. — Mas não passei.

— Jess é uma garota inteligente. — Jim balança a cabeça, admirando. — Mas tinha de pegar três ônibus todo dia para chegar lá. Eu passava de carro vindo para cá, e vou lembrar a visão até minha morte. A névoa da madrugada, ninguém por perto, e Jess parada no ponto de ônibus com sua grande bolsa da escola. Não era essa garota forte de hoje. Era uma coisinha magricela e pequena.

Ele faz uma pausa, mas não consigo achar uma resposta para dar. Estou pensando em como mamãe e papai me levavam à escola de carro todo dia. Mesmo não sendo muito longe.

— Eles devem ser ricos — diz Kelly, remexendo em minha bolsa de maquiagem. — Se são donos da Alimentos Bertram. Nós compramos todas as nossas tortas congeladas com eles — acrescenta para mim. — E o sorvete. Eles têm um catálogo enorme!

— Ah, eles estão bem de vida — concorda Jim. — Mas sempre foram controlados com o dinheiro. — Ele rasga uma caixa de papelão de CupaSoups e começa a empilhar numa prateleira. — Bill Bertram costumava alardear isso. Que todos os seus filhos trabalhavam para ter dinheiro para as despesas. — Ele faz uma pausa, segurando um punhado de envelopes de molho de frango e cogumelo. — E se não pudessem pagar pelos passeios da escola ou qualquer outra coisa... não iam. Era simples.

— Passeios de escola? — Olho-o embasbacada. — Mas todo mundo sabe que os pais pagam os passeios de escola!

— Não os Bertram. Ele queria ensinar aos filhos o valor do dinheiro. Num determinado ano correu a história de que um dos meninos do Bertram foi o único da escola a não ir ao teatro. Não tinha dinheiro e o pai não quis pagar. — Jim volta a empilhar os copos de sopa. — Não sei se era verdade. Mas isso não me surpreenderia. — Ele dá um olhar falsamente severo a Kelly. — Você nem sabe que nasceu, mocinha. Você tem vida fácil!

— Eu tenho tarefas! — retruca ela imediatamente. — Olha! Estou ajudando aqui, não estou?

Ela pega uma goma de mascar no balcão de doces, desembrulha e se vira para mim.

A IRMÃ DE BECKY BLOOM

— Agora vou pintar você, Becky! — Kelly remexe na minha bolsa de maquiagem. — Você tem sombra cor de bronze?

— Hã... tenho — digo distraída. — Em algum lugar aí.

Ainda estou pensando em Jess parada no ponto de ônibus, pálida e magra.

Jim está amassando a caixa vazia de CupaSoup. Em seguida se vira e me dá um olhar avaliador.

— Não se preocupe, querida. Você vai resolver as coisas com Jess.

— Talvez. — Tento sorrir.

— Vocês são irmãs. São parentes. Os parentes sempre se ajudam. — Ele olha pela janela. — Nossa. Elas estão se reunindo cedo, hoje.

Sigo seu olhar e vejo duas senhoras esperando do lado de fora da loja. Uma delas franze a vista para a gôndola de pães, depois se vira e balança a cabeça para a outra.

— *Ninguém* compra pão pelo preço normal? — pergunto.

— Não neste povoado — responde Jim. — A não ser os turistas. Mas não recebemos muitos. São principalmente montanhistas que querem experimentar o pico Scully, e eles não costumam querer pão. Só serviços de emergência.

— Como assim? — pergunto perplexa.

— Quando os idiotas ficam presos. — Jim dá de ombros e pega o cartaz de metade do preço. — Não importa. Tenho de pensar no pão como algo que dá prejuízo.

— Mas é tão gostoso quando é fresco! — digo olhando as fileiras de pães gorduchos. De repente sinto pena deles, como se não tivessem sido convidados para dançar.

— *Eu* compro alguns. Pelo preço normal — acrescento com firmeza.

— Eu já vou diminuir — observa Jim.

— Não faz mal. Quero dois brancos grandes e um preto. — Marcho até a gôndola e pego os pães.

— O que vai fazer com todo esse pão? — pergunta Kelly.

— Não sei. Talvez torrada. — Entrego a Kelly algumas moedas de uma libra e ela coloca os três pães numa sacola, rindo.

— Jess está certa, você é maluca. Posso pintar seus olhos agora? Que estilo você quer?

— As freguesas vão entrar — avisa Jim. — Vou colocar o cartaz.

— Só vou fazer um olho — diz Kelly, rapidamente pegando a paleta de sombras. — E quando todas forem embora faço o outro. Feche os olhos, Becky.

Ela começa a passar sombra na minha pálpebra e eu fecho os olhos, gostando da sensação de cócegas. Sempre adorei ser maquiada.

— Certo — diz ela. — Agora vou colocar um pouco de delineador. Fique quieta...

— Estou pondo o cartaz — diz a voz de Jim. Há uma pausa. Em seguida ouço o som familiar da campainha e o burburinho de pessoas entrando.

A IRMÃ DE BECKY BLOOM

— Ah... não abra os olhos ainda, Becky. — Kelly parece meio alarmada. — Não sei se está ficando bom...

— Deixe-me ver!

Abro os olhos e pego o espelho de maquiagem. Um dos meus olhos é um borrão de sombra rosa brilhante, com um trêmulo delineador vermelho na pálpebra de cima. Parece que tenho alguma horrenda doença no olho.

— Kelly!

— Dizia na *Elle*! — reage ela na defensiva, sinalizando para a foto de uma modelo na passarela. — Rosa e vermelho é o máximo!

— Estou parecendo um monstro! — Não consigo deixar de rir de meu rosto deformado. Nunca fiquei tão horrível na vida. Levanto os olhos para ver se alguma cliente notou, e meu riso morre imediatamente.

Jess está entrando na loja.

Quando seu olhar encontra o meu sinto o estômago se apertar de apreensão. Ela parece fria e hostil, nem um pouco como uma magricela de dez anos. Por alguns instantes nos olhamos em silêncio. O olhar de Jess percorre com ar de desprezo as revistas, a bolsa de maquiagem aberta e todo o meu material de maquiagem espalhado no balcão. Depois se vira sem falar e começa a remexer no cesto de latas em promoção.

A agitação da loja se reduziu ao silêncio. Tenho a sensação de que todo mundo sabe exatamente o que está acontecendo.

Preciso falar. Mesmo que meu coração esteja martelando de medo.

Olho para Jim, que assente encorajando.

— Hã... Jess — começo. — Fui procurar você hoje cedo. Queria explicar...

— Não há o que explicar. — Ela revira as latas bruscamente, sem nem mesmo me olhar. — Não sei o que você ainda está fazendo aqui.

— Está brincando de maquiagem comigo — diz Kelly com lealdade. — Não é, Becky?

Lanço-lhe um olhar agradecido. Mas minha atenção continua fixa em Jess.

— Fiquei porque queria falar com você. Para... para pedir desculpa. Posso convidar você para jantar esta noite?

— Acho que não estou suficientemente bem vestida para jantar com você, Becky — diz Jess em voz chapada. Seu rosto está fixo, mas posso ver o sofrimento por baixo.

— Jess...

— E, de qualquer modo, estou ocupada. — Jess joga três latas amassadas no balcão, junto com uma que perdeu totalmente o rótulo e onde está marcado 10p. — Você sabe o que é isso, Jim?

— Coquetel de frutas, acho. — Ele franze a testa. — Mas pode ser cenoura...

— Tudo bem. Vou levar. — Ela joga algumas moedas no balcão e tira de dentro do bolso uma sacola de plástico amassada. — Não preciso de sacola. Obrigada.

— Em outra noite, então! — digo desesperada. — Ou almoço...

— Becky, me deixe em paz.

A IRMÃ DE BECKY BLOOM

Ela sai da loja e eu fico ali parada, com o rosto pinicando como se tivesse levado um tapa. Gradualmente o silêncio se transforma em sussurros que crescem até uma conversa em voz alta. Percebo pessoas me olhando curiosas quando chegam ao balcão para pagar, mas não as noto.

— Você está bem, Becky? — pergunta Kelly tocando meu braço, hesitante.

— Estraguei tudo. — Levanto os braços num gesto desesperançado. — Você viu.

— Ela sempre foi uma criaturinha teimosa. — Jim balança a cabeça. — Mesmo quando era criança. O pior inimigo de Jess é ela mesma. Dura consigo mesma e dura com o resto do mundo. — Ele pára, limpando sua faca Stanley. — Seria bom para ela ter uma irmã como você, Becky.

— Bem, que pena — diz Kelly enfaticamente. — Você não precisa dela! Esqueça que ela é sua irmã. Finja que ela não existe!

— Mas não é tão simples assim, não é? — pergunta Jim me olhando com expressão marota. — Não com os parentes. A gente não consegue se livrar tão facilmente.

— Não sei. — Dou de ombros, desanimada. — Talvez consiga. Quer dizer, nós ficamos 27 anos sem saber que a outra existia...

— E quer que isso dure mais 27 anos? — Jim me olha, subitamente sério. — Aí estão vocês duas. Nenhuma tem irmã. Vocês poderiam ser boas amigas.

— Não é minha culpa... — começo na defensiva, depois paro ao lembrar do pequeno discurso de ontem à noite. — Bem, não é *só* minha culpa.

— Eu não disse que era — responde Jim. Em seguida atende mais dois clientes e se vira para mim. — Tive uma idéia. Sei o que Jess vai fazer esta noite. Na verdade também vou estar lá.

— Verdade?

— É. Uma reunião de protesto ambiental. Todo mundo vai. — Seus olhos brilham subitamente. — Por que não vem também?

MENSAGEM DE FAX

PARA   LUKE BRANDON
        APHRODITE TEMPLE HOTEL
        CHIPRE

DE   SUSAN CLEATH-STUART

6 DE JUNHO DE 2003

<u>URGENTE-EMERGÊNCIA</u>

Luke,

Becky *não está* no apartamento. Ninguém a viu em lugar nenhum Ainda não consegui fazer contato com ela pelo telefone.

Estou ficando realmente preocupada.

Suze

DEZENOVE

Certo. Esta pode ser minha chance de impressionar Jess. A chance de mostrar que não sou superficial nem mimada. Desta vez *não* posso fazer merda.

E a primeira coisa crucial é a vestimenta. Franzindo a testa examino todas as roupas, que estiquei na cama do quarto da pensão. Qual é a roupa perfeita para uma reunião de um grupo de protesto ambientalista? Não a calça de couro... não o *top* brilhante... Meus olhos subitamente se animam numa calça de combate, e pego-a na pilha.

Excelente. É rosa, mas não posso fazer nada. E... é. Vou combinar com uma camiseta com *slogan*. Gênio!

Pego uma camiseta que tem a palavra "QUENTE" e combina muito bem com a calça. Mas não é muito o tipo protesto, é? Penso um minuto, depois pego uma caneta na bolsa e cuidadosamente acrescento as palavras "ABAIXO O".

"ABAIXO O QUENTE" não faz muito sentido... mas o que conta é o pensamento, sem dúvida. Além disso não vou usar nenhuma maquiagem, além de um pouquinho de delineador e um brilho labial translúcido.

A IRMÃ DE BECKY BLOOM

Visto tudo e tranço o cabelo, depois me admiro no espelho. Estou parecendo bem militante! Experimentalmente, levanto a mão numa saudação e sacudo o punho para o espelho.

— Viva os operários — digo com voz profunda. — O povo! Unido! Jamais será vencido!

Meu Deus, é isso aí. Acho que posso ser bastante boa nesse negócio. Certo. Vamos lá.

A reunião de protesto vai acontecer no salão comunitário, e quando chego vejo cartazes em toda parte, com *slogans* tipo "Não estraguem nosso campo." Pessoas se agrupam pelo salão, e eu vou até uma mesa onde há xícaras e biscoitos.

— Uma xícara de café, querida? — diz um homem idoso.

— Obrigada. Bem, quer dizer, obrigada, irmão. É isso aí. — Faço para ele a saudação de punho erguido. — Vamos à greve!

O sujeito parece meio confuso, e de repente lembro que não estamos fazendo greve. Fico misturando isso com *Billy Elliot*.

Mas puxa, é a mesma coisa, não é? Tudo tem a ver com solidariedade e lutar juntos por uma boa causa. Vou até o centro do salão segurando minha xícara e atraio o olhar de um sujeito mais ou menos jovem, com cabelos ruivos espetados e jaqueta de jeans coberta de emblemas.

— Bem-vinda! — diz ele afastando-se do grupo em que está e estendendo a mão. — Sou Robin. Não vi você no grupo antes.

— Sou Becky. Na verdade sou só visitante. Mas Jim disse que eu podia vir.

— Claro! — responde Robin, apertando minha mão com entusiasmo. — Todo mundo é bem-vindo. Não importa que seja morador ou visitante... as questões são as mesmas. O importante é a consciência.

— Sem dúvida! — Tomo um gole de café e noto o maço de panfletos que ele está segurando. — Posso levar uns desses para Londres e distribuir, se você quiser. Espalhar a notícia.

— Seria ótimo! — O rosto de Robin se abre num sorriso. — É o tipo de atitude proativa que precisamos! Que tipo de questões ambientais a interessam particularmente?

Merda. Pense. Questões ambientais.

— Hmm... — tomo um gole de café, tentando ganhar tempo. — Todo tipo, na verdade! Árvores... e... bem... ouriços-cacheiros.

— Ouriços-cacheiros? — Robin parece perplexo.

Droga. Isso só veio porque achei que o cabelo dele parece um ouriço.

— Quando eles são esmagados pelos carros — improviso. — É um verdadeiro perigo na sociedade atual.

— Tenho certeza de que você está certa. — Robin franze a testa, pensativo. — Então, você participa de algum grupo de ação que cuida especificamente do sofrimento dos ouriços-cacheiros?

Cale a boca, Becky. Mude de assunto.

A IRMÃ DE BECKY BLOOM

— Sim — ouço-me dizendo. — Participo. Chama-se... Espinho.

— Espinho! — Ele sorri. — Ótimo nome!

— É — digo cheia de confiança. — Significa Encontro dos... Super... Protetores... é...

Certo. Talvez eu devesse ter escolhido uma palavra mais fácil.

— ...Implacáveis... — Estou afundando... — e Notáveis... da Honra... dos Ouriços...

Paro aliviada ao ver Jim se aproximando com uma mulher magra vestida de jeans e camisa xadrez. Deve ser a mulher dele!

— Olá, Jim — diz Robin com um sorriso amigável. — Que bom que vocês vieram.

— Oi, Jim! — digo e me viro para a mulher que está com ele. — Você deve ser Elizabeth.

— E você deve ser a famosa Becky! — Ela aperta minha mão. — Nossa Kelly não consegue falar de outra coisa, a não ser de você.

— Kelly é um doce! — Sorrio para ela. — Nós nos divertimos um bocado hoje, fazendo maquiagem uma na outra... — De repente capto a testa de Jim franzida. — E... estudando para a prova — acrescento depressa. — Um monte de álgebra e vocabulário de francês.

— Jess está aqui? — pergunta Jim, olhando em volta.

— Não sei — digo, sentindo uma ligeira apreensão. — Ainda não a vi.

— Que pena. — Elizabeth estala a língua. — Jim me contou. Duas irmãs que não se falam. E vocês são

374 SOPHIE KINSELLA

tão jovens! Têm a vida inteira para ser amigas, você sabe. Uma irmã é uma bênção!

— Elas vão se acertar — diz Jim com tranqüilidade.
— Ah. Aí está ela!

Giro e, sem dúvida, ali está Jess, vindo na nossa direção, parecendo totalmente aparvalhada ao me ver.

— O que *ela* está fazendo aqui? — pergunta a Jim.

— Esta é uma nova participante de nosso grupo, Jess — diz Robin, adiantando-se. — Conheça Becky.

— Oi, Jess! — digo com um sorriso nervoso. — Pensei em entrar nessa de meio ambiente.

— O interesse especial de Becky são os ouriços-cacheiros — acrescenta Robin.

— O quê? — Jess encara Robin por alguns segundos, depois começa a balançar a cabeça. — Não. Não. Ela não faz parte do grupo. E não vai participar da reunião. Ela tem de ir embora. Agora!

— Vocês se conhecem? — pergunta Robin, pasmo, e Jess desvia o olhar.

— Somos irmãs — explico.

— Elas não se dão — intervém Jim, num sussurro teatral.

— Ora, Jess — diz Robin sério. — Você conhece a ética do nosso grupo. Deixamos as diferenças pessoais do lado de fora. Todo mundo é bem-vindo. Todo mundo é amigo! — Ele sorri para mim. — Becky já se ofereceu para um trabalho de longo alcance!

— Não! — Jess segura a cabeça. — Você não entende como ela é...

A IRMÃ DE BECKY BLOOM

— Venha, Becky — diz Robin ignorando-a. — Vou arranjar uma cadeira para você.

Gradualmente o bate-papo vai morrendo e todo mundo ocupa as cadeiras arrumadas em forma de ferradura. Ao olhar a fileira de rostos ao redor vejo Edie e a mulher de cabelo cinza-metálico, que acho que se chama Lorna, e várias outras pessoas que reconheço como fregueses de Jim.

— Bem-vindos, todos — diz Robin assumindo posição no centro da ferradura. — Antes de começarmos, tenho alguns anúncios. Amanhã, como vocês sabem, vai acontecer a caminhada de resistência subindo o pico Scully. Quem vai participar, por favor?

Cerca de metade das pessoas levanta a mão, inclusive Jess. Estou tentada a levantar também, só que há algo na palavra "resistência" que me incomoda. E em "caminhada", por sinal.

— Fantástico! — Robin olha em volta, satisfeito. — Os que vão tentar, por favor se lembrem de todo o equipamento. Acho que a previsão do tempo não é boa. Névoa e possivelmente chuva.

Há um gemido unificado de tristeza, misturado com risos.

— Mas saibam que uma festa de boas-vindas estará esperando no fim, com bebidas quentes. E boa sorte a todos os participantes. — Agora... — Ele sorri para as pessoas ao redor. — Gostaria de apresentar um novo membro do grupo. Becky chega com um conhecimento especial de ouriços-cacheiros e... — Ele me olha... — também outras pequenas criaturas em perigo ou apenas os ouriços?

— Hã... — pigarreio, consciente dos olhos de Jess em mim, como adagas. — Hã... principalmente os ouriços.

— Então todos damos calorosas boas-vindas a Jess. Certo. A parte séria. — Ele pega uma bolsa de couro e tira um maço de papéis. — A proposta do Shopping Center Piper's Hill.

Ele faz uma pausa de efeito e há uma espécie de *frisson* no salão.

— O conselho municipal ainda está bancando o ignorante. Entretanto... — Ele folheia os papéis com um floreio. — Por meios lícitos ou ilícitos consegui uma cópia dos projetos. — Robin entrega os papéis a um homem na extremidade da fila, que começa a distribuí-los. — Obviamente temos muitas objeções. Se vocês examinarem o material com cuidado por alguns minutos...

Baixa o silêncio no salão. Leio obedientemente os planos e examino todos os desenhos. Enquanto olho ao redor, as pessoas estão balançando a cabeça com raiva ou desapontamento, o que, francamente, não me surpreende.

— Certo. — Robin olha ao redor e seu olhar pousa em mim. — Becky, talvez você possa falar primeiro. Como alguém de fora, qual é sua reação inicial?

Todo mundo se vira para me olhar, e sinto as bochechas esquentando.

A IRMÃ DE BECKY BLOOM

— Hã... bem, eu posso ver os problemas de cara — digo hesitante.

— Exato — diz Robin com satisfação. — Isso prova nosso argumento. Os problemas são óbvios à primeira vista, para alguém que nem conhece a área. Continue, Becky.

— Bem. — Examino os projetos por um segundo, depois levanto os olhos. — Para começar, o horário de funcionamento é muito restrito. Eu manteria aberto até dez da noite. Quer dizer, as pessoas trabalham durante o dia! Não precisam ir correndo fazer as compras!

Olho em volta os rostos sem fala. Todo mundo parece meio pasmo. Provavelmente não esperavam que eu acertasse na mosca assim. Encorajada, bato na lista de lojas.

— E essas lojas são um lixo. Vocês deveriam ter a Space NK... Joseph... E definitivamente uma LK Bennett!

Há um silêncio absoluto no salão.

Jess enterrou a cabeça nas mãos.

Robin parece perplexo, mas faz uma tentativa corajosa de sorrir.

— Becky... há uma ligeira confusão aqui. Não estamos protestando contra qualquer característica do shopping center. Estamos protestando contra sua existência.

— Perdão? — encaro-o sem compreender.

— Não queremos que ele seja construído — diz Jess num tom extralento, sarcástico. — Eles estão planejando destruir uma área de beleza natural. Por isso o protesto.

— Certo. — Minhas bochechas queimam. — Ah, sei. Sem dúvida. A beleza natural. Eu... na verdade...

é... já ia mencionar isso. — Abalada, começo a folhear os projetos de novo, tentando pensar num modo de me redimir depressa. — Provavelmente também vai causar muitos danos aos ouriços-cacheiros ameaçados de extinção. Ou OCAE, como nós os chamamos.

Posso ver Jess revirando os olhos. Talvez seja melhor calar a boca agora.

— Muito bom — diz Robin com o sorriso tenso. — Então... Becky compartilhou conosco algumas valiosas preocupações com a segurança dos ouriços-cacheiros. Algum outro ponto de vista?

Enquanto o homem de cabelos brancos começa a falar da violação do campo, afundo na minha cadeira com o coração martelando. Certo. Chega de falar.

Agora estou feliz por não ter mencionado minha outra preocupação com o shopping center. Que ele não é suficientemente grande.

— Minha preocupação é a economia local — afirma uma mulher bem vestida. — Os shopping centers de fora da cidade arruínam a vida rural. Se construírem esse, vai levar a loja da cidade à falência.

— É um crime — estrondeia Lorna, a de cabelos cinza-metálicos. — As lojas dos povoados são um centro de atividades comunitárias. Elas precisam ser apoiadas.

Mais e mais vozes se juntam agora. Posso ver todos os fregueses da loja do Jim assentindo uns para os outros.

— Como Jim pode competir com a Asda?

— Precisamos manter vivas as lojas pequenas!

— A culpa é do governo...

A IRMÃ DE BECKY BLOOM

Sei que não estava planejando dizer mais nada. Mas simplesmente não consigo ficar quieta.

— Com licença? — aventuro-me, levantando a mão. — Se todos vocês querem que a loja do povoado sobreviva, por que não compram pão pelo preço normal?

Olho em volta e vejo Jess me encarando furiosa.

— Isso é bem *típico* — diz ela. — Tudo se reduz a gastar dinheiro, não é?

— Mas é uma loja! — digo perplexa. — Esse é o ponto! Vocês gastam dinheiro! Se gastarem um pouquinho mais, a loja vai começar a crescer!

— Nem todo mundo no planeta é viciado em compras, certo, Becky? — reage Jess.

— Gostaria que fossem — intervém Jim com um sorriso torto. — Meus ganhos triplicaram desde que Becky chegou à cidade.

Jess o encara com a boca apertada. Ah, meu Deus. Ela realmente parece furiosa. Estou mexendo com os brios dela.

— Foi só... uma idéia — digo rapidamente. — Não importa. — Afundo de novo na cadeira, tentando não atrapalhar.

A discussão recomeça, mas fico de cabeça baixa e folheio de novo os planos do shopping center. E tenho de dizer que estava certa, para começar. As lojas *são* um lixo. Nenhum lugar bom para bolsas... nenhum lugar onde se fazer as unhas... puxa, realmente dá para entender esse pessoal. Qual é o sentido de arruinar um campo lindo com um shopping center de merda, cheio de lojas que ninguém quer visitar?

— ...por isso nós, do comitê, nos decidimos por uma ação rápida, preventiva — está dizendo Robin quando levanto a cabeça de novo. — Vamos fazer uma passeata daqui a uma semana. Precisamos do máximo de apoio possível. E obviamente do máximo de publicidade possível.

— É difícil — diz uma mulher suspirando. — Ninguém se interessa.

— Edgar está escrevendo um artigo para sua revista paroquiana — diz Robin, consultando um pedaço de papel. — E sei que alguns de vocês já esboçaram cartas para o conselho municipal...

Estou me coçando para falar.

Abro a boca — capto o olhar de Jess em mim como adagas — e fecho de novo.

Mas, ah, meu Deus. Não consigo ficar quieta. Simplesmente não consigo.

— Estamos produzindo um panfleto muito informativo...

— Vocês deveriam fazer alguma coisa maior! — Minha voz interrompe a de Robin, e todo mundo se vira para me olhar.

— Becky, cala a boca! — diz Jess furiosamente. — Estamos tentando discutir isso com sensatez!

— E eu também! — Estou quente sob todos aqueles olhares, mas vou em frente. — Acho que vocês deveriam fazer uma enorme campanha de marketing.

— Isso não seria caro? — pergunta a mulher de cabelos brancos franzindo a testa.

— Nos negócios, se você quer ganhar dinheiro, tem de gastar dinheiro. E aqui é a mesma coisa. Se querem ter resultado, têm de fazer o investimento!

— Dinheiro outra vez! — exclama Jess exasperada. — Gastar de novo! Você é obcecada.

— Vocês poderiam conseguir um patrocínio! — retruco. — Deve haver empresas locais que também não querem o shopping center. Poderiam envolver uma estação de rádio local... montar um pacote de imprensa...

— Com licença, querida — interrompe um cara sentado perto de Jess, com sarcasmo. — Você é boa em falar. Mas o que *sabe* de verdade sobre isso?

— Bem, nada — admito. — Só que trabalhei como jornalista. Por isso sei sobre *press releases* e campanhas de marketing. — Olho o salão silencioso ao redor. — E durante dois anos trabalhei na Barneys, a loja de departamentos de Nova York. Nós fazíamos montes de eventos, como festas, liquidações especiais de fim de semana e noites promocionais... na verdade é uma idéia! — Viro-me para Jim numa inspiração súbita. — Se querem incrementar a loja do povoado, deveriam celebrá-la! Fazer alguma coisa positiva! Poderiam fazer um festival de compras. Ou uma festa! Seria divertido! Poderia haver ofertas especiais e brindes... associar isso ao protesto...

— *Cala a boca!* — Uma voz atravessa violentamente o salão e eu paro chocada, vendo Jess de pé, branca de fúria. — Cala a boca ao menos uma vez, Becky! Por que tudo tem de ser uma festa? Por que você precisa trivializar tudo? Os lojistas como Jim não estão interessados em festas! Estão interessados em ações sólidas e bem pensadas.

— Talvez eu esteja interessado numa festa — diz Jim humildemente, mas Jess não presta atenção nele.

— Você não sabe nada sobre meio ambiente! Não sabe nada sobre ouriços-cacheiros! Está inventando enquanto fala! Tira esse rabo daí e deixa a gente em paz.

— Bom, você está sendo meio agressiva, Jess — diz Robin. — Becky só está tentando ajudar.

— Não precisamos da ajuda dela!

— Jess — diz Jim tentando acalmá-la. — Esta é sua irmã. Ande, querida. Seja um pouco mais receptiva.

— Essas duas são irmãs? — pergunta o homem de cabelos brancos, surpreso. Um murmúrio de interesse circula pelo salão.

— Ela não é minha irmã. — Jess cruzou os braços com força. Está até se recusando a olhar para mim, e de repente sinto um jorro de mágoa raivosa.

— Sei que você não quer que eu seja sua irmã, Jess — digo levantando-me para encará-la. — Mas sou! E você não pode fazer nada a respeito! Temos o mesmo sangue! Temos os mesmos genes! Temos o mesmo...

— É, bem, eu não acredito nisso, certo? — A voz de Jess atravessa o salão como um foguete.

Há um silêncio chocado.

— O quê? — encaro-a insegura.

— Não acredito que tenhamos o mesmo sangue — diz ela mais calma.

— Mas... nós sabemos que temos! — respondo confusa. — O que você está falando?

Jess suspira e coça o rosto. Quando levanta a cabeça, resta apenas um traço de animosidade.

— Olhe para nós, Becky — diz ela quase com gentileza. Em seguida sinaliza para mim e depois para si mesma. — Não temos nada em comum. Nenhuma coisa. Não podemos ser da mesma família.

— Mas... mas meu pai é seu pai!

— Ah, meu Deus — diz Jess, quase para si mesma. — Olha, Becky, eu só ia falar disso mais tarde.

— Falar do quê? — Encaro-a, com o coração batendo um pouco mais rápido. — Falar do quê?

— Certo. O negócio é o seguinte. — Jess solta o ar com força e coça o rosto. — Originalmente me deram o nome do seu pai, como sendo meu pai. Mas... não parecia fazer sentido. Por isso ontem à noite tive uma longa conversa com minha tia Florence. Ela admitiu que minha mãe era meio... louca. Que pode ter havido outros homens. — Jess hesita. — Ela acha que provavelmente *houve* outros homens, mas não sabe de nenhum nome.

— Mas... vocês fizeram um teste! — digo pasma. — Um teste de DNA! Portanto isso prova... — paro quando Jess balança a cabeça.

— Não. Nunca fizemos. Íamos fazer. Mas eu tinha o nome do seu pai, as datas faziam sentido e... nós apenas presumimos. — Ela olha para o chão. — Acho que presumimos errado.

Meu coração está girando. Eles não fizeram teste de DNA? Só *presumiram*?

Todo o salão está em silêncio. Acho que ninguém respira. Vejo o rosto gentil e ansioso de Jim, e rapidamente desvio o olhar.

— Então... tudo isso foi um grande equívoco — digo finalmente. E de súbito há um nó enorme em minha garganta.

— Acho que foi um equívoco — concorda Jess. Ela ergue os olhos e vê meu rosto abalado. — Qual é, Becky. Se você olhasse para nós como alguém de fora... diria que somos irmãs?

— Acho... que não — consigo dizer.

Estou tonta de choque e desapontamento. Mas ao mesmo tempo, bem no fundo, uma voz minúscula diz que isso faz sentido. Sinto como se nas últimas semanas estivesse tentando calçar um sapato de número errado. Estive forçando e forçando, esfolando a pele... e finalmente admito que não cabe.

Ela não é minha irmã. Não é minha carne e meu sangue. É só... uma mulher.

Estou parada olhando para uma mulher que mal conheço, que nem ao menos gosta de mim.

E de repente não quero mais estar aqui.

— Certo — digo tentando me recompor. — Bem... acho que vou indo. — Olho o salão silencioso ao redor. — Tchau, todo mundo. Boa sorte com o protesto.

Ninguém diz nada. Todo mundo está chocado demais. Com as mãos trêmulas pego minha bolsa e empurro a cadeira para trás. Enquanto passo por todo mundo até a porta capto um ou outro olhar de simpatia. Paro quando chego a Jim, que parece quase tão desapontado quanto eu.

— Obrigada por tudo, Jim — digo tentando sorrir.

— Tchau, querida. — Ele aperta minha mão calorosamente. — Foi bom conhecer você.

— Você também. Diga adeus a Kelly por mim. Chego à porta e me viro para encarar Jess.

— Tchau, então. — Engulo em seco. — Tudo de bom pra você.

— Tchau, Becky — diz ela, e pela primeira vez há uma fagulha de algo que parece compaixão em seus olhos. — Espero que você resolva as coisas com Luke.

— Obrigada — assinto, sem saber o que dizer. Depois me viro e saio para a noite.

VINTE

Estou entorpecida. Não tenho irmã. Depois de tudo que aconteceu.

Estive sentada na cama do quarto de pensão durante cerca de uma hora, só olhando pela janela, para as colinas distantes. Tudo acabou. Meu sonho estúpido de ter uma alma gêmea para bater papo, rir, fazer compras juntas e comer bombom de hortelã... acabou de vez.

Não que Jess fosse algum dia fazer compras ou comer bombons de hortelã comigo. Ou rir, por sinal.

Mas poderia ter batido papo. Poderíamos ter nos conhecido melhor. Poderíamos ter contado segredos e pedido conselhos uma à outra.

Dou um suspiro enorme e abraço os joelhos junto ao peito. Isso nunca aconteceu no *Irmãs há muito perdidas — o amor que elas nunca souberam que tinham.*

Na verdade aconteceu uma vez. Com duas irmãs que iam fazer um transplante de rim, fizeram o teste de DNA e perceberam que não eram irmãs, afinal de contas. Mas o fato é que por acaso combinavam o suficiente, e fizeram o transplante. E depois disseram que sempre seriam irmãs no coração. (E nos rins, imagino.)

A IRMÃ DE BECKY BLOOM

O fato é que elas *gostavam* uma da outra.

Sinto uma lágrima escorrer pela bochecha e a enxugo irritada. Não adianta me perturbar. Fui filha única a vida inteira... e agora sou de novo. Só tive uma irmã por algumas semanas. Não é como se tivesse me acostumado. Não é como se estivéssemos grudadas ou sei lá o quê.

Na verdade... na verdade estou achando *bom* isso ter acontecido. Quem iria querer Jess como irmã? Eu, não. De jeito nenhum. Quer dizer, ela está certa. Não temos absolutamente nada em comum. Uma não entende absolutamente nada sobre a outra. Deveríamos ter percebido que era um equívoco desde o primeiro instante.

Levanto-me abruptamente, abro a mala e começo a jogar roupas dentro. Vou passar a noite aqui e voltar para Londres de manhã cedinho. Não posso perder mais tempo. Tenho uma vida para a qual voltar. Tenho um marido.

Pelo menos... acho que tenho marido.

Enquanto minha mente salta de volta à última vez em que vi Luke, sinto um pavor oco no estômago. Ele provavelmente continua furioso comigo. Provavelmente está passando um tempo horroroso em Chipre e me xingando a cada momento. Hesito ao dobrar um agasalho de moletom. Só a idéia de voltar e encará-lo me deixa meio enjoada.

Mas então meu queixo se enrijece e jogo o agasalho na mala. E daí, se as coisas com Luke estão abaladas? Não preciso de uma irmã de merda para salvar meu casamento. Vou resolver sozinha. Talvez compre um livro. Deve haver algum chamado *Como salvar seu casamento de um ano*.

Atulho todas as lembranças que comprei na loja do Jim, sento na tampa da mala verde-lima e fecho-a. É isso. Fim.

Há uma batida na porta e eu levanto a cabeça.

— Olá?

Edie enfia a cabeça no quarto.

— Você tem visita — diz ela. — Lá embaixo.

Sinto uma súbita fagulha de esperança.

— Verdade? — fico de pé. — Já estou indo!

— Gostaria de aproveitar esta oportunidade para lembrar as regras. — A voz estrondeante de Edie me acompanha enquanto desço a escada. — Nada de visitas depois das onze. Se houver balbúrdia terei de chamar as autoridades.

Pulo os últimos degraus e entro correndo na pequena sala de estar.

— Oi! — paro subitamente. Não é Jess.

É Robin. E Jim. E algumas outras pessoas da reunião. Todos se viram para me olhar, e vejo alguns olhares se desviando.

— Oi, Becky — diz Jim dando um passo na minha direção. — Você está bem?

— Hã... estou. Estou bem, obrigada.

Ah, meu Deus. É uma visita de piedade. Talvez estejam preocupados com a hipótese de eu cortar os pulsos ou algo assim. Enquanto Robin respira para falar de novo, interrompo:

— Realmente, pessoal. Não precisam se preocupar comigo. É muita gentileza de vocês se preocuparem. Mas vou ficar bem. Só vou dormir e pegar o trem para casa amanhã, e... ir em frente.

Silêncio.

— Hã... não é por isso que viemos — diz Robin, e mexe nos cabelos, sem jeito. — Queríamos pedir uma coisa.

— Ah — digo sem graça. — Certo.

— Estávamos pensando... todos nós... se você poderia ajudar no protesto. — Ele olha ao redor procurando apoio, e todo mundo confirma com a cabeça.

— *Ajudar*? — Encaro de volta, perplexa. — Mas... eu não sei nada sobre isso. Jess estava certa. — Sinto uma pontada de dor ao lembrar. — Estava inventando tudo. Nem sei nada sobre ouriços-cacheiros.

— Não faz mal — responde Robin. — Você tem um monte de idéias, e é disso que precisamos. Você está certa. Nós *deveríamos* pensar grande. E Jim gosta da idéia da festa. Não é, Jim?

— Se colocar pessoas na loja antes das quatro da tarde, não pode ser má — diz Jim, piscando.

— Você tem experiência com esse tipo de eventos — entoa o homem de cabelos brancos. — Sabe como se virar com isso. Nós não.

— Quando você saiu da reunião fizemos uma rápida votação — diz Robin. — E foi praticamente unânime. Gostaríamos de convidá-la para o comitê de ação. Todo mundo está esperando no salão, para ouvir.

Todos os rostos estão tão calorosos e amigáveis que sinto lágrimas pinicando nos olhos.

— Não posso. — Desvio o olhar. — Sinto muito, mas não posso. Não há necessidade de continuar em Scully. Tenho de voltar a Londres.

— Por quê? — pergunta Jim.

— Tenho... coisas a fazer. Compromissos. Você sabe.

— Que compromissos? — pergunta Jim, afável. — Você não tem trabalho. Seu marido está viajando. Seu apartamento está vazio.

Certo, por isso é que a gente não deve pôr toda a sua história lamentável para fora com pessoas que acaba de conhecer. Por alguns instantes fico em silêncio, olhando o tapete de Edie cheio de redemoinhos rosas e roxos, tentando ajeitar os pensamentos. Depois levanto os olhos.

— O que Jess acha de tudo isso?

Olho o grupo ao redor — mas ninguém responde. Robin não me encara. O homem de cabelos brancos está olhando o teto. Jim tem a mesma expressão triste de quando estava no salão comunitário.

— Aposto que ela foi a única que votou contra mim, não foi? — Tento sorrir, mas minha voz está falhando.

— Jess tem... certas opiniões — começa Robin. — Mas ela não precisa participar...

— *Precisa*! Claro que precisa! Ela é todo o motivo para eu estar aqui! — Paro, tentando ficar calma. — Olha, desculpe. Mas não posso participar do comitê de vocês. Espero que o protesto dê realmente certo... mas não posso ficar.

Vejo Robin inspirando para falar de novo.

— Não posso. — Olho direto para Jim. — Vocês precisam entender. Não posso.

E dá para ver nos olhos dele. Jim entende.

— É justo — diz ele por fim. — Valeu tentar. — Ele assente para os outros como se dissesse: "acabou".

Todos murmuram se despedindo e desejando sorte, e saem da saleta. A porta da frente se fecha e fico sozinha, me sentindo mais chapada do que nunca.

Quando acordo na manhã seguinte o céu está escuro e inchado com nuvens cinzas. Edie me serve um café-da-manhã inglês, completo, até com chouriço, mas só consigo tomar uma xícara de chá. Pago com o resto do meu dinheiro e subo para me preparar para ir embora. Pela janela dá para ver os morros à distância, estendendo-se na névoa.

Provavelmente nunca mais verei esses morros. Provavelmente nunca mais voltarei aqui.

O que por mim está ótimo, penso em desafio. Odeio o campo. Nunca quis estar aqui, para começar.

Ponho o resto das coisas na mala vermelha e decido calçar o sapato turquesa de salto agulha com tiras de *strass*. Quando calço sinto um calombo pequeno embaixo dos dedos. Pego um pequeno objeto embrulhado e olho, percebendo subitamente.

É o colar de contas de prata que eu ia dar a Jess, ainda na sacolinha azul.

Meu Deus, parece ter sido há séculos.

Olho-o por alguns instantes, depois enfio no bolso, pego as malas e a caixa de chapéu listada e desço, passando pelo telefone público no corredor.

Talvez devesse ligar para Luke.

Mas de que adianta? E, de qualquer modo, não tenho o número.

Edie não está à vista, por isso fecho a porta da pensão e vou arrastando as malas pela praça, até a loja. Quero me despedir de Jim antes de partir.

Quando empurro a porta com a campainha familiar, Jim levanta os olhos das latas de feijão em que está colocando o preço. Olha para minhas malas e arqueia as sobrancelhas.

— Então você está indo.

— É, estou.

— Não vá! — diz Kelly, triste, atrás do balcão, com *Júlio César* escondendo *100 penteados fantásticos*.

— Preciso ir. — Dou um risinho e largo as malas.

— Mas tenho mais coisas da Stila para você. Um presente de despedida.

Enquanto entrego vários brilhos labiais e para os olhos, o rosto dela se ilumina.

— Tenho um presente para você também, Becky — diz ela abruptamente. Em seguida tira uma pulseira de amizade do braço e me entrega. — Para não esquecer de mim.

Quando olho a tira simples, estampada, não consigo falar. É como as pulseiras que Luke e eu ganhamos na cerimônia no Masai Mara. Luke tirou a dele quando voltou para a vida corporativa.

A IRMÃ DE BECKY BLOOM

Ainda tenho a minha.

— É... fabulosa! — Me animo e sorrio. — Vou usar sempre. — Ponho-a no pulso, ao lado da minha, e dou um abraço apertado em Kelly.

— Queria que você não fosse embora. — O lábio inferior de Kelly se projeta. — Algum dia você vai voltar a Scully?

— Não sei — digo depois de uma pausa. — Acho que não. Mas escute, se algum dia você for a Londres, ligue para mim, certo?

— Certo. — Kelly se anima. — Podemos ir à Topshop?

— Claro!

— Devo começar a economizar agora mesmo? — pergunta Jim com ar tristonho, e nós duas começamos a rir.

Um tilintar na porta nos interrompe, e todos vemos Edie entrando na loja com seu lenço de cabeça verde, junto de Lorna e da mulher bem-vestida da noite anterior. Todas estão parecendo tremendamente sem jeito.

— Edie! — diz Jim, olhando o relógio, surpreso. — O que posso fazer por você?

— Bom dia, Jim — diz Edie, evitando o olhar dele. — Gostaria de uns pães, por favor. Um de cereais e um redondo.

— Pão? — pergunta Jim, perplexo. — Mas Edie... são dez da manhã.

— Sei que horas são, obrigada — responde ela rigidamente.

— Mas... é o preço normal.

— Quero comprar pão — diz ela rispidamente. — É pedir muito?

— Claro... que não! — responde Jim, ainda pasmo. Em seguida pega os pães e embrulha. — É uma libra e noventa e seis.

Há uma pausa, e posso ouvir Edie inspirar com força. Depois remexe na bolsa e abre a carteira.

— Duas libras — diz ela entregando as moedas. — Muito obrigada.

Não acredito. Kelly e eu ficamos ali imóveis, de olhos arregalados e em silêncio, enquanto as outras duas mulheres compram três pães e um saco de pãezinhos de sanduíche. Lorna chega a colocar dois bolinhos Chelsea no último momento.

Quando elas saem e a porta se fecha, Jim se deixa afundar em seu banco.

— Bem, quem imaginaria isso? — Ele balança a cabeça num espanto lento, depois levanta os olhos. — É você, Becky.

— Não sou *eu* — digo um pouco ruborizada. — Elas provavelmente só precisavam de pão.

— Foi você! — insiste Kelly. — Foi o que você disse! Mamãe contou tudo sobre a reunião. Disse que você pareceu uma garota legal, mesmo sendo um pouco...

— Kelly — intervém Jim rapidamente. — Por que não faz uma xícara de chá para Becky?

— Não, tudo bem. Já estou indo. — Hesito, depois enfio a mão no bolso e pego a sacolinha da Tiffany. — Jim, queria lhe pedir um favor. Poderia dar isso a Jess? É algo que comprei para ela há um tempo. Sei que agora tudo está diferente... mas mesmo assim.

A IRMÃ DE BECKY BLOOM 395

— Estou indo à casa dela agora mesmo, fazer uma entrega. Por que você mesma não deixa o presente lá?

— Ah. — Recuo. — Não... Não quero vê-la.

— Ela não vai estar. Todos foram para a caminhada de resistência. Eu tenho uma chave da casa.

— Ah, certo. — Hesito.

— Seria bom ter companhia — acrescenta Jim, dando de ombros.

— Bem... — Olho a sacolinha da Tiffany por alguns instantes, depois recoloco no bolso. — Tudo bem. Eu vou.

Caminhamos em silêncio pelas ruas vazias, até a casa de Jess, Jim carregando um saco de batatas no ombro. As nuvens estão ficando mais densas e posso sentir gotas de chuva no rosto. Percebo Jim me lançando olhares preocupados.

— Você vai ficar bem, em Londres? — pergunta finalmente.

— Acho que sim.

— Falou com seu marido?

— Não. — Mordo o lábio. — Não falei.

Jim pára e transfere as batatas para o outro ombro.

— E como uma garota legal como você acaba num casamento com problemas?

— É tudo minha culpa. Fiz umas... coisas estúpidas. E meu marido ficou com raiva. Ele disse... — engulo em seco. — Disse que gostaria que eu fosse mais parecida com Jess.

— Disse? — Jim parece meio abalado. — Quer dizer, Jess é uma boa garota — corrige depressa. — Mas eu não teria... Sei lá. Uma coisa não tem nada a ver com a outra. — Ele tosse sem jeito e coça o nariz.

— Foi por isso que vim aqui. Para aprender com ela. — Dou um suspiro enorme. — Mas foi uma idéia estúpida.

Chegamos ao começo da rua de Jess, e Jim pára descansando antes da subida íngreme. As casas de pedras cinzas estão brilhando sob a garoa, nítidas contra os morros nevoentos. Posso ver um rebanho de ovelhas pastando no alto, como pontos de algodão no verde.

— Uma pena o que aconteceu entre você e Jess. — Jim parece lamentar de verdade. — É uma pena.

— Pois é. — Tento afastar o desapontamento da voz. — Eu deveria saber o tempo todo. Nós somos diferentes demais.

— Vocês são diferentes, sim. — O rosto dele se franze, achando divertido.

— Ela parece tão... *fria*. — Encolho os ombros, sentindo um ressentimento familiar crescendo por dentro. — Você sabe, eu fiz todos os esforços. Fiz mesmo. Mas ela nunca demonstrou nenhum prazer... nem mesmo sentimentos. Parece não se importar com nada! Não parece ter nenhuma paixão!

Jim levanta as sobrancelhas.

— Ah, Jess tem paixões. Tem mesmo. Quando chegarmos à casa dela vou lhe mostrar uma coisa.

A IRMÃ DE BECKY BLOOM

Ele pega o saco de batatas e começamos a subir o morro. E quando nos aproximamos da casa de Jess começo a sentir pequenas pontadas de curiosidade. Não que ela tenha mais alguma coisa a ver comigo. Mas mesmo assim estou intrigada para ver como é sua casa.

Quando chegamos Jim pega um grande chaveiro no bolso, escolhe uma chave e destranca a porta. Entro no saguão e olho em volta, com curiosidade. Mas o lugar não revela grande coisa. É um pouco como a própria Jess. Dois sofás bem arrumados na sala de estar. Uma cozinha branca e simples. Dois vasos de planta bem cuidados.

Subo ao andar de cima e cautelosamente empurro a porta de seu quarto. É imaculado. Edredom de algodão simples, cortinas de algodão simples, duas pinturas tediosas.

— Aqui. — Jim está atrás de mim. — Quer ver qual é a verdadeira paixão de Jess? Dê uma olhada nisso.

Ele vai até uma porta na parede do patamar, vira a chave e me chama com uma piscadela.

— Aqui estão as famosas pedras — diz abrindo a porta. — Jess mandou fazer este armário há três anos, especialmente para guardá-las. Ela mesma desenhou até os últimos detalhes, com luzes e tudo. É uma visão impressionante, não acha? — Ele pára, surpreso diante da minha cara. — Becky, você está bem, querida?

Não consigo falar. Não consigo me mexer.

É o meu armário de sapatos.

É o meu armário de sapatos, exatamente. As mesmas portas. As mesmas prateleiras. As mesmas luzes. Só que, em vez dos sapatos expostos nas estantes, há pedras. Fileiras e fileiras de pedras cuidadosamente etiquetadas.

E... são lindas. Algumas cinzas, algumas são cristais, algumas lisas, algumas iridescentes e brilhantes. Há fósseis... ametistas... pedaços de azeviche, brilhantes, sob as luzes.

— Não fazia idéia... — engulo em seco. — São incríveis.

— Você estava falando de paixão? — Jim ri. — Eis aí uma paixão verdadeira. Pode-se chamar de obsessão. — Ele pega uma pedra cinza com pintas e gira nos dedos. — Sabe como ela teve aquele machucado na perna? Escalando atrás de uma porcaria de uma pedra numa montanha em algum lugar. Estava tão decidida a conseguir que arriscou a própria segurança. — Jim ri de minha expressão.

— E houve a ocasião em que foi presa na alfândega por contrabandear um cristal precioso embaixo do agasalho.

Olho-o boquiaberta.

— Jess? *Presa?*

— Ela foi solta. — Jim balança a mão. — Mas sei que faria isso de novo. Se houver uma pedra em especial que essa garota queira, ela tem de ter. — Ele balança a cabeça, achando divertido. — É uma compulsão. Como uma mania! Nada pode impedi-la!

Minha cabeça está girando. Estou olhando para uma fileira de pedras, todas em diferentes tons de vermelho. Exatamente como minha fileira de sapatos vermelhos.

— Ela mantém tudo isso com bastante discrição. — Jim guarda a rocha pintalgada. — Imagino que acha que as pessoas não iriam entender...

A IRMÃ DE BECKY BLOOM

— Eu entendo — interrompo-o com voz trêmula.
— Completamente.

Estou tremendo inteira. Ela é minha irmã.

Jess é minha irmã. Sei com mais certeza do que jamais soube qualquer coisa.

Tenho de encontrá-la. Tenho de contar a ela. Agora.

— Jim... — respiro fundo. — Preciso achar Jess. Agora mesmo.

— Ela está fazendo a caminhada de resistência. Começa daqui a meia hora.

— Então tenho de ir — digo agitada. — Tenho de vê-la. Como chego lá? Posso ir andando?

— É bem longe. — Jim inclina a cabeça interrogativamente. — Quer uma carona?

Vinte e Um

Eu sabia que éramos irmãs. Sabia. *Sabia.*

E não somos simplesmente irmãs — somos espíritos afins! Depois de todas aquelas falsas largadas. Depois de todos os desentendimentos. Depois de eu achar que jamais teria uma única coisa em comum com ela, jamais.

Ela é igual a mim. Eu a entendo.

Eu entendo Jess!

Tudo que Jim falou tocou em algo dentro de mim. Tudo! Quantas vezes contrabandeei pares de sapatos dos Estados Unidos? Quantas vezes arrisquei a própria vida nas liquidações? Até me machuquei na perna, como ela! Foi quando vi alguém indo para a última bolsa Orla Kiely em liquidação na Selfridges e pulei da escada rolante uns oito degraus antes da hora.

Meu Deus, se ao menos tivesse visto o armário de pedras antes. Se eu *soubesse.* Tudo seria diferente! Por que ela não me contou? Por que não explicou?

Tenho uma lembrança súbita de Jess falando sobre pedras no nosso primeiro encontro... e de novo no apartamento. E uma vergonha quente se esgueira sobre mim. Ela tentou. Eu só não ouvi, não foi? Não acreditei quando

A IRMÃ DE BECKY BLOOM

ela disse que era interessante. Falei que as pedras eram... estúpidas.

E chatas. Como ela.

Meu estômago se aperta.

— Podemos ir mais depressa? — peço a Jim. Estamos chacoalhando em seu velhíssimo Land Rover, passando por encostas cobertas de capim e muros de pedras sem argamassa, subindo cada vez mais nas colinas.

— Estamos indo o mais rápido possível. Vamos chegar a tempo, facilmente.

Ovelhas se espalham para fora da estrada enquanto seguimos trovejando, e pedrinhas batem no pára-brisa. Olho pela janela — e rapidamente desvio o olhar. Não que tenha medo de altura, mas parece que estamos a cinco centímetros de um precipício.

— Certo — diz Jim parando num pequeno estacionamento de cascalho. É aqui que eles começam. E é lá que eles vão subir. — Ele aponta para uma montanha íngreme acima de nós. — O famoso pico Scully. — Seu celular toca, e ele atende. — Com licença.

— Não se preocupe! Obrigada! — digo e abro a porta. Saio e olho em volta — e por um momento fico chapada com a paisagem.

Rochas ásperas e picos a toda volta, intercalados com trechos de capim e fendas, sob a sombra da montanha — uma silhueta nítida e serrilhada contra o céu cinzento. Enquanto olho o vale, sinto uma coisa súbita, meio como vertigem, acho. Honestamente não havia notado como estamos no alto. Há um pequeno agrupamento de casas visível lá embaixo, que acho que é Scully — mas afora isso é como se estivéssemos no meio de lugar nenhum.

Bom, pensando bem, *estamos* no meio de lugar nenhum.

Corro pelo cascalho até um pequeno trecho plano onde foi arrumada uma mesa e uma faixa onde está escrito "Caminhada de Resistência do Grupo Ambiental de Scully. Inscrições". Atrás da mesa duas bandeiras amarelas marcam o início de um caminho que sobe a montanha. Um homem que não reconheço está sentado à mesa, com agasalho e boné. Mas afora isso o lugar está vazio.

Cadê todo mundo? Meu Deus, não é de imaginar que não tenham nenhum dinheiro, se não aparece ninguém para as caminhadas.

— Oi — digo para o sujeito. — Sabe onde Jess Bertram está? Ela vai fazer a caminhada. Preciso muito falar com ela.

Estou totalmente sem fôlego, de tanta ansiedade. Mal posso esperar para dizer! Mal posso esperar para ver sua cara!

— Tarde demais — diz o homem, e sinaliza para a montanha. — Ela já foi. Todos já foram.

— Já? — Encaro-o. Mas... a caminhada começa às onze. Ainda faltam cinco minutos!

— Começou às dez e meia — corrige o homem. — Adiantamos por causa do mau tempo. Você terá de espe rar. Vai demorar algumas horas.

— Certo. — Afrouxo o corpo, desapontada, e me viro. — Certo. Obrigada.

A IRMÃ DE BECKY BLOOM

Tudo bem. Posso esperar. Posso ser paciente.

Não é tanto tempo, só algumas horas.

É sim. Algumas horas é o mesmo que *séculos*. Quero contar *agora*. Olho para a montanha, com todo o corpo latejando de frustração. De repente vejo um casal com casacos vermelhos combinando, algumas centenas de metros adiante. Estão com panos presos nos casacos, onde está escrito Grupo Ambiental de Scully. Eles fazem parte da caminhada. E olha só, logo adiante dos dois um cara vestido de azul.

Minha mente funciona com rapidez. Aquelas pessoas não estão muito longe. O que significa... que posso alcançá-la. É!

Esse tipo de notícia não pode esperar algumas horas. Puxa, nós somos irmãs. Somos irmãs verdadeiras, genuínas! Tenho de lhe contar agora mesmo.

Penduro a bolsa Angel com firmeza no ombro, corro até o início do íngreme caminho da montanha e olho. Posso subir isso. Moleza. Há pedras em que se segurar e tudo.

Dou alguns passos hesitantes... e tudo bem! Não é difícil.

— Com licença? — O homem está se levantando, me olhando horrorizado. — O que está fazendo?

— Participando da caminhada. Não se preocupe, eu mesma me patrocino.

— Você não pode participar da caminhada! E os seus sapatos! — Ele aponta para o sapato turquesa de saltos agulha. — Você tem uma capa de plástico?

— Um capa de plástico? — faço uma careta. — Eu pareço alguém que teria capa de plástico?

— Que tal um cajado?

— Não preciso de cajado — explico. — Não sou *velha*. Honestamente. É só subir um morro. Por que a confusão?

Só para provar a ele, começo a subir o caminho rapidamente. O chão está meio escorregadio por causa da garoa, mas cravo os saltos na lama com o máximo de força possível e seguro as pedras que ladeiam o caminho — e em cerca de dois minutos já passei da primeira curva.

Estou ofegando um pouco, e os tornozelos estão doendo, mas afora isso vou me saindo muitíssimo bem! Meu Deus, é isso aí, subir montanhas não é tão difícil. Chego a outra curva e olho para trás, satisfeita. Já estou praticamente na metade da montanha!

É fácil demais. Sempre soube que as pessoas que faziam caminhadas estavam contando vantagem por bobagens.

Lá embaixo ouço debilmente a voz de Jim gritando:

— Becky! Volte!

Mas fecho os ouvidos e continuo resolutamente, um pé depois do outro. Preciso ir depressa se quiser alcançar Jess.

Só que ela deve andar muito rápido. Porque depois de cerca de uma hora subindo constantemente ainda não a alcancei.

Na verdade não alcancei nenhum deles. Mantive o casal de vermelho à vista por um tempo, mas em algum momento eles desapareceram. O cara de azul também desapareceu. E nem pus os olhos em Jess.

Provavelmente porque ela *correu* por toda a subida, penso desconsolada. Provavelmente está fazendo vinte flexões com um braço só, no topo, porque subir uma montanha não é esforço suficiente. Meu Deus, isso não é justo. É de pensar que eu tivesse alguns dos genes da superforma, também.

Dou mais uns passos e paro para respirar, encolhendo-me ao ver as pernas sujas de lama. Meu rosto está quente e estou ofegando, por isso pego o *spray* facial Evian e me borrifo de novo. Está ficando bem íngreme aqui em cima.

Não que seja *difícil*. De fato estou realmente curtindo. Afora a bolha no pé direito, que está ficando um pouco dolorosa. Talvez aquele cara tivesse razão — esses não são os melhores sapatos do mundo para escalar. Se bem que há um lado positivo, os saltos são realmente bons para as partes escorregadias.

Olho em volta a montanha vazia e escarpada. A cerca de um metro há uma laje de pedra, e depois dela uma queda livre até um vale.

Que não vou olhar. Nem pensar!

Pára, Becky. *Não* vou sair correndo e me jogar do precipício, não importa o que meu cérebro esteja dizendo.

Guardo o *spray* Evian e olho em volta, meio insegura. Não faço idéia de quanto falta. Eu contava alcançar os outros participantes e descobrir com eles, mas o ar está ficando turvo por causa da névoa.

Ah, meu Deus. Talvez chova. E nem tenho um cardigã.

De repente me sinto estúpida. Talvez não devesse ter vindo logo aqui para cima. Talvez devesse descer. Cautelosamente dou alguns passos para baixo... mas o chão está mais escorregadio do que eu esperava, e de repente estou escorregando na direção da laje de pedra.

— Meeeerda! — Agarro uma pedra afiada e de algum modo consigo me puxar para cima, distendendo um músculo do braço.

Ah, esquece esse plano. Não vou voltar agora. De qualquer modo, é provavelmente *mais longe* voltar do que ir em frente. Vou seguir o caminho. Vai dar tudo certo. Se acelerar um pouquinho devo alcançar Jess.

E vai valer a pena, só ver a cara dela.

Ela não vai acreditar nos próprios olhos. Aí vou lhe contar — e ela não vai acreditar nos ouvidos! Vai ficar totalmente, absolutamente aparvalhada! Abraço o pensamento toda feliz por alguns instantes — depois, com um novo jorro de energia, continuo subindo.

Estou em frangalhos. Não consigo continuar.

Meus joelhos doem, as mãos estão arranhadas e os pés cobertos de bolhas. Parece que estou caminhando há horas, mas essa porcaria de montanha continua para sempre. Cada vez que acho que cheguei ao topo, vejo outro pico se erguendo adiante.

Onde está Jess? Onde está todo mundo? Nem *todos* podem ser mais rápidos do que eu.

A IRMÃ DE BECKY BLOOM

Paro alguns instantes, ofegando um pouco, agarrando-me a uma pedra grande para me equilibrar. A vista do vale é espantosa como sempre, com nuvens arroxeadas e cinzentas rolando pelo céu, e um único pássaro voando acima de mim. Talvez seja uma águia ou algo do tipo. Para ser honesta, não me importo. Só quero sentar com uma xícara de chá. Só quero isso, no mundo.

Mas não posso. Tenho de continuar. Anda. É isso que eles querem dizer quando falam em resistência.

Com um esforço gigantesco solto a pedra e começo a subir de novo. Esquerdo, direito. Esquerdo, direito. Talvez eu tente cantando, como os Von Trapp. É, isso vai me animar...

— *No alto da montanha olê-ri-a-ô...*

Não. Esquece a cantoria.

Ah, meu Deus, não consigo subir mais. Simplesmente não consigo.

Devo estar andando há horas e estou enjoada e tonta. As mãos estão dormentes e exaustas, lanhei o joelho numa pedra e rasguei a saia, e não sei aonde devo ir em seguida.

Cambaleio até um agrupamento de rochas e agarro um arbusto, encolhendo-me quando ele espeta minha mão. Certo. Tenho de parar para um descanso. Sento-me numa pedra chata, pego o *spray* facial Evian e dou uma borrifada na boca.

Estou desesperada para beber alguma coisa. Meu rosto está suado, os pulmões queimando. As pernas cobertas de lama, com sangue escorrendo do joelho em riachos. Os sapatos estão inidentificáveis.

Borrifo as últimas gotas de Evian na boca. Enxugo o rosto com um lenço de papel da bolsa e olho a montanha vazia ao redor. Não há ninguém à vista. *Ninguém.*

O que vou fazer?

Sinto um profundo espasmo de medo, que ignoro. Vou ficar bem. O importante é pensar positivo. Só vou continuar subindo. Vou conseguir!

Não, não vou, diz uma vozinha por dentro.

Pára com isso. Pensamento positivo. Posso fazer qualquer coisa que minha mente decida.

Não subir uma montanha. Foi uma idéia estúpida.

Qual é! Posso sim. Poder feminino. Escalando a montanha!

De qualquer modo, não posso simplesmente ficar sentada nessa pedra para sempre. Tenho de continuar, caso contrário vou ter a doença da neve, cair no sono e morrer. Ou a doença da montanha. Tanto faz.

Minhas pernas estão trêmulas, mas de algum modo me obrigo a ficar de pé, encolhendo-me de dor quando os sapatos esmagam as bolhas de novo. Certo. É só ir em frente. Vou chegar ao topo — e talvez a festa de boas-vindas seja lá. E aquelas bebidas quentes das quais eles falaram. É. Vou ficar bem...

De repente há o rugido de um trovão distante.

Ah, meu Deus. Por favor, não.

Olho para cima e o céu escureceu até um cinza ameaçador. Não há nenhum pássaro.

Uma gota de chuva me acerta o olho. Depois outra.

A IRMÃ DE BECKY BLOOM

Engulo em seco, tentando ficar calma. Mas por dentro sou uma trouxa de pânico. O que faço agora? Continuo subindo? Desço?

— Olá! — grito. — Tem alguém aí? — Minha voz ecoa nas pedras, mas não há resposta.

Mais três gotas caem na minha cabeça.

Não tenho nada à prova d'água. Olho em volta a paisagem árida, tomada pelo medo. E se não conseguir descer? E se ficar presa aqui em cima, numa tempestade?

Estava tão desesperada para dizer a Jess que somos irmãs! Agora só me sinto uma idiota. Deveria ter esperado. Luke está certo. Por que não consigo esperar nada na vida? É tudo minha culpa.

Há outro rugido distante de trovão e me encolho de pavor. E se eu for acertada por um raio? Nem sei quais são as regras para quando se está ao ar livre numa tempestade. É algo tipo ficar embaixo de uma árvore. Ou talvez *não* ficar embaixo de uma árvore. Mas qual das duas opções? E se eu errar?

De repente, em meio à agitação, percebo um ruído. Uma espécie de chilreio. Será... um animal?

Ah, meu Deus.

Ah, meu Deus. É meu celular. Há um sinal aqui em cima! Uma porcaria de um sinal!

Com dedos trêmulos abro a bolsa Angel e pego o celular que pisca. Com um suspiro de incredulidade vejo a palavra "Luke" na telinha. Aperto freneticamente o botão verde, fraca de tanto alívio.

— Luke! — digo. — É Becky!

— Becky! Tem alguém aí? — A linha está estalando, e ele parece distante.

— Tem! — grito enquanto as gotas de chuva começam a bater com mais força na minha cabeça. — Luke, sou eu! Estou perdida! Preciso de ajuda!

— Alô? — diz sua voz perplexa de novo. — Alguém está ouvindo?

Olho para o celular, consternada.

— Sim! Estou ouvindo! Estou aqui! — Sem aviso, lágrimas começam a escorrer pelo meu rosto. — Estou presa nessa montanha horrorosa e não sei o que fazer. Luke, desculpe...

— A linha não está funcionando — ouço-o dizer a alguém. — Não consigo ouvir porra nenhuma.

— Luke! — grito. — Luke, estou aqui! Estou bem aqui! Não desligue!

Bato freneticamente no telefone, e as palavras "Bateria fraca" piscam para mim.

— Alô? — diz a voz de Luke outra vez. — Becky?

— Luke, por favor, escute! — grito desesperada. — Por favor, ouça! *Por favor*...

Mas a luz na tela já está apagando. Nunca na vida me senti tão só.

Depois de um tempo o vento sopra a chuva no meu rosto e eu me encolho. Não posso ficar aqui parada. Tenho de achar algum tipo de abrigo.

Cerca de dois metros acima de mim há uma espécie de laje que se destaca, com um amontoado de pedras em cima. Uma delas se projeta um pouco, e talvez eu possa me agachar embaixo. A lama está encharcada e escorregadia, mas cravo os saltos e agarro qualquer coisa que possa achar, e de algum modo consigo chegar lá, ralando o outro joelho.

Meu Deus, é bem alto. Estou me sentindo meio fraca. Mas não faz mal. Se não olhar para baixo está tudo bem. Seguro com firmeza a rocha que se projeta e estou tentando entrar embaixo sem escorregar... quando de repente vislumbro um clarão de amarelo.

Amarelo vivo.

Equipamento de escalada à prova d'água, humano e amarelo.

Ah, meu Deus. Tem mais alguém na montanha. Tem mais alguém! Estou salva!

— Ei! — grito. — Olááá! Aqui! — Mas minha voz é levada para o lado errado pelo vento e pela chuva.

Não dá para ver direito quem é, porque a rocha está no caminho. Lenta e cuidadosamente manobro ao redor da ponta da pedra até ver melhor.

E meu coração pára.

É Jess.

Está na encosta abaixo, usando uma capa de plástico amarela e mochila. Um negócio de corda está prendendo-a à montanha, e ela está cavando cuidadosamente uma rocha com uma faca.

— Jess! — grito, mas minha voz parece pouco mais forte do que um guincho acima do vento. — Jess! JESS!

Finalmente sua cabeça se vira — e todo o seu rosto se contrai em choque.

— Jesus Cristo! Becky! Que diabo você está fazendo aqui em cima?

— Vim dizer que somos irmãs! — grito de volta, mas não sei se ela consegue ouvir através da chuva forte. — *Irmãs!* — grito de novo dando um passo adiante e pondo as mãos em concha sobre a boca. — Somos IRMÃS!

— Pára! — grita Jess horrorizada. — Essa laje é perigosa!

— Estou bem!

— Volta!

— Estou bem, honestamente — grito. Mas ela parece tão alarmada que obedientemente dou um passo atrás, para longe da laje.

E é então que meu sapato escorrega na lama encharcada.

Não consigo recuperar o equilíbrio.

Tento freneticamente agarrar as pedras, procurando me segurar em qualquer coisa, querendo me salvar. Mas tudo está escorregadio demais. Meus dedos se fecham nas raízes de um arbusto, mas está molhado de chuva. Não consigo segurar direito.

— Becky! — ouço o grito de Jess enquanto o arbusto escorrega dos meus dedos desesperados. — BECKY!

Então estou caindo num jorro de terror e só consigo ouvir gritos. Tenho um vislumbre de céu e então algo bate na minha cabeça, com força.

E tudo fica preto.

Maida Vale Chronicle, sábado, 7 de junho de 2003

TEMORES POR JOVEM DESAPARECIDA

Ontem à noite cresceram os temores pela segurança de Rebecca Brandon, 27 anos, moradora de Maida Vale. A Sra. Brandon (*née* Bloom) desapareceu na quinta-feira do apartamento de luxo onde mora com o marido Luke Brandon e não se teve mais notícias dela. O alarme foi dado pela amiga da Sra. Brandon, Susan Cleath-Stuart, que chegou a Londres para uma visita-surpresa.

COMPRAS

Imagens de circuito interno mostram a Sra. Brandon na Anna's Delicatessen pouco antes do desaparecimento, aparentemente agitada. "Ela simplesmente largou as compras e foi embora", disse a vendedora Marie Fuller. "Não comprou nada". Perturbada, a Sra. Cleath-Stuart comentou: "Isso prova que há algo errado! Bex nunca deixaria as compras para trás! Nunca!"

CAOS

Houve cenas de caos a bordo do cruzeiro Mente Corpo Espírito, atualmente viajando pelo Mediterrâneo, quando os pais da Sra. Brandon, Graham e Jane Bloom, insistiram que o barco desse meia-volta. "Podem enfiar a porcaria da tranqüilidade no...!", teria dito a Sra. Bloom numa crise de histeria. — "Minha filha está desaparecida!"

TEMPESTADES

Enquanto isso tempestades impediram que Luke, o marido da Sra. Brandon, deixasse Chipre, onde se encontrava trabalhando. Ontem ele teria dito que estava "desesperadamente preocupado" e mantendo contato com a polícia. Seu colega Nathan Temple oferece uma recompensa por informações que levem ao encontro da Sra. Brandon. Ele comentou ontem: "Se alguém mexer num fio de cabelo daquela jovem eu quebro pessoalmente todos os ossos do dito cujo. Duas vezes." Em 1984 o Sr. Temple foi condenado por agressão.

Vinte e Dois

Ai.

Aaaaaai.

Meu Deus, minha cabeça está uma agonia. Aaai. E o tornozelo está latejando. E acho que vou vomitar a qualquer momento e há alguma coisa pontuda apertando meu ombro.

Onde estou, por sinal? Por que estou me sentindo tão estranha?

Com um esforço gigantesco consigo abrir os olhos e capto um clarão de azul antes de eles se fecharem de novo.

Hmm. Azul. Não faz sentido. Acho que vou dormir de novo.

— Becky? Beckiiiii! — Uma voz está gritando para mim, de uma distância enorme. — Acorda!

Forço os olhos a abrir de novo e me pego olhando um rosto. Um rosto turvo, contra um fundo azul.

Jess.

Nossa, é Jess. E está toda pálida e ansiosa. Talvez tenha perdido alguma coisa. Uma pedra. Deve ser.

— Consegue me ver? — pergunta ela ansiosa. — Consegue contar meus dedos?

A IRMÃ DE BECKY BLOOM

Ela põe a mão na minha frente e eu olho, meio tonta. Cara, essa menina precisa de uma manicure.

— Quantos dedos? — ela fica dizendo. — Consegue ver? Consegue me ouvir?

Ah, sim, consigo.

— Hã... três?

Jess me encara um momento, depois se apóia de volta nos joelhos e enterra a cabeça nas mãos.

— Graças a Deus. Graças a Deus.

Ela está tremendo. Por que, diabos, ela está tremendo?

E então, como um maremoto, tudo me volta.

Ah, meu Deus. A caminhada. A tempestade. A queda. Ah, meu Deus, eu caindo. Despencando montanha abaixo.

Rapidamente tento bloquear tudo isso, mas, para minha perplexidade, lágrimas começam a escorrer pelos cantos dos meus olhos e pingar nos ouvidos.

Certo. Pára com isso. Agora estou segura. No chão. Eu... acho. Para ser honesta, não sei bem onde estou. Olho o fundo azul luminoso, mas faz zero sentido. Eu diria que é o reino dos céus — mas Jess não caiu também, não é?

— Onde estou? — consigo perguntar, e Jess levanta a cabeça. Ainda parece branca e abalada.

— Na minha barraca. Sempre levo uma barraca na mochila. Não ousei transportar você, por isso montei a barraca ao seu redor.

Uma barraca! Ora, isso é que é esperteza. Por que eu não carrego uma barraca para todo canto? Vou começar amanhã. É. Uma barraquinha que eu possa guardar na bolsa de mão.

A única coisa é que está meio desconfortável aqui no chão. Talvez eu deva me levantar e esticar as pernas.

Tento me levantar, e tudo fica preto e em redemoinhos.

— Ah, meu Deus — digo debilmente, e afundo de novo.

— Não tente se levantar! — exclama Jess, alarmada. — Você sofreu uma queda terrível. Achei... — Ela pára e solta o ar com força. — Tudo bem. Não se levante.

Gradualmente vou ganhando consciência do resto do corpo. As mãos estão machucadas e arranhadas. Com esforço enorme levanto a cabeça e vejo as pernas, todas ensangüentadas e cortadas. Sinto um machucado na bochecha e levanto a mão até ele.

— Ai! Meu rosto está sangrando?

— Você está um horror — responde Jess, na bucha.

— Alguma coisa dói demais?

— O tornozelo. O esquerdo. É uma agonia.

Jess começa a sondá-lo e eu mordo o lábio, tentando não gritar.

— Acho que torceu — diz ela finalmente. — Vou amarrar. — Ela acende uma lanterna e prende numa haste de metal, depois pega uma lata minúscula. Tira de dentro um pedaço de bandagem e começa a enrolá-la com habilidade no meu tornozelo. — Becky, que diabo você estava fazendo aqui em cima?

A IRMÃ DE BECKY BLOOM

— Eu... vim procurar você. — Pedaços do quebra-cabeça começam a reaparecer no meu cérebro. — Fazendo a caminhada.

Jess me encara.

— Mas esta não era a rota da caminhada! Eu saí da trilha. A rota da caminhada era muito mais baixa. Você não seguiu os marcos?

— Marcos? — encaro-a sem expressão.

— Meu Deus, você não faz a mínima idéia do que é uma caminhada, não é? — pergunta ela, agitada. — Não deveria ter ido até aquele lugar. É perigoso!

— Então por que você estava lá? — retruco encolhendo-me enquanto ela aperta a bandagem com mais força. — O que você estava fazendo me pareceu bem perigoso.

O rosto de Jess se fecha.

— Na última vez que subi no pico vi uns espécimes de amonita — diz por fim. — Queria pegar um. É arriscado, mas não espero que você entenda...

— Não! Eu entendo *mesmo*! — Interrompo, e luto para me apoiar nos cotovelos. Ah, meu Deus, tudo está voltando num jorro. Tenho de dizer. — Jess, eu entendo. Eu vi suas pedras. Elas são fantásticas. São lindas.

— Deite-se — diz Jess parecendo preocupada. — Vá com calma.

— Não quero ir com calma! Jess, escute. Nós somos irmãs. Somos verdadeiramente irmãs. Por isso subi a montanha. Tinha de contar a você.

Jess me encara.

— Becky, você levou uma pancada na cabeça... provavelmente teve uma concussão...

— Não é isso! — Quanto mais alta minha voz fica, mais minha cabeça lateja, mas não consigo parar. — Sei que temos o mesmo sangue. Sei! Eu fui à sua casa.

— Você *o quê?* — Jess está chocada. — Quem deixou você entrar?

— Eu vi seu armário de pedras. É idêntico ao meu armário de sapatos em Londres. *Idêntico.* As luzes... as prateleiras... tudo!

Pela primeira vez na vida vejo a compostura de Jess despencar um pouquinho.

— E daí? — pergunta ela em tom brusco.

— E daí que nós somos iguais! — Sento-me ansiosa, ignorando o redemoinho na frente dos olhos. — Jess, sabe como você se sente com relação a uma pedra realmente incrível? É como eu me sinto com relação a um par de sapatos fantástico! Ou a um vestido. *Preciso* tê-lo. Nada mais importa. E sei que você sente a mesma coisa com sua coleção de pedras.

— Não sinto — diz Jess, virando-se.

— Sente sim! Você sabe que sente! — Agarro seu braço. — Você é tão obcecada quanto eu! Só esconde melhor. Ah, meu Deus, minha cabeça. Ai.

Desmorono de volta, com a cabeça latejando.

— Vou lhe dar um analgésico — diz Jess, distraída. Mas ela não se mexe. Está ali parada, com a bandagem frouxa na mão.

Dá para ver que acertei.

Há silêncio, a não ser pelo tamborilar da chuva na barraca. Não ouso falar. Não ouso me mexer.

A IRMÃ DE BECKY BLOOM

Na verdade não sei se *consigo* me mexer.

— Você subiu uma montanha no meio de uma tempestade só para me dizer isso? — pergunta Jess finalmente.

— Sim! Claro!

Ela vira a cabeça para me olhar. Seu rosto está mais pálido do que nunca, e perplexo, como se alguém estivesse tentando enganá-la.

— Por quê? Por que fez isso?

— Porque... porque é importante! Importa para mim!

— Ninguém nunca fez nada assim por mim — diz ela, e imediatamente desvia o olhar, mexendo de novo na lata. — Esses cortes precisam de anti-séptico.

Jess começa a limpar minhas pernas com um chumaço de algodão, e eu tento não me encolher quando o anti-séptico arde na carne machucada.

— Então... acredita em mim? — pergunto. — Acredita que somos irmãs?

Por alguns instantes Jess só fica olhando para os pés envoltos em meias grossas e botas marrons, de caminhada. Levanta a cabeça e examina minha sandália turquesa, de salto agulha e com *strass*, toda arranhada e coberta de lama. Minha saia Marc Jacobs. Minha arruinada camiseta com brilhos. Então levanta os olhos para meu rosto machucado e nós nos olhamos.

— Sim — diz finalmente. — Acredito.

Três analgésicos extrafortes depois, estou realmente me sentindo muito melhor. Na verdade não consigo parar de falar.

— Eu sabia que éramos irmãs — estou dizendo enquanto Jess coloca um curativo no meu joelho cortado.
— Sabia! Acho que sou paranormal. *Senti* sua presença na montanha.
— Hmm — diz Jess revirando os olhos.
— E a outra coisa é que estou ficando bem parecida com você. Tipo, estava pensando em cortar o cabelo bem curto. Ia ficar muito bem. E comecei a me interessar de verdade por pedras.
— Becky — interrompe Jess. — Nós não precisamos ser iguais.
— O quê? — Olho-a, atarantada. — O que você quer dizer?
— Talvez sejamos irmãs. — Ela se senta nos calcanhares. — Mas isso não significa que as duas tenhamos de ter cabelo curto. Ou gostar de pedras. — Ela pega outro curativo e abre a embalagem.
— Ou de batatas — acrescento antes de me controlar.
— Ou de batatas — concorda Jess. Ela faz uma pausa. — Ou... de batom de grife caro demais que sai de moda em três semanas.
Há um pequeno brilho em seus olhos quando ela se vira para mim, e eu fico boquiaberta. Jess está *curtindo* com a minha cara?
— Acho que você está certa — respondo tentando parecer casual. — Só porque temos uma ligação biológica não significa que as duas tenhamos de fazer uma malhação chata com garrafas d'água em vez de pesos maneiros.
— Exato. Ou... ler revistas idiotas cheias de anúncios ridículos.

— Ou tomar café de uma horrível garrafa térmica.

A boca de Jess está se torcendo.

— Ou estúpidos *cappuccinos* que custam os olhos da cara.

Há um trovão, e nós duas pulamos de medo. A chuva bate na barraca como baquetas de tambor. Jess coloca um último curativo na minha perna e fecha a latinha.

— Imagino que você não tenha trazido nada para comer, não é? — pergunta ela.

— Bem... não.

— Eu tenho alguma coisa, mas não é muito. — Sua testa se franze. — Não se tivermos de ficar aqui durante horas. Não vamos poder nos mexer, mesmo quando a tempestade tiver passado.

— Você não pode procurar raízes e frutos na montanha? — pergunto esperançosa.

Jess me dá um olhar estranho.

— Becky, eu não sou Tarzã. — Ela encolhe os ombros e abraça as pernas. — Vamos ter de esperar sentadas.

— Então... você não leva celular quando vai subir montanha?

— Não tenho celular. Em geral não preciso.

— Acho que em geral você não anda com uma irmã idiota e machucada.

— Normalmente, não. — Ela se remexe e estende a mão atrás de mim. — Por sinal, peguei algumas coisas suas. Tudo se espalhou quando você caiu.

— Obrigada — digo pegando o punhado de coisas. Um mini *spray* de cabelo. O conjunto de manicure. Um pó compacto.

— Não consegui achar sua bolsa. Deus sabe onde foi parar.

Meu coração se imobiliza.

A bolsa Angel.

Minha bolsa de estrela de cinema, que custou dois mil euros. A bolsa que todo mundo no mundo está querendo ansiosamente.

Depois de tudo isso... sumiu. Perdida numa montanha no meio de lugar nenhum.

— Não... não importa. — De algum modo me obrigo a sorrir. — Essas coisas acontecem.

Com dedos machucados e rígidos abro o pó compacto — e, espantosamente, o espelho ainda está inteiro. Cautelosamente espio para mim mesma e me encolho de horror. Pareço um espantalho espancado. O cabelo está em todo canto, as duas bochechas estão raladas e há um galo gigantesco na testa.

— O que vamos fazer? — fecho o pó compacto e levanto os olhos.

— Temos de ficar aqui até o fim da tempestade.

— É, mas quero dizer... o que vamos *fazer*? Enquanto esperamos na barraca.

Jess me olha inexpressiva por um momento.

— Achei que poderíamos assistir a *Harry e Sally, feitos um para o outro,* e comer pipoca — diz ela.

Não consigo evitar um riso. Jess realmente tem senso de humor. Por baixo daquilo tudo.

— Posso fazer suas unhas? Minhas coisas estão aqui.

A IRMÃ DE BECKY BLOOM

— Fazer minhas *unhas*? — ecoa Jess. — Becky... você percebe que estamos numa montanha?

— Sim! — respondo ansiosa. — Esse é o ponto! É um esmalte extraduro que resiste a tudo que você fizer. Olha só! — Mostro o vidro de esmalte. — Na imagem a modelo está *subindo uma montanha*.

— Inacreditável. — Jess pega o vidro e olha. — E as pessoas caem nessa?

— Qual é! O que mais a gente vai fazer? — paro inocentemente. — Quer dizer, não temos nada *divertido* para fazer, como nossa contabilidade...

Os olhos de Jess relampejam.

— Certo. Você venceu. Faça minhas unhas.

Enquanto a tempestade ruge ao redor, pintamos as unhas uma da outra num rosa forte e brilhante.

— Está fantástico! — digo admirada quando Jess termina minha mão esquerda. — Você poderia ser manicure!

— Obrigada — responde ela secamente. — Você me fez ganhar o dia.

Balanço os dedos diante da luz da lanterna, depois pego o pó compacto para admirar meu reflexo.

— Você precisa aprender a colocar um dedo na boca pensativamente — explico demonstrando. — É o mesmo quando você ganha um anel novo ou uma pulseira. Só para as pessoas verem. — Ofereço o espelho, mas ela se vira, fechando o rosto.

— Não, obrigada.

Guardo o pó compacto, pensando intensamente. Queria perguntar por que ela odeia espelhos. Mas tenho de fazer isso com delicadeza.

— Jess... — digo finalmente.

— O quê?

— Por que você odeia espelhos?

Há silêncio, a não ser pelo assobio do vento. Por fim ela ergue os olhos.

— Não sei. Acho que porque sempre que olhava para um espelho quando era pequena meu pai dizia para não ser fútil.

— *Fútil*? — Olho-a, arregalada. — O quê, toda vez?

— Na maioria das vezes. — Ela dá de ombros e depois vê meu rosto. — Por quê? O que o seu dizia?

— Meus pais costumavam dizer... — Agora estou meio sem graça. — Costumavam dizer que eu era o anjinho mais lindo que já havia caído do céu.

— Bem. — Jess encolhe os ombros como se dissesse "imagine só!"

Olho minhas unhas durante alguns instantes.

— Meu Deus, você está certa — digo de súbito. — Eu fui mimada. Meus pais sempre me deram tudo. Nunca tive de me virar sozinha. Nunca. Sempre tive gente me apoiando. Mamãe e papai... depois Suze... e depois Luke.

— Eu tive de me virar sozinha desde o primeiro instante. — O rosto de Jess está à sombra da luz da lanterna, e não consigo ver sua expressão.

— O seu pai parece bem... duro — digo hesitando.

Jess não responde durante alguns instantes.

A IRMÃ DE BECKY BLOOM

— Papai nunca expressou realmente emoções — responde ela finalmente. — Nunca dizia à gente quando sentia orgulho. Ele sentia — acrescenta ela com veemência. — Mas na nossa família não ficamos falando de tudo, como vocês.

Um vento súbito afrouxa um canto da barraca, soprando chuva para dentro. Jess agarra a aba e estende a mão para um pino metálico.

— Eu sou igual — diz ela batendo no pino com uma pedra. — Só porque não digo as coisas não significa que não sinta. — Ela olha em volta e me encara com esforço visível. — Becky, quando fui visitar seu apartamento, não queria ser inamistosa. Nem... fria.

— Eu nunca deveria ter chamado você assim — digo num jorro de remorso. — Sinto muito, realmente...

— Não — interrompe ela. — *Eu* sinto muito. Poderia ter me esforçado mais. Poderia ter participado. — Jess põe a pedra no chão e olha para ela por alguns segundos. — Para ser honesta, fiquei meio... irritada com você.

— Luke disse que você poderia achar que eu estava pressionando demais.

— Achei que você era maluca — diz Jess, e eu dou um risinho.

— Não — insiste ela. — Sério. Achei que você era maluca. Achei que seus pais tinham tirado você de alguma instituição mental.

— Ah — respondo meio sem graça. Coço a cabeça, que começou a latejar de novo.

— Você deveria dormir. — Jess me olha. — O sono é o melhor remédio. E o melhor analgésico. Aqui tem um cobertor. — Ela me dá uma folha de algo que parece papel-alumínio.

— Bem... tudo certo — digo em dúvida. — Vou tentar.

Pouso a cabeça no lugar menos desconfortável que encontro e fecho os olhos.

Mas não consigo dormir. Nossa conversa fica girando e girando na cabeça, com a chuva e os estalos da barraca servindo de trilha sonora.

Sou mimada.

Sou uma criança mimada.

Não é de espantar que Luke esteja pau da vida. Não é de espantar que nosso casamento seja uma catástrofe. É tudo minha culpa.

Ah, meu Deus. De repente lágrimas me vêm aos olhos, fazendo a cabeça latejar mais ainda. E o pescoço está todo duro... e tem uma pedra nas minhas costas.

— Becky, você está bem?

— Na verdade, não — admito com a voz densa e embargada. — Não consigo dormir.

Há silêncio, e acho que Jess não deve ter ouvido, ou não tem nada a dizer. Mas um instante depois sinto algo ao meu lado. Giro... e ela está me oferecendo uma pequena barra branca.

— Não é bombom de hortelã — diz em voz inexpressiva.

— O que é? — hesito.

— Kendal Mint Cake. Comida tradicional para escalada.

— Obrigada — sussurro e dou uma mordida. Tem um estranho gosto doce, e não estou tão a fim, mas dou uma segunda mordida para mostrar boa vontade. Então, para meu horror, sinto as lágrimas chegando de novo.

Jess dá um suspiro e come um pedaço de Kendal Mint Cake.

— O que há de errado?

— Luke nunca mais vai me amar. — Dou um soluço minúsculo.

— Duvido.

— É verdade! — Meu nariz está escorrendo e eu o enxugo com a mão. — Desde que voltamos da viagem tudo está sendo um desastre. E é tudo minha culpa, arruinei tudo...

— Não é tudo sua culpa — interrompe Jess.

— O quê? — encaro-a boquiaberta.

— Eu não diria que é tudo sua culpa — diz ela calmamente. — São necessários dois. — Ela dobra a embalagem de Kendal Mint Cake, abre a mochila e guarda dentro. — Quer dizer, por falar em obsessão. Luke é totalmente obcecado pelo trabalho!

— Sei que é. Mas achei que tinha mudado. Na lua-de-mel ele foi totalmente tranqüilo. Tudo era perfeito. Eu me sentia tão feliz!

Com uma pontada de dor tenho uma lembrança súbita de Luke e eu, morenos e despreocupados. De mãos dadas. Fazendo ioga juntos. Sentados no terraço no Sri Lanka, planejando o retorno-surpresa.

428 SOPHIE KINSELLA

Tinha tantas esperanças! E nada aconteceu como pensei.

— Você não pode ficar na lua-de-mel para sempre — observa Jess. — Era natural que houvesse uma certa queda.

— Mas eu me sentia tão ansiosa por estar casada. — Engulo em seco. — Tinha uma imagem. Todos iríamos nos sentar em volta da grande mesa de madeira à luz de velas. Eu, Luke, Suze... Tarquin... todo mundo feliz e rindo.

— E o que aconteceu? — Jess me dá um olhar estranho. — O que aconteceu com Suze? Sua mãe disse que ela era sua melhor amiga.

— Era. Mas enquanto eu estava longe ela... achou outra pessoa. — Olho para o tecido azul estalando, e sinto um nó na garganta. — Todo mundo tem novos amigos e novos empregos, e não está mais interessado em mim. Eu... não tenho nenhum amigo.

Jess fecha a mochila e puxa o cordão. Depois levanta os olhos.

— Você me tem.

— Você nem gosta de mim — digo arrasada.

— Bem, eu sou sua irmã. Tenho de agüentar você, não é?

Levanto a cabeça e há um brilho de humor nos olhos dela. E calor. Um calor que acho que nunca vi antes.

— Sabe, Luke quer que eu seja exatamente como você — digo depois de uma pausa.

— É. Com certeza.

— Verdade! Ele quer que eu seja econômica e frugal. — Ponho o resto do meu Kendal Mint Cake atrás de uma pedra, esperando que Jess não note. — Você me ensina?

— Ensinar *você*. A ser frugal.

— É! Por favor.

Jess revira os olhos.

— Se quer ser frugal, para começar não jogue fora um pedaço perfeitamente bom de Kendal Mint Cake.

— Ah. Certo. — Meio sem graça pego-o e dou uma mordida. — É... gostoso!

O vento está assobiando ainda mais forte, e o pano da barraca estala cada vez mais rápido. Enrolo com mais força o cobertor de papel-alumínio de Jess em volta do corpo, desejando pela milionésima vez ter trazido um cardigã. Ou até mesmo uma capa de plástico. E de repente me lembro de uma coisa. Enfio a mão no bolso da saia — e não acredito. O volumezinho ainda está ali.

— Jess... isso é para você — digo pegando-o. — Fui à sua casa para lhe dar.

Entrego a sacolinha turquesa. Lentamente ela a desamarra e põe na mão o colar de contas de prata da Tiffany.

— É um colar — explico. — Eu tenho um igual. Olha.

— Becky. — Jess está pasma. — É... é realmente...

Por um momento medonho acho que ela vai dizer "inadequado" ou "inapropriado".

— Fabuloso — diz finalmente. — É fabuloso. Adorei. Obrigada.

Jess prende o cordão no pescoço e eu a examino, feliz. Realmente combina com ela! Mas o estranho é que algo parece diferente no seu rosto. É como se tivesse mudado de forma. Quase como se...

— Ah, meu Deus! — exclamo atônita. — Você está *sorrindo*!

— Não estou — diz Jess imediatamente, e dá para vê-la tentando parar. Mas não consegue. Seu sorriso se alarga, e ela levanta uma das mãos para cobrir a boca.

— Está sim! — Não consigo parar de rir também.

— Está mesmo! Descobri seu ponto fraco. No fundo, no fundo, você é uma garota Tiffany!

— Não sou não!

— É! Eu sabia! Olha, Jess...

Mas o que quer que eu fosse dizer é abafado pelo vento uivante, quando sem aviso arranca uma das laterais da barraca.

— Ah, meu Deus! — berro quando a chuva encharca meu rosto. — Ah, meu Deus! A barraca! Pega!

— Merda! — Jess está puxando a lona para baixo de novo e desesperadamente tentando ancorá-la, mas com outro sopro enorme ela se solta. Enche-se como uma vela de navio e desaparece montanha abaixo.

Olho para Jess através da chuva.

— O que vamos fazer agora? — tenho de gritar só para ser ouvida acima do barulho.

— Jesus Cristo. — Ela enxuga a chuva do rosto. — Certo. Temos de achar um abrigo. Você consegue se levantar?

Ela me ajuda a ficar de pé, e não consigo evitar um grito. Meu tornozelo é pura dor.

A IRMÃ DE BECKY BLOOM

— Teremos de ir até aquelas pedras — diz Jess sinalizando pela chuva. — Apóie-se em mim.

Partimos meio mancando, meio arrastando os pés subindo a encosta lamacenta, gradualmente encontrando um ritmo estranho. Estou trincando os dentes por causa da dor, obrigando-me a não abrir o berreiro.

— Alguém virá nos resgatar? — consigo perguntar entre dois passos.

— É improvável. Não estamos fora há tanto tempo. — Jess faz uma pausa. — Certo. Você precisa subir esse pedaço íngreme. Apóie-se em mim.

De algum modo consigo subir a encosta rochosa, percebendo a força de Jess me segurando. Meu Deus, ela está em forma. Poderia facilmente ter descido em meio à chuva, ocorre-me. Poderia estar em segurança e quentinha, em casa, agora.

— Obrigada por me ajudar — digo rouca enquanto começamos a arrastar os pés de novo. — Obrigada por ficar comigo.

— Tudo bem — diz ela sem perder o pique.

A chuva está chicoteando meu rosto, quase me sufocando. Minha cabeça começa a redemoinhar de novo e o tornozelo está me matando. Mas tenho de continuar. Não posso deixar Jess na mão.

De repente ouço um ruído em meio à chuva. Mas devo estar imaginando. Ou pode ter sido o vento. Não poderia ser real.

— Espere aí. — Jess se enrijece. — O que foi isso? Nós duas prestamos atenção. E aí está. É real.

O chuc-chuc real de um helicóptero.

Levanto os olhos — e luzes se aproximam, débeis através da chuva torrencial.

— Socorro! — grito e balanço os braços freneticamente. — Aqui!

— Aqui! — grita Jess, e aponta o facho da lanterna para cima, movendo-o em meio à semi-escuridão. — Estamos aqui! Socorro!

O helicóptero paira acima de nós por alguns instantes. Depois, para minha consternação, afasta-se.

— Eles não viram a gente? — pergunto ofegante.

— Não sei. — Jess está tensa e ansiosa. — Difícil dizer. De qualquer modo não pousariam aqui. Pousariam na crista e desceriam a pé.

Nós duas ficamos imóveis por um momento — mas o helicóptero não volta.

— Certo — diz Jess finalmente. — Vamos indo. Pelo menos as pedras vão nos abrigar do vento.

Começamos a nos mover, como antes. Mas dessa vez todo o meu empenho parece ter sumido. Só me sinto exausta. Estou encharcada e com frio, e não tenho absolutamente nenhuma reserva de energia. Estamos subindo a encosta numa lentidão dolorosa, as cabeças juntas, braços entrelaçados, ambas ofegando enquanto a chuva golpeia nosso rosto.

— Espera. — Paro. — Estou ouvindo alguma coisa.

— Agarro-me a Jess, esticando o pescoço.

— O que é?

— Ouvi alguma coisa...

A IRMÃ DE BECKY BLOOM

Paro quando uma luz fraca pisca através da chuva. É uma lanterna distante. E posso ouvir um som de movimento descendo a montanha.

Ah, meu Deus. É gente. Por fim.

— É o resgate da montanha! — grito. — Eles vieram! Aqui! Precisamos de ajuda!

— Aqui! — grita Jess, e pisca a luz de sua lanterna. — Estamos aqui!

O facho da lanterna desaparece brevemente e depois reaparece.

— Socorro! — grita Jess. — Estamos aqui!

Não há resposta. Aonde eles foram? Será que nos perderam?

— Socooooorro! — grito desesperada. — Por favor, socorro! Aqui! Estão ouvindo?

— Bex?

Uma voz aguda e familiar chega fracamente em meio ao som da tempestade. Congelo.

O quê?

Será que estou... alucinando?

Isso pareceu exatamente...

— Bex? — grita a voz de novo. — Bex, onde você está?

— *Suze?*

Enquanto olho para cima aparece uma figura na borda da crista, usando uma capa antiquíssima. O cabelo está grudado na cabeça por causa da chuva, e ela está piscando uma lanterna, abrigando os olhos e olhando em volta, a testa franzida de ansiedade.

— Bex? — grita ela. — Bex! *Onde você está?*

Só posso estar alucinando. É como uma miragem. Estou olhando uma árvore balançando ao vento e penso que é Suze.

— Bex? — Os olhos dela nos descobriram. — Ah, meu Deus! Bex! Achei! — grita ela por cima do ombro. — Aqui! Bex! — Ela começa a descer a encosta até nós, fazendo as pedras voarem.

— Você a conhece? — pergunta, perplexa.

— É Suze. — Engulo em seco. — Minha melhor amiga.

Alguma coisa dura está bloqueando minha garganta. Suze veio me procurar. Veio até aqui para me achar.

— Bex! Graças a Deus! — Suze chega em meio a uma última chuva de pedras e terra, e me encara, o rosto todo manchado de lama, os olhos azuis enormes de tanto choque. — Ah, meu Deus. Você está machucada. Eu sabia. Eu sabia...

— Estou bem — consigo dizer. — A não ser pelo tornozelo.

— Ela está aqui, mas está ferida! — diz ela ao celular, e ouve por um momento. — Tarkie está descendo com uma maca.

— *Tarquin?* — Minha cabeça está atordoada demais para captar tudo isso. — Tarquin está aqui?

— Com um amigo da RAF. A estúpida equipe de resgate da montanha disse que era cedo demais. Mas eu sabia que você estava com problemas. Sabia que tínhamos de vir. Fiquei tão preocupada! — De repente o rosto

A IRMÃ DE BECKY BLOOM

de Suze desmorona. — Ah, meu Deus. Fiquei *tão* preocupada! Ninguém sabia onde você estava... você simplesmente desapareceu. Todos pensamos... não sabíamos o que pensar... estávamos tentando rastrear o sinal do seu celular, mas não havia... e subitamente apareceu... E agora você está aí... toda... toda arrebentada. — Ela parece à beira das lágrimas. — Bex, sinto tanto não ter ligado de volta. Sinto tanto!

Ela me abraça com força. E por alguns momentos só ficamos ali imóveis, agarradas uma à outra, com a chuva nos golpeando.

— Estou bem. — digo finalmente, engolindo em seco. — Verdade. Eu caí na montanha. Mas estava com minha irmã. Ela cuidou de mim.

— Sua irmã. — Suze afrouxa o aperto e se vira lentamente para Jess, que está parada, olhando sem jeito, com as mãos enfiadas nos bolsos.

— Esta é Jess — digo. — Jess... esta é Suze.

As duas se olham em meio à chuva forte. Não consigo dizer o que estão pensando.

— Oi, irmã de Becky — diz Suze finalmente, e estende a mão.

— Oi, melhor amiga de Becky — responde Jess, e a aperta.

Há um ruído forte. Todos levantamos os olhos e vemos Tarquin descendo pela encosta, com uma roupa incrivelmente maneira do exército, além de um capacete com lanterna.

— Tarquin — digo. — Oi.

— Jeremy está descendo com a maca dobrável — anuncia ele, animado. — Você pregou um susto enorme na gente, Becky. Luke? — diz ele ao celular. — Nós a encontramos.

Meu coração pára.

Luke?

— Como foi... — De repente meus lábios estão tremendo tanto que mal consigo formar as palavras. — Como é que Luke...

— Ele ficou preso em Chipre por causa do mau tempo — diz Suze. — Mas está do outro lado da linha o tempo todo. Meu Deus, ele está fora de si.

— Aí, Becky — diz Tarquin estendendo o telefone.

Quase não consigo segurá-lo Estou latejando inteira, de nervosismo.

Suze me olha em silêncio por um momento, com a chuva batendo no cabelo e escorrendo pelo rosto.

— Bex, acredite em mim. Ele não está com raiva de você.

Levo o telefone ao ouvido, encolhendo-me ligeiramente quando ele encosta no rosto machucado.

— Luke?

— Ah, meu Deus! Becky! Graças a Deus!

Ele está todo distante, com a voz estalando, e mal consigo entender. Mas assim que ouço sua voz familiar é como se tudo que aconteceu nos últimos dias tivesse chegado ao fim. Algo está crescendo por dentro. Meus olhos estão quentes e a respiração ficou engasgada.

Eu o quero. Quero-o e quero ir para casa.

— Graças a Deus você está salva. — Luke parece mais abalado do que jamais vi. — Fiquei fora de mim...

— Eu sei — engulo em seco. — Desculpe. — Lágrimas escorrem pelas minhas bochechas. Mal consigo falar. — Luke, realmente, desculpe por tudo...

— Não peça desculpas. *Eu* peço desculpas. Meu Deus. Eu pensei... — Ele pára e posso ouvi-lo respirando com força. — Nunca mais desapareça de novo, certo?

— Não vou. — Enxugo os olhos furiosamente com a mão. — Meu Deus. Queria que você estivesse aqui.

— Estarei. Vou partir assim que a tempestade passar. Nathan me ofereceu o jato particular dele. Ele está sendo absolutamente fantástico. — Para minha frustração, a voz dele está baixando até um som sibilante com estalos.

— Luke?

— ... hotel...

Ele está abalado. Nada mais faz sentido.

— Eu te amo! — grito impotente enquanto o telefone fica mudo. Levanto os olhos e vejo todos os outros me olhando num silêncio compassivo. Tarquin dá um tapinha no meu ombro, com a mão pingando.

— Venha, Becky. É melhor colocar você no helicóptero.

VINTE E TRÊS

Tudo no hospital é meio embaçado. Há um monte de luzes, barulhos, perguntas feitas, sou empurrada de maca de um lado para o outro — e finalmente fico sabendo que quebrei o tornozelo em dois lugares e vão ter de engessar minha perna. Além disso me dão pontos e verificam se não peguei tétano, doença da vaca louca ou sei lá o quê.

Enquanto estão fazendo tudo isso, me dão uma injeção de alguma coisa que me deixa meio dopada, e quando tudo acaba afundo nos travesseiros, subitamente exausta. Meu Deus, é ótimo estar em algum lugar limpo, quente e branco.

À distância ouço alguém tranqüilizando Jess, dizendo que ela não causou qualquer dano ao me mover, e depois repetindo várias vezes a Suze que neste caso não será necessária uma tomografia de corpo inteiro, e que não, eles não estão sendo descuidados com minha saúde. E que, por acaso, ele *é* o maior figurão médico do país.

— Becky? — Levanto os olhos atordoada e vejo Tarquin avançando para a cama, estendendo um celular.

— Luke de novo.

A IRMÃ DE BECKY BLOOM

— Luke? — digo ao aparelho. — Oi! Adivinha só. Quebrei a perna! — Olho cheia de admiração para o gesso, que está preso num suporte. *Sempre* quis botar gesso.

— Ouvi dizer. Minha querida coitadinha. Estão cuidando bem de você? Tem tudo que precisa?

— É... acho que sim. Sabe... — Sem aviso dou um bocejo enorme. — Na verdade estou bem cansada. Acho que vou dormir.

— Queria estar aí. — A voz de Luke está baixa e gentil. — Becky, só diga uma coisa. Por que você foi correndo para o norte sem contar a ninguém?

O quê? Ele não *percebe*?

— Porque eu precisava de ajuda, claro — digo com um jorro familiar de dor. — Nosso casamento estava em frangalhos. Jess era a única pessoa que eu poderia procurar.

Há silêncio no telefone.

— Nosso casamento estava o quê? — pergunta Luke finalmente.

— Em frangalhos! — Minha voz fica bamba. — Você sabe que estava! Foi medonho! Você nem me deu um beijo de despedida!

— Querida, eu estava furioso. Nós tivemos uma briga! Isso não significa que nosso casamento esteja em frangalhos

— Ah. — Engulo em seco. — Bem, eu achei que estivesse. Achei que tudo havia acabado. Achei que você nem ia se importar em saber onde eu estava.

— Ah, Becky. — A voz de Luke ficou toda estranha, como se ele estivesse tentando não rir. Ou talvez não chorar. — Tem alguma idéia de tudo que passei?

— Não. — Mordo o lábio, quente de vergonha. — Luke, desculpe. Eu... não achei... não percebi...

— Tudo bem. — Ele me interrompe. — Você está em segurança. É só isso que importa agora. Você está em segurança.

Estou sentindo pinicadas de culpa no corpo inteiro. Ele está sendo tão legal! Mas que tipo de inferno eu o fiz passar? E lá está ele, preso em Chipre... Num jorro de emoção seguro o telefone com mais força junto ao ouvido.

— Luke, venha para casa. Sei que você está odiando isso aí. Sei que está arrasado. E é tudo minha culpa. Simplesmente deixe esse estúpido do Nathan Temple e o hotel horrível dele. Arranje alguma desculpa. Pode me culpar.

Há um longo silêncio.

— Luke? — pergunto perplexa.

— Si... im — diz Luke, relutante. — Há uma coisa que eu preciso falar sobre isso. Acho que possivelmente... — Sua voz se interrompe de novo.

— O quê?

— Você estava certa. E eu estava... errado.

Olho o telefone, confusa. Será que ouvi isso direito?

— Fui preconceituoso — está dizendo Luke. — Agora que conheço Nathan, ele é um cara brilhante. Grande tino comercial. Nós estamos nos dando bem.

— Vocês estão se dando *bem*? Mas... e o fato de ele ser um criminoso condenado?

— Ah — diz Luke parecendo sem graça. — Nathan explicou. Ele estava defendendo um dos seus empregados do motel de um hóspede bêbado quando isso aconteceu. Ele "passou um pouco do ponto", como disse. Falou que foi um erro. E eu acreditei.

Há uma pausa. Minha cabeça está latejando. Não consigo absorver tudo isso.

— Em muitos sentidos ele é bem parecido comigo — está dizendo Luke. — Uma noite dessas contou por que montou sua cadeia de motéis. Foi depois de ser barrado num hotel elegante porque não estava usando gravata. Foi direto a um *pub* e esboçou um plano de negócios para a Motéis Baratos. Tinha vinte inaugurados e funcionando em um ano. A gente tem de admirar isso.

— Não acredito — digo coçando a testa, atordoada. — Você *gosta* dele.

— Gosto mesmo. — Luke faz uma pausa. — E ele está sendo fantástico neste caso todo. Não poderia ser mais gentil. Ficou acordado a noite inteira comigo, esperando as notícias.

Encolho-me de culpa ao imaginar os dois, de rostos tensos e vestidos de roupão, esperando junto ao telefone. Meu Deus, nunca, jamais, vou desaparecer de novo.

Quer dizer, não que eu estivesse planejando isso. Mas você sabe.

— E o hotel? — pergunto. — É cafona?

— O hotel é supremamente cafona — responde Luke, parecendo animado. — Mas você estava certa. É cafona de alta qualidade.

Não consigo evitar um risinho, que se transforma num bocejo enorme. Meu Deus, sinto as drogas batendo.

— Então... eu estava certa o tempo todo — digo com a voz sonolenta. — Foi um brilhante golpe de relações públicas.

— Foi um brilhante golpe de relações públicas. Becky, desculpe. — De repente ele parece mais sério. — Por isso e... um monte de coisas. — Ele hesita. — Sei que você passou uma barra pesada estas últimas semanas. Fiquei obcecado demais com o negócio do Arcodas. Não apoiei você. E não avaliei como para você foi um choque ter voltado à Inglaterra.

Enquanto penetram no meu cérebro, suas palavras parecem estranhamente familiares.

Será que ele andou falando com Jess?

Será que Jess esteve.. *me defendendo*?

De repente percebo que Luke ainda está falando.

— E outra coisa. Finalmente li no avião o que estava na sua pasta cor-de-rosa. E gostei da idéia. Nós deveríamos procurar David Neville e ver se ele quer vender a empresa.

— Gostou da minha idéia? — digo numa alegria espantada. — Verdade?

— Adorei. Apesar de não ter idéia de onde você conseguiu todo esse conhecimento especializado sobre expansão de negócios...

— Na Barneys! Eu contei! — Afundo contente nos travesseiros. — David vai querer vender, sei que vai. Ele está realmente arrependido de ter aberto o negócio. E eles querem outro neném... — Estou tropeçando nas palavras, de tanto sono. — E Judy disse que quer que ele tenha um sará... salário normal...

A IRMÃ DE BECKY BLOOM

— Querida, vamos falar disso outra hora. Você precisa descansar.

— Certo. — Minhas pálpebras estão ficando realmente pesadas, e é uma luta mantê-las abertas.

— Vamos recomeçar — diz Luke em voz baixa. — Quando eu voltar. Chega de frangalhos. Certo?

— Que negócio é esse? — interrompe uma voz horrorizada, e vejo uma enfermeira avançando para mim. — *Não* são permitidos celulares nas enfermarias. E você precisa dormir, mocinha!

— Certo — digo rapidamente ao telefone. — Certo. A enfermeira pega o aparelho dos meus dedos e meus olhos se fecham.

Quando os abro de novo, tudo está diferente. O quarto está escuro. As conversas sumiram. Deve ser noite.

Estou morrendo de sede, com os lábios dolorosamente secos. Lembro que havia uma jarra d'água na mesinha-de-cabeceira, e estou tentando sentar e pegá-la quando derrubo algo no chão, fazendo barulho.

— Bex? Você está bem? — Olho e vejo Suze numa poltrona perto da cama. Ela esfrega os olhos para espantar o sono e salta de pé. — Quer alguma coisa?

— Um pouco d'água — grasno. — Se houver.

— Aí está. — Suze serve um copo cheio e eu bebo, sedenta. — Como está se sentindo?

— Estou... bem. — Pouso o copo, sentindo-me muito melhor, depois olho em volta, o cubículo escuro limitado por cortinas. — Cadê todo mundo? Cadê Jess?

— Ela está bem. Os médicos examinaram e depois Tarkie a levou para casa. Mas querem manter você aqui, em observação.

— Certo. — Esfrego o rosto seco, desejando ter um hidratante. E de repente noto a hora no relógio de pulso de Suze.

— Duas horas! — Levanto os olhos, horrorizada. — Suze, por que está aqui? Você deveria estar dormindo!

— Não quis ir. — Ela morde o lábio. — Não queria deixar você.

— Sssh! — sibila uma voz do outro lado da cortina. — Parem com o barulho!

Suze e eu nos entreolhamos surpresas — e de repente sinto o riso chegando. Suze estica a língua na direção da cortina, e eu fungo, impotente.

— Tome mais um pouco d'água — diz Suze em voz mais baixa. — Vai manter sua pele hidratada. — Ela serve outro copo cheio e se empoleira na beira da cama. Por um tempo nenhuma de nós fala. Tomo mais um gole d'água, que está morna e com gosto de plástico.

— Isso me faz lembrar de quando Ernie nasceu — diz Suze, me olhando através da semi-escuridão. — Lembra? Você ficou comigo a noite inteira.

— Meu Deus, lembro. — Tenho uma lembrança súbita de Ernie, minúsculo, nos braços de Suze, todo rosado e enrolado numa manta. — Foi uma noite incrível. — Encaro-a e dou um pequeno sorriso.

— Sabe, quando os gêmeos nasceram... não me senti muito bem sem você lá. — Suze dá um riso trêmulo. — Sei que isso parece estúpido.

A IRMÃ DE BECKY BLOOM

— Não é não. — Olho para o lençol branco do hospital, apertando-o com força entre os dedos. — Senti muita falta de você, Suze.

— Senti falta de você também. — A voz dela esta meio rouca. — E... preciso dizer uma coisa. Desculpe pelo modo como me comportei quando você voltou.

— Não — respondo imediatamente. — Não seja boba. Eu reagi com exagero. Você tinha de fazer outros amigos enquanto eu estava longe. Claro que tinha. Eu fui... idiota.

— Não foi idiota. — Ela engole em seco. — Fui eu. Fiquei com inveja.

— *Inveja?* — Levanto os olhos, chocada. Suze não está me encarando.

— Lá estava você, toda bronzeada e glamurosa, com sua bolsa Angel. — A voz dela treme um pouco. — E ali estava eu, presa no campo com três crianças. Você veio contando todas aquelas histórias da incrível lua-de-mel ao redor do mundo, e eu me senti realmente... um lixo.

Encaro-a consternada.

— Suze, você nunca poderia ser um lixo! Nem em um milhão de anos!

— Por isso andei pensando... — Ela me olha, com o rosto decidido. — Quando você estiver melhor, vamos a Milão passar um fim de semana. Só você e eu. O que acha?

— E os nenéns?

— Vão ficar bem. Tarkie cuida deles. Pode ser meu presente especial de aniversário, atrasado.

— E o *spa*? — pergunto cautelosa. — Não foi o presente especial?

Por um momento Suze fica em silêncio.

— O *spa* era legal — diz finalmente. — Mas não foi a mesma coisa sem você. Ninguém é como você, Bex.

— Então agora você odeia Lulu? — Não consigo evitar dizer isso com esperança.

— Bex! — Suze dá um risinho chocado. — Não, não *odeio*. Mas... — Ela me encara. — Prefiro você.

Não consigo achar uma resposta, por isso apanho o copo d'água outra vez — e me pego olhando um pacotinho na mesa de cabeceira.

— Jess deixou isso para você — diz Suze, parecendo meio perplexa. — Disse que talvez a gente queira comer.

Não consigo evitar um sorriso. É Kendal Mint Cake.

— É tipo uma... uma brincadeira particular — digo. — Não creio que ela espere que eu coma.

Há silêncio durante um tempo, a não ser pelo barulho de um carrinho sendo empurrado à distância, e o som de portas duplas se abrindo e fechando.

— Então... você tem realmente uma irmã — diz Suze finalmente, e posso ouvir o fio de tristeza em sua voz. Por alguns instantes olho através da semi-escuridão para seu rosto familiar, de testa alta, ansioso, lindo.

— Suze... você sempre vai ser minha irmã — digo finalmente. E a abraço com força.

Vinte e Quatro

Certo. Isso é espantoso. Na verdade é incrível. O número de coisas de que eu estava convencida de que não gostava... e agora descubro que adoro!

Por exemplo:

1. Jess.
2. Chouriço. (Se você puser um monte de *ketchup*, fica bem gostoso!)
3. Ser unha-de-fome.

Honestamente. Não estou brincando. Ser frugal é totalmente fantástico. É tão *satisfatório!* Como é que eu nunca havia percebido?

Tipo: ontem mandei um cartão a Janice e Martin, agradecendo pelas flores lindas... e em vez de comprar, cortei de uma caixa de cereal! Tinha "Kelloggs" escrito na frente! Não é maneiro?

Jess me deu a dica. Está me ensinando um monte de coisas. Estou hospedada com ela desde que saí do hospital — e ela está sendo simplesmente brilhante. Me deu seu quarto porque há menos escadas para subir do que até o quarto de hóspedes, e me ajuda a entrar e sair da banheira com o gesso, e todo dia faz sopa de legumes no almoço.

Vai até me ensinar a fazer. Porque se a gente prepara com lentilha e... algo mais que não lembro, é uma refeição totalmente balanceada e só custa 30 pence cada porção.

E aí, com o dinheiro extra que a gente economiza, dá para comprar algo realmente legal tipo uma torta de fruta da Elizabeth, feita em casa! (Essa foi a dica que dei a Jess. Veja bem, estamos ajudando uma à outra!)

Bamboleio até a pia, esvazio cuidadosamente metade do pó de café da cafeteira, ponho um pouco de pó novo e ligo a chaleira. A regra nesta casa é que a gente reutiliza o pó de café, e, como diz Jess, isso faz todo o sentido. O gosto do café só fica um pouquinho vagabundo — e a gente economiza tanto!

Mudei demais. Por fim sou uma pessoa frugal e sensata. Luke não vai acreditar quando me vir de novo.

Jess está cortando uma cebola, e para ajudar eu pego o saco de trama de náilon onde estavam as cebolas, para jogar fora.

— Não! — Jess levanta os olhos. — Nós podemos usar isso!

— Um saco de cebolas? — Uau. Estou aprendendo coisas novas o tempo todo! — E... como a gente pode usar um saco de cebolas?

— Dá para transformar numa bucha.

— Certo. — Assinto com ar inteligente, mesmo não tendo *toda* a certeza do que é uma bucha.

— Você sabe. — Jess me dá um olhar estranho. — Bucha. Como uma esponja de esfoliação, só que para usar na cozinha.

A IRMÃ DE BECKY BLOOM

— Ah, *sim*! — respondo e sorrio para ela. — Maneiro!

Pego meu caderninho de Dicas Econômicas do Lar e anoto. Há muita coisa a aprender. Tipo: você sabia que dá para fazer um *sprinkler* de jardim com uma caixa de leite velha?

Não que eu precise de um *sprinkler* de jardim... mas e daí?

Vou até a sala de estar, com uma das mãos se apoiando na bengala e a outra segurando a cafeteira.

— Oi. — Suze levanta os olhos. Está sentada no chão. — O que acha? — Ela ergue uma faixa que está pintando. Está escrito "DEIXEM NOSSA PAISAGEM EM PAZ" em vermelho e azul vibrantes, com uma incrível borda de folhagens.

— Uau! — admiro. — Suze, está fantástico! Você é uma artista incrível. — Olho a pilha de faixas dobradas no sofá, que Suze vem pintando nos últimos dias. — Meu Deus, a campanha está com sorte de ter você.

A presença de Suze tem sido fantástica. Como nos velhos tempos. Ela está na pensão de Edie, enquanto Tarquin cuida das crianças em casa. E Suze se sentiu realmente culpada — até que sua mãe lhe disse para deixar de ser besta, e que uma vez ela deixou Suze em casa durante um mês inteiro enquanto estava explorando os contrafortes das montanhas do Nepal, e que isso não lhe causou mal nenhum.

E tem sido maravilhoso. Passamos um tempo enorme juntas, curtindo, comendo e falando de tudo. Algumas vezes só eu e Suze — e outras com Jess também. Tipo ontem à noite, nós três fizemos margaritas e assistimos a *Footloose, ritmo louco*. Que... eu *acho* que Jess gostou. Mesmo não sabendo todas as músicas de cor, como nós.

E uma noite, quando Suze foi visitar um conhecido que mora a uns trinta quilômetros daqui, Jess e eu passamos a noite juntas. Ela me mostrou suas pedras e contou tudo sobre elas — e em troca contei sobre meus sapatos e fiz desenhos deles. Acho que nós duas aprendemos um bocado.

— A campanha tem sorte de ter *você* — responde Suze, levantando as sobrancelhas. — Vamos encarar os fatos, Bex. Se não fosse você, esse protesto teria três pessoas e um cachorro.

— Bem. Você sabe. — Dou de ombros, tentando ser modesta. Mas estou secretamente bem satisfeita com o modo como as coisas andam. Estive encarregada da divulgação do protesto desde que saí do hospital, e tivemos uma tremenda cobertura! A passeata é hoje à tarde, e pelo menos quatro estações de rádio da região deram a notícia hoje de manhã. Saiu em todos os jornais locais, e uma equipe de TV até falou em ir!

Tudo devido a uma brilhante combinação de fatores. Primeiro, por acaso o chefe do noticiário na Rádio Cumbria é Guy Wroxley, que eu conheci em Londres quando era jornalista financeira. Ele me deu o telefone de todo mundo na área que poderia estar interessado, e fez uma matéria enorme ontem à tarde no *Cumbria Watch*.

Mas a melhor coisa é nossa fabulosa história de in-

A IRMÃ DE BECKY BLOOM

teresse humano! A primeira coisa quando assumi o controle foi convocar uma reunião do grupo ambiental. Todo mundo precisou me contar tudo que sabia sobre o lugar, mesmo que não parecesse importante. E por acaso Jim pediu Elizabeth em casamento no mesmo campo que vai ser destruído pelo shopping center!

Por isso fizemos uma foto no campo, com Jim ajoelhado exatamente como na época (só que aparentemente ele não se ajoelhou — mas eu disse para não contar a ninguém), parecendo todo triste. O *Scully and Coggenthwaite Herald* publicou a foto na primeira página ontem, com a manchete "MASSACRE DE NOSSAS MEMÓRIAS DE AMOR", e desde então a linha telefônica especial do protesto (o celular de Robin) não parou de tocar, com gente apoiando!

— Quanto tempo temos? — pergunta Suze se apoiando nos calcanhares.

— Três horas. Tome. — Entrego uma xícara de café.

— Ah, certo. — Suze faz uma ligeira careta. — É o seu café econômico?

— É! — Encaro-a na defensiva. — O que há de errado? É delicioso!

Há um toque na campainha e ouço Jess vindo pelo corredor, para atender.

— Talvez seja outro buquê de flores — diz Suze com um risinho. — Do seu admirador.

Tenho sido bombardeada com buquês desde o acidente, cerca de metade vem de Nathan Temple, dizendo coisas como "com gratidão gigantesca" e "agradecendo seu gesto de apoio".

Bem. E deve agradecer mesmo. Lá estava Luke, todo pronto para voltar para casa — e fui *eu* que disse que ele deveria ficar em Chipre e terminar o serviço, que eu ficaria bem com Jess por uns dias. Por isso ele ficou — e está voltando para casa hoje. O avião deve pousar a qualquer minuto.

Sei que as coisas vão funcionar entre nós dois. Tivemos altos e baixos... tivemos nossas tempestades... mas de agora em diante vai ser tempo bom, com águas calmas. Para começar, agora sou uma pessoa diferente. Virei uma figura adulta, prudente. E vou ter um relacionamento adulto com Luke. Vou discutir tudo com ele. Vou contar tudo. Chega de situações estúpidas em que terminamos entalados. Somos uma equipe!

— Sabe, honestamente acho que Luke não vai me conhecer — digo tomando um gole de café, pensativa.

— Ah, acho que vai — responde Suze me examinando. — Você não está *tão* ruim. Quer, dizer, os pontos são medonhos, mas esse hematoma enorme está um pouquinho melhor...

— Não estou falando da aparência! Quero dizer na personalidade. Mudei totalmente!

— Mudou? — pergunta Suze, perplexa.

Meu Deus, será que as pessoas não notam *nada*?

— Claro! Olhe para mim! Fazendo café econômico, organizando uma passeata de protesto, tomando sopa e... tudo!

Nem contei a Luke sobre a organização do protesto. Ele vai ficar tão desnorteado quando vir que a esposa se tornou uma ativista! Vai ficar tão impressionado!

A IRMÃ DE BECKY BLOOM

— Becky? — A voz de Jess me interrompe e nós duas a olhamos parada à porta com uma expressão estranha.

— Tenho uma coisa para você. Alguns excursionistas voltaram do pico Scully. E... acharam isso.

Sinto um choque de incredulidade quando ela tira das costas uma bolsa de pelica pintada à mão e enfeitada com *strass*.

Minha bolsa Angel.

Achei que nunca mais iria vê-la.

— Ah, meu Deus — ouço Suze ofegar.

Estou olhando a bolsa, sem fala. Está suja e há um arranhão minúsculo perto da alça — mas afora isso continua exatamente igual. O anjo é o mesmo. O "Dante" cheio de brilhos é o mesmo.

— Parece ótima — está dizendo Jess, virando-a nas mãos. — Deve ter se molhado e amassado um pouco, mas afora isso não sofreu nada. Toma. — Ela estende a bolsa.

Não me mexo. Não posso pegar.

— Becky? — Jess está perplexa. — Toma! — Ela a empurra na minha direção e eu me encolho.

— Não quero. — Desvio o olhar. — Essa bolsa quase arruinou meu casamento. Desde o instante em que a comprei, tudo começou a dar errado. Acho que é amaldiçoada.

— *Amaldiçoada*? — pergunta Jess, trocando olhares com Suze.

— Bex, não é amaldiçoada — diz Suze com paciência. — É uma bolsa totalmente fabulosa! Todo mundo quer uma bolsa Angel!

— Eu, não. Não quero mais. Só me trouxe problema. — Olho de um rosto para o outro, sentindo-me subitamente frouxa. — Sabem, os últimos dias realmente me ensinaram um bocado. Coloquei muitas coisas em perspectiva. E é uma escolha entre meu casamento e uma bolsa totalmente fabulosa... — Abro os braços. — Fico com o casamento.

— Uau — exclama Suze. — Você mudou *mesmo*. Desculpe — acrescenta sem graça ao ver meu rosto.

Honestamente, qual é a dela? Eu *sempre* ficaria com o casamento.

Tenho... bastante certeza.

— Então o que vai fazer com ela? — pergunta Jess. — Vender?

— Você poderia doar a um museu! — exclama Suze, empolgada. — Poderia ser "Da coleção de Rebecca Brandon".

— Tenho uma idéia melhor — digo. — Pode ser o principal prêmio da rifa esta tarde. — Rio para elas. — E vamos fazer mutreta para Kelly ganhar.

À uma hora a casa está cheia de gente. Todo mundo se reuniu aqui para um papo final, e a atmosfera é incrível. Jess e eu estamos distribuindo tigelas de sopa de legumes, Suze está mostrando todas as faixas pintadas a Robin, e em toda parte há um zumbido de conversas e risos.

Meu Deus, por que nunca participei de um protesto antes? É a melhor coisa do mundo!

— Não é empolgante? — pergunta Kelly chegando com uma tigela de sopa. Usa calça de camuflagem e uma

A IRMÃ DE BECKY BLOOM

camiseta onde está escrito com caneta hidrocor: "Tirem a mão da nossa terra".

— Fantástico! — sorrio. — E então... comprou um número da rifa?

— Claro! Comprei dez!

— Pegue esse aqui também — digo casualmente, entregando-lhe o número 501. Tenho uma boa sensação com ele.

— Ah, certo! — Ela enfia o número no bolso da calça. — Obrigada, Becky!

Dou um sorriso inocente e tomo um gole de sopa.

— Como está a loja?

— Fantástica! — Seus olhos brilham. — Pusemos balões de gás em toda parte, fitas, guirlandas brilhantes e um monte de brindes...

— Vai ser uma festa maravilhosa. Não acha, Jess? — Acrescento enquanto ela passa com uma panela de sopa. — A festa na loja do Jim.

— Ah. Acho que vai. — Ela dá de ombros de mávontade, quase desaprovando, e põe mais sopa na tigela de Kelly.

Como se estivesse me enganando com essa representação.

Quer dizer, qual é. Eu sou *irmã* dela.

— Então... é espantoso termos conseguido uma doação para as verbas da festa — digo a Kelly. — Não acha?

— Incrível! — diz Kelly. — Mil libras vindas do nada! A gente não conseguiu acreditar!

— Espantoso — diz Jess franzindo levemente a testa.

— É curioso, o doador querer permanecer anônimo — acrescento tomando uma colherada de sopa. — Robin disse que a pessoa foi muito enfática com relação a isso.

— É. — A nuca de Jess está ficando um pouco vermelha. — Ouvi dizer.

— Seria de pensar que quisessem algum crédito — diz Kelly, arregalada. — Sabe, por serem tão generosos!

— Concordo. É de pensar que quisessem. — Faço uma pausa e acrescento casualmente: — O que acha, Jess?

— Acho que sim — responde ela, colocando bruscamente a panela numa bandeja. — Não sei.

— Não mesmo. — Escondo um sorriso. — Grande sopa.

— Pessoal! — Jim bate numa mesa e o burburinho cessa. — Só para lembrar. Nossa Festa da Loja do Povoado começa às cinco, logo depois do protesto. Todo mundo está convidado para ir e gastar o máximo possível. Até você, Edie.

Ele aponta um dedo para Edie, e a sala explode em gargalhadas.

— Quem gastar mais de vinte libras ganha um brinde — acrescenta Jim. — E todo mundo vai ganhar uma bebida grátis.

— Agora você está falando! — grita o homem de cabelos brancos, e há outra gargalhada enorme.

– Bex? — diz a voz de Suze no meu ouvido. — Telefone para você. É Luke.

Corro para a cozinha, com um enorme sorriso ainda no rosto, e pego o telefone.

A IRMÃ DE BECKY BLOOM

— Luke! Oi! Onde você está? No aeroporto?

— Não, já estou no carro.

— Fantástico! — digo com a voz num jorro. — Quanto vai demorar para chegar aqui? Há um monte de coisas acontecendo! Vou lhe dar as orientações para saber exatamente onde estare...

— Becky... sinto muito, mas houve um problema. — A voz dele me corta. — Não sei como dizer... mas só vou poder me encontrar com você bem mais tarde.

— O quê? — Olho para o telefone, consternada. — Mas... por quê? Você esteve fora a semana inteira!

— Eu sei. Estou superchateado. Mas aconteceu uma coisa. — Ele solta o ar com força. — Há uma crise de RP com o Grupo Arcodas. Normalmente eu deixaria isso com o Gary e a equipe, mas esse cliente é novo. É o primeiro problema, e terei de enfrentá-lo pessoalmente.

— Certo. — Todo o meu corpo está afrouxando de desapontamento. — Entendo.

— Mas tive uma idéia. — Ele hesita. — Becky, venha ficar comigo.

— O quê? — Olho o telefone, boquiaberta.

— Venha agora. Eu mando um carro. Estou morrendo de saudade.

— Eu também. — Sinto uma pontada. — Estou morrendo de saudade.

— Mas não é só isso. Nós adoraríamos suas idéias nesse caso. Seria bom ter algumas idéias brilhantes. O que acha?

— Você quer que eu ajude? — Engulo em seco. — Verdade?

— Adoraria que você ajudasse. — A voz de Luke está calorosa. — Se estiver disposta.

Olho o telefone, hipnotizada de desejo. É exatamente o que eu sempre quis. Marido e mulher se ajudando. Trocando idéias. Uma parceria verdadeira, como deve ser.

Ah, meu Deus. Quero ir.

Mas... não posso deixar Jess na mão. Não agora.

— Luke, não posso ir. — Mordo o lábio. — Realmente quero trabalhar com você. Realmente quero fazer parte da equipe. Mas tenho uma coisa planejada para hoje. Prometi a Jess. E... a umas outras pessoas. Não posso abandoná-las. Desculpe.

— É justo. — Luke parece triste. — A culpa é minha, por não ter contratado você quando tive a chance. Bem, vejo você esta noite. — Ele suspira. — Não sei a que horas vou terminar, mas ligo quando tiver uma idéia.

— Coitadinho — digo com pena. — Espero que tudo dê certo. Estarei aí em espírito. Onde você vai estar?

— Bem, esta é a única coisa positiva. Vou para o norte. Na verdade, bem perto de você.

— Ah, certo — respondo com interesse. — Então qual é a crise? Outro empresário rico fazendo trambique na contabilidade?

— Pior. — Luke está sério. — Uma porcaria de grupo de protesto ambiental surgiu do nada.

— Grupo ambiental? — pergunto pasma. — Está brincando! Isso é uma tremenda coincidência, porque...

Paro abruptamente. De súbito meu rosto fica quente e pinicando.

A IRMÃ DE BECKY BLOOM   **459**

Não pode ser...

Não. Não seja ridícula. Deve haver milhões de protestos todos os dias, em todo o país...

— A pessoa que assumiu o controle entende mesmo de mídia — está dizendo Luke. — Há uma passeata esta tarde, eles têm cobertura da imprensa, os noticiários de TV estão interessados... — Ele dá um riso curto. — Saca só, Becky. Eles estão protestando contra um shopping center.

O cômodo parece nadar. Engulo em seco várias vezes, tentando ficar calma.

Não pode ser a mesma coisa. Não pode.

Não estamos protestando contra o Grupo Arcodas. Sei que não. Estamos protestando contra a Maybell Shopping Centers.

— Querida, tenho de desligar — Luke interrompe meus pensamentos. — Gary está na outra linha, querendo me atualizar sobre as coisas. Mas vejo você depois. Ah, e divirta-se, fazendo o que vai fazer com Jess.

— Vou... tentar — consigo dizer.

Quando volto à sala de estar, meu coração bate bem depressa. Todo mundo está sentado num semicírculo atento observando Robin, que segura um grande diagrama com duas figuras rabiscadas e o título: "Resistindo à prisão".

— ...a área da virilha é particularmente útil nesse caso — está dizendo quando entro. — Tudo bem, Becky?

— Sem dúvida! — respondo com a voz dois tons mais aguda do que o normal. — Só uma perguntinha. — Nós *estamos* protestando contra o Maybell Shopping Centers?

460 SOPHIE KINSELLA

— Isso mesmo.

— Então esse negócio não tem nada a ver com o Grupo Arcodas.

— Bem... sim. — Ele me olha, surpreso. — O dono da Maybell é o Grupo Arcodas. Você sabia disso, não?

Abro a boca — mas não consigo responder.

Estou tonta.

Acabei de orquestrar uma gigantesca campanha contra o mais novo e mais importante cliente de Luke. Eu. A mulher dele.

— Sacanas malignos. — Robin olha ao redor. — Adivinha o que fiquei sabendo hoje. Eles estão mandando a empresa de RP para "lidar" com a gente. Uma empresa importante de Londres. Mandaram o chefão voltar das férias especialmente, pelo que eu soube.

Ah, Deus. Não agüento isso.

O que vou fazer? O quê?

Tenho de cair fora. É. Tenho de dizer a todo mundo, agora mesmo, que estou saindo e me dissociar da coisa toda.

— Eles acham que nós somos peixe pequeno. — Os olhos de Robin estão brilhando intensamente. — Acham que não temos recursos. Mas temos nossa paixão. Temos nossas crenças. E acima de tudo... — Ele se vira para mim. — Temos Becky!

— O quê? — Dou um pulo em pânico quando todo mundo se vira para mim e começa a bater palmas. — Não! Por favor. Verdade. Eu... não tenho nada a ver com isso.

— Não seja modesta! — exclama Robin. — Você transformou o protesto! Se não fosse você, nada disso estaria acontecendo!

A IRMÃ DE BECKY BLOOM

— Não diga isso! — ofego horrorizada. — Quer dizer... só quero ficar num plano recuado... — Engulo em seco. — Na verdade, há algo que preciso dizer...

Qual é! Olha para eles.

Capto o olhar caloroso de Jim e desvio o meu. Meu Deus, isso é difícil.

— Espera — diz uma voz trêmula atrás de mim, e eu olho surpresa, vendo Jess avançando na minha direção. — Antes de você falar, eu gostaria de dizer uma coisa.

Enquanto ela vem e se posta do meu lado, a sala fica silenciosa em expectativa. Jess levanta o queixo e encara a multidão.

— Muitos de vocês me ouviram na outra noite, dizendo a Becky que não éramos irmãs. — Ela faz uma pausa e um leve rubor surge em suas bochechas. — Mas mesmo que não fôssemos... Mesmo que não fôssemos... — Ela olha ao redor, um tanto ferozmente. — Eu me sentiria honrada em conhecer Becky e tê-la como amiga.

— Ouçam isso! Ouçam isso! — grita Jim, rouco.

— E ir a essa passeata de hoje... com todos vocês... e minha irmã... — Jess passa o braço pelo meu. — É um dos momentos de maior orgulho da minha vida.

A sala fica absolutamente silenciosa.

— Desculpe, Becky. — Jess se vira para mim. — O que você queria dizer?

— Eu... é... bem — respondo debilmente. — Só ia dizer... Vamos acabar com eles.

WEST CUMBRIA BANK
45 STERNDALE STREET
COGGENTHWAITE
CUMBRIA

Srta. Jessica Bertram
12 Hill Rise
Scully
Cúmbria

12 de junho de 2003

Cara Srta. Bertram,

Fiquei surpreso ao ver hoje que uma quantia de mil libras foi retirada de sua conta.

É a movimentação mais incomum em sua conta, e por este motivo estou contatando-a para garantir que não houve equívoco.

Atenciosamente,

Howard Shawcross
Gerente de Contas

Vinte e Cinco

— Deixem nossa terra em paz! — grita Robin pelo megafone.

— Fora! Fora! Fora! — gritamos todos nós, e sorrio para Jess, empolgada. Se em algum momento tive dúvidas se estava fazendo a coisa certa, elas se dissiparam completamente.

Basta olhar em volta. Basta ver o que seria arruinado. Estamos parados no Piper's Hill — e é o lugar mais esplendoroso que já vi. Há um bosque no topo, flores selvagens aninhadas no capim, e já vi umas seis borboletas. Não me importa se o Grupo Arcodas é cliente de Luke ou não. *Como* é que eles podem construir um shopping center aqui? Especialmente um shopping de merda, sem nenhuma Space NK!

— Deixem nossa terra em paz!

— Fora! Fora! Fora! — grito a plenos pulmões. Protestar é a coisa mais maneira que já fiz, em toda a vida! Estou no topo do morro com Robin, Jim e Jess, e a visão diante de nós é simplesmente espantosa. Umas trezentas pessoas apareceram! Estão marchando pela pista na direção do local proposto, balançando cartazes, apitando e batendo tambores, com duas equipes de TV local e um punhado de jornalistas a reboque.

Fico olhando em volta — mas não há sinal de ninguém do Grupo Arcodas. Nem de Luke. O que me alivia um pouquinho.

Quer dizer, não que eu sinta vergonha de estar aqui. Pelo contrário. Sou uma pessoa que defenderá suas crenças e lutará pelos oprimidos, não importando o que os outros pensem.

Mas, tendo dito isso, se Luke aparecer, estou pensando que talvez coloque um gorro de esquiador e me esconda rapidamente atrás de alguém. Ele nunca vai me ver no meio da multidão. Vou ficar numa boa.

— Deixem nossa terra em paz!

— Fora! Fora! Fora!

Agora a multidão está ficando mais densa, e quando sinalizo de leve com a cabeça Robin baixa seu cartaz e sobe a escada de pintor que montamos. Há um microfone diante dela, e a visão do céu azul e do campo imaculado atrás dele é de tirar o fôlego. O fotógrafo que contratei para a ocasião se ajoelha e começa a tirar fotos, e logo as equipes de TV e os fotógrafos dos jornais locais se juntam a ele.

A multidão silencia gradualmente, e todo mundo se vira para Robin, cheio de expectativa.

— Amigos, simpatizantes, amantes do campo — começa ele, com a voz ecoando pela multidão silenciosa. — Peço que parem um momento e olhem o que temos ao redor. Temos beleza. Temos vida selvagem. Temos tudo que precisamos.

A IRMÃ DE BECKY BLOOM   465

Ele faz uma pausa de efeito, como o fiz ensaiar, e olha em volta. O vento está agitando seus cabelos, e seu rosto está vermelho de animação.

— Nós precisamos de um shopping center?

— Não! Não! Não! — gritamos todos de volta, a plenos pulmões.

— Precisamos de poluição?

— Não! Não! Não!

— Precisamos de mais lixo consumista e sem sentido? Alguém precisa de mais... — ele olha ao redor, com ar de desprezo — ...*almofadas*?

— Não... — começo com todo mundo. E paro. Na verdade eu gostaria de umas belas almofadas para nossa cama. De fato, vi ontem mesmo umas ótimas, de cashmere, numa revista.

Mas... tudo bem. Todo mundo sabe que algumas vezes os ativistas discordam em alguns pontos técnicos menos importantes. E concordo com todas as outras coisas que Robin está dizendo. Só não concordo com relação às almofadas

— Queremos uma coisa medonha na nossa terra? — grita Robin, abrindo os braços.

— Não! Não! Não! — grito de volta, feliz, e sorrio para Jess. Ela sopra seu apito, e eu olho para ele, meio invejosa. Na próxima vez que for a um protesto, vou levar um apito.

— Agora vamos ouvir outra de nossas ativistas! — grita Robin. — Becky! Suba aqui!

Meu coração dá um pulo.

O quê? Isso não estava nos planos.

— A garota que montou esta campanha! — diz ele. — A garota cujas idéias e cujo espírito fez isso acontecer! Vamos ouvir Becky!

Todo mundo está se virando para me encarar, com rostos cheios de admiração, animados. Robin começa a aplaudir e todo mundo o acompanha gradualmente.

— Vá, Becky — diz Jess acima do ruído. — Eles realmente querem você!

Dou uma rápida olhada em volta. Não há sinal de Luke.

Ah, não posso resistir.

Vou mancando até a escada, através da multidão, e subo cuidadosamente, com a ajuda de Robin. Abaixo de mim há um mar de rostos empolgados, todos olhando para cima, ao sol.

— E aí, Piper Hill! — grito ao microfone, e a multidão reage com aplausos estrondosos, gritos, assobios e tambores frenéticos.

Meu Deus, isso é fantástico! É como ser uma estrela *pop*!

— Este é o nosso campo! — grito sinalizando para o capim verde que ondula ao redor. — Esta é a nossa terra! Não vamos desistir dela!

De novo explodem os aplausos.

— E para qualquer um que QUEIRA que a gente desista... — grito balançando os braços. — A qualquer um que ache que pode vir e TIRAR ISSO DE NÓS... eu digo o seguinte!: VÃO EMBORA!

A IRMÃ DE BECKY BLOOM

Há uma terceira explosão de aplausos, e não consigo evitar um riso enorme. Meu Deus, realmente ganhei o pessoal. Talvez eu deva entrar para a política!

— Eu digo DESISTAM AGORA! — grito. — Porque vamos LUTAR! Nas PRAIAS! E nas...

Há uma ligeira movimentação na turba e eu paro, tentando ver o que está acontecendo.

— Eles estão vindo! — ouço pessoas gritando.

— Uuuu!

Toda a multidão está vaiando e zombando, virando-se para olhar alguma coisa que não consigo identificar direito.

— São eles! — grita Robin do capim embaixo. — Sacanas! Vamos mostrar a eles!

E de repente congelo. Cinco homens de ternos escuros estão vindo depressa para a frente da multidão.

Um deles é Luke.

Certo, preciso descer desta escada. Imediatamente.

Só que não é tão fácil assim, quando uma perna está engessada. Mal consigo me mexer.

— É... Robin, quero descer agora! — grito.

— Fique aí! — grita Robin. — Continue com o discurso! Está fantástico

Agarro freneticamente a muleta e tento manobrar para descer, quando Luke ergue os olhos e me vê.

Nunca o vi tão chocado. Ele pára e apenas fica me olhando. Sinto o rosto em fogo, e de repente minhas pernas estão trêmulas.

— Não deixe que eles a intimidem, Becky! — sibila Robin, ansioso, de baixo. — Ignore-os! Continue falando! *Vá!*

Estou travada. Não há o que possa fazer. Pigarreio, deliberadamente evitando o olhar de Luke.

— É... Nós vamos lutar! — grito com a voz meio abalada. — Quero... dizer... VÃO EMBORA!

Agora os cinco homens estão parados em fila, de braços cruzados, me olhando. Três deles não reconheço, além de Gary e Luke.

O truque é não olhar para eles.

— Deixem-nos com nossa terra! — grito com mais veemência. — Não queremos sua SELVA DE CONCRETO!

Aplausos gigantescos irrompem, e não consigo evitar um olhar de triunfo para Luke. Não consigo deduzir qual é sua expressão. A testa está franzida e ele parece furioso.

Mas também há um repuxado em sua boca. Quase como se quisesse rir.

Ele me encara e alguma coisa ondula através de mim. Tenho uma sensação medonha de que vou começar a rir histericamente.

— Desistam! — grito. — Porque vocês NÃO VÃO VENCER!

— Vou falar com a líder — diz Luke seriamente a um dos homens que não reconheço. — Ver o que posso fazer.

Calmamente ele atravessa o capim até a escada de pintor e sobe três degraus até ficar no mesmo plano que eu. Por um momento simplesmente nos olhamos sem falar. Meu coração está martelando dentro do peito como um pistão de motor.

A IRMÃ DE BECKY BLOOM

— Olá — diz Luke finalmente.

— Ah! Hã... oi! — digo no tom mais casual que consigo. — Como vai?

— Você armou uma tremenda festa. — Luke examina a cena. — Fez isso tudo sozinha?

— Bem... tive um pouco de ajuda. — Pigarreio. — Sabe como é... — Prendo o fôlego quando meu olhar pousa no punho imaculado da camisa de Luke. Aninhada sob ele, praticamente invisível, há uma velha pulseira de corda, bastante gasta.

Desvio o olhar rapidamente, tentando ficar calma. Aqui estamos em lados opostos.

— Você percebe que está protestando *contra* um shopping center, Becky?

— Cheio de lojas de merda — retruco sem perder o pique.

— Não negocie, Becky! — grita Robin de baixo.

— Cuspa na cara dele! — entoa Edie, sacudindo o punho.

— Você sabe que o Grupo Arcodas é meu maior cliente — diz Luke. — Isso lhe passou pela cabeça?

— Você queria que eu fosse mais parecida com Jess — respondo com algum desafio. — Foi o que você disse, não foi? "Seja como sua irmã". Bem, aí está. — Inclino-me para a frente, até o microfone, e grito: — Voltem para Londres e levem sua moda! Deixem-nos em paz!

A multidão irrompe num aplauso de aprovação.

— Voltar a Londres com nossa moda? — ecoa Luke incrédulo. — E *sua* moda?

— Eu não tenho modas — digo em tom altivo. — Mudei, se você quer saber. Sou realmente frugal. E me importo com o campo. E com empresários malignos que vêm arruinar locais lindos como este.

Luke se inclina e sussurra na minha cabeça.

— Na verdade... eles não estão planejando construir um shopping center neste lugar.

— O quê? — Levanto a cabeça com a testa franzida.

— Estão sim.

— Não estão. Mudaram de planos há uma semana. Vão usar outro local, sem vegetação.

Olho seu rosto cheia de suspeitas. Ele não parece estar mentindo.

— Mas... os planos — digo. — Nós temos os planos!

— Velhos. — Ele ergue as sobrancelhas. — Alguém não fez a pesquisa direito. — Luke olha para Robin. — Poderia ter sido ele?

Ah, meu Deus. Isso tem um ar de verdade.

Minha mente está num redemoinho. Não consigo absorver tudo. Eles não planejam construir um shopping center aqui, afinal de contas.

Estamos todos aqui, gritando feito malucos... sem motivo.

— Então — Luke cruza os braços — apesar de sua campanha de publicidade extremamente convincente, o Grupo Arcodas não é de fato um vilão. Não fez nada de errado.

— Ah, certo. — Remexo-me sem jeito e olho para além de Luke, para os três homens do Grupo Arcodas

A IRMÃ DE BECKY BLOOM 471

com suas expressões de desprezo. — Então... imagino que eles não estejam muito satisfeitos, não é?

— Não estão exatamente empolgados.

— Hã... desculpe. — Passei o olhar pela multidão que espera. — Então acho que você quer que eu diga a eles. É isso?

Os olhos de Luke soltam uma fagulha minúscula, como sempre acontece quando ele tem um plano.

— Bom — diz ele. — Por acaso tenho uma idéia melhor. Como você fez o favor de juntar toda essa mídia...

Luke segura o microfone, gira para o povo e bate nele, pedindo atenção. Em resposta há um trovejar de vaias. Até Suze está balançando seu cartaz para ele.

— Senhoras e senhores — diz Luke em sua voz profunda e confiante. — Membros da imprensa. Tenho um anúncio a fazer em nome do Grupo Arcodas.

Ele espera com paciência até que as vaias acabem, depois olha para a multidão.

— Nós, do Grupo Arcodas, somos pessoas apaixonadas. Somos apaixonados por ouvir. Somos uma empresa que presta atenção. Falei com sua representante... — Ele me indica. — E aceitei todos os argumentos dela.

Há um silêncio cheio de expectativa. Todo mundo está olhando para ele, embasbacado.

— Em resultado disso... posso anunciar que o Grupo Arcodas reconsiderou a utilização deste local. — Luke sorri. — Não haverá shopping center aqui.

Há um momento de silêncio perplexo — e depois tudo irrompe num pandemônio de alegria. Todo mundo está aplaudindo e se abraçando, apitos soam e tambores são batucados num frenesi de morte.

— Nós conseguimos! — ouço Jess gritar acima do clamor.

— Nós mostramos a eles! — grita Kelly.

— Além disso gostaria de atrair sua atenção para várias iniciativas ambientais que o Grupo Arcodas patrocina — diz Luke habilmente ao microfone. — Os panfletos estão sendo distribuídos neste momento. E material para a imprensa. Aproveitem.

Espera aí. Ele está transformando isso num evento positivo de relações públicas. Ele seqüestrou o protesto!

— Sua cobra! — digo furiosa, pondo a mão sobre o microfone. — Você enganou completamente o pessoal!

— O campo está salvo. — Ele dá de ombros. — O resto são detalhes.

— Não! Esse não é o...

— Se sua equipe tivesse feito a pesquisa, nós não estaríamos aqui e eu não teria de salvar a situação. — Ele se inclina e chama Gary, que estava distribuindo os papéis para a multidão. — Gary, leve o pessoal do Arcodas para o carro, certo? Diga que vou ficar para mais trabalhos de negociação.

Gary assente e me dá um aceno animado, que eu opto por ignorar. Ainda estou ultrajada com os dois.

— Então... *onde* o shopping center vai ser construído? — pergunto enquanto olho a multidão se regozijando. Kelly e Jess estão se abraçando, Jim está batendo nas costas de Robin, e Edie e Lorna estão balançando suas perucas cor-de-rosa no ar.

— Por quê?

— Talvez eu vá protestar na frente. Talvez eu deva começar a seguir o Grupo Arcodas e a criar encrenca! Manter você na linha.

— Talvez devesse fazer isso — diz Luke com um sorriso torto. — Beky, olha, desculpe. Mas tenho de fazer meu trabalho.

— Sei disso. Acho. Mas... eu pensei que estava fazendo diferença. Realmente pensei que tinha realizado alguma coisa. — Dou um suspiro frustrado. — E tudo por nada!

— Por *nada*? — pergunta Luke, incrédulo. — Becky, dê só uma olhada no que você fez. — Ele sinaliza para a multidão. — Olha todo esse pessoal. Ouvi dizer como você transformou a campanha. Para não mencionar o povoado... e essa festa que você está dando... Você deveria ter orgulho! Furacão Becky, é como está sendo chamada.

— Imagina. Eu deixo uma trilha de devastação em toda parte.

Luke me olha, subitamente sério, com os olhos calorosos e escuros.

— Você explode as pessoas. Todo mundo que você conhece. — Ele segura minha mão e a olha por um momento. — Não seja como Jess. Seja como você.

— Mas você disse... — começo. E paro.

— O quê?

Ah, meu Deus. Eu ia ser toda adulta e digna e não mencionar isso. Mas não consigo evitar.

— Escutei você conversando com Jess — murmuro.
— Quando ela se hospedou com a gente. Escutei você
dizer... que era difícil viver comigo.

— E *é* difícil viver com você — responde Luke em
tom casual.

Encaro-o com a garganta meio apertada.

— E também é enriquecedor. Empolgante. Divertido. É a única coisa que eu quero. Se fosse fácil seria chato. — Ele toca meu rosto. — A vida com você é uma
aventura, Becky.

— Becky! — grita Suze, de baixo. — A festa vai
começar! Oi, Luke!

— Venha — diz Luke, e me beija. — Vamos descer
desta escada. — Seus dedos fortes apertam os meus e eu
os aperto de volta.

— Por sinal, o que você quis dizer quando falou que
era frugal? — pergunta ele enquanto me ajuda a descer.
— Era piada?

— Não! Eu sou frugal! Jess me ensinou. Como o
Yoda.

— O que, exatamente, ela ensinou? — pergunta
Luke, parecendo meio cauteloso.

— A fazer um *sprinkler* de jardim com uma caixa de
leite — digo com orgulho. — E a embrulhar presentes
com sacos plásticos velhos. Além disso, você sempre deve
escrever os cartões de aniversário a lápis, para a pessoa
poder apagar a mensagem e os usar de novo. Economiza
90 *pence*!

Luke me olha por longo tempo sem falar.

— Acho que preciso levar você de volta para Londres — diz finalmente. Em seguida me ajuda cuidadosamente a descer a escada, segurando minha muleta embaixo do braço. — Por sinal, Danny ligou.

— Danny ligou? — pergunto num espanto jubiloso, e erro o último degrau da escada. Quando pouso no capim, tudo fica meio rodando.

— Aaah! — Agarro-me a Luke. — Fiquei tonta.

— Você está bem? — pergunta Luke, alarmado. — É a concussão? Você não devia estar subindo escadas.

— Está tudo bem — digo meio sem fôlego. — Vou me sentar.

— Meu Deus, eu sempre ficava assim! — diz Suze, passando. — Quando estava grávida.

Tudo parece se esvaziar da minha mente.

Lanço um olhar para Luke. Ele parece igualmente abalado.

Não. Quer dizer... eu não poderia...

Não pode ser...

E de repente meu cérebro está fazendo somas frenéticas. Nem *pensei* em... Mas a última vez que... deve ter sido... faz pelo menos...

Ah, meu Deus.

Ah... meu Deus.

— Becky? — pergunta Luke em voz estranha.

— Ah... Luke...

Engulo em seco, tentando ficar fria.

Certo. Não entre em pânico. *Não* entre em pânico...

WEST CUMBRIA BANK
45 STERNDALE STREET
COGGENTHWAITE
CUMBRIA

Srta. Jessica Bertram
12 Hill Rise
Scully
Cumbria

22 de junho de 2003

Cara Srta. Bertram,

Fiquei chocado e magoado com o tom de sua última carta.

Eu "tenho o que fazer da vida", ao contrário do que a senhorita disse.

Atenciosamente,

Howard Shawcross
Gerente de Contas

Rebecca Brandon
37 Maida Vale Mansions
Maida Vale
Londres Nw6 0yf

Ao gerente da Harvey Nichols
109-125 Knightsbridge
Londres SWIX 7RJ

25 de junho de 2003

Caro senhor,

Estou fazendo uma pesquisa hipotética. Imagino se é verdade que, se alguém dá à luz na Harvey Nichols (acidentalmente, claro!) a pessoa teria direito a roupas grátis por toda a vida.

Agradeceria se me informasse.

Obviamente, como mencionei, esta é uma indagação completamente hipotética.

Atenciosamente,

Rebecca Brandon (*née* Bloom)

Rebecca Brandon
37 Maida Vale Mansions
Maida Vale
Londres NW6 0YF

Ao gerente do
Setor de Alimentação
Harrods
Brompton Road
Londres SW1X 7XL

25 de junho de 2003

Caro senhor,

Estou fazendo uma pesquisa hipotética. Imagino se é verdade que, se uma pessoa dá à luz no Setor de Alimentação da Harrods (acidentalmente, claro!) ela terá direito a comida grátis por toda a vida.

Também imagino se a pessoa teria direito a qualquer outra coisa, como roupas.

Agradeceria se me informasse.

Atenciosamente,

Rebecca Brandon (*née* Bloom)

Rebecca Brandon
37 Maida Vale Mansions
Maida Vale
Londres NW6 0YF

Signores Dolce e Gabbana
Via Spiga
Milão

25 de junho de 2003

Chere Signores,

Ciao!

Mi est femma inglesa adoro votre fashion.

Immagino piccola questiona hippotética: si je avais bambino in votre loggia (pur engagno, naturallemento!!) tengo diretto a les roupas gratuite por toda la vida? E por lo bambino aussi?

Grazie mille beaucoup por la resposta.

Attenziozamiente,

Rebecca Brandon (*née* Bloom)

Este livro foi composto na tipologia Benhard
Modern BT, em corpo 13/16, e impresso em
papel off-set 90g/m² no Sistema Cameron da
Divisão Gráfica da Distribuidora Record.